KB077140

슬픈 레이먼드 카버

슬픈 레이먼드 카버

발 행 | 2024년 7월 30일

저 자 | 양산호

펴낸이 | 한건희

펴낸곳 | 주식회사 부크크

출판사등록 | 2014.07.15.(제2014-16호)

주 소 | 서울특별시 금천구 가산디지털1로 119 SK트윈타워 A동 305호

전 화 | 1670-8316

이메일 | info@bookk.co.kr

ISBN | 979-11-410-9853-7

슬픈 레이먼드 카버

차 례

섬

'일찍이 이곳에 발을 디딘 적이 있는 자들은 누구든 섬을 두려워하리라. 곧 닥칠 익사의 공포에 몸서리치며 보낸 하루하루는 천년이고 만년 같아서 잊혀 질 수 없을 것이기에.'

생활용품, 물물교환 등. 잡다한 면들을 단숨에 뛰어넘어 병수는 구인 면을 펼쳤다. 정확히 33면, 그의 나이와 같은 숫자였다. 무료로 배포되는 이 신문이 아니라면 그는 노동부 고용안정센터나, 일일 취업센터, 상점의 유리문, 전봇대, 공공건물의 게시판을 돌아야 했을 것이다. 그런데 지금 33면의 지면 서두에는 위와 같은 말들이 씌어 있는 것이 아닌가. 그는 다시 한번 눈을 번뜩여 보았다. 분명히 33면이었고 구인란이 아니라 독자투고란이었다. 그는 오른쪽으로 눈을 돌렸다. 구인란은 바로 그곳에 있었다. 그가 이 신문을 보지 않은 몇 달 새 신문은 지면의 구조를 바꾸었다.

"어서, 나갑시다!"

어느샌가 다가온 서 기사가 책상 앞에 서서 이렇게 말한 후 먼저 걸어 나갔다. 건들거리는 걸음에 바람이 불면 날아갈 듯 마른 체구였다. 이 말에 그는 하품을 한 번 하고 자리에서 일어났다. 그래, 지점이 문을 닫으려면 아직 1달이라는 시간이 남아있고 그때까지는 해오던 일을 해야 하는 것이다. 은행 고객이 낸 세금을 시금고 수납하는 N은행에 가져다주고, 우체국에 들러 등기나 소포도 부쳐야 하고 전화국에도 가야 한다.

시청 사거리 앞에서 신호를 기다릴 때였다.

"서 기사는 일자리 안 알아볼 거야?"

무심코 그가 물었을 때, 서 기사는 심드렁한 표정으로 말했다.

"천천히 알아 볼랍니다. 이런 기회에 실업급여도 타면서."

이 말이 좀 수상쩍기는 했지만 그는 곧 서 기사의 처가 일을 다니고 있다는 것을 생각해 냈다. 하긴 넌 나처럼 걱정이 되지는 않을 거야. 아직 자식도 없고 홀어머니와 함께 살고 있으니까 집세를 낼 필요도 없고. 이렇게 생각하는 순간 얼굴이 몹시 궁색한 표정을 짓고 있을 것 같아 그는 고개를 창으로 돌렸다. 말라서 더 이상 잎을 피우지 못하거나 영양 실조에 걸린 것처럼 잎이 누렇게 뜬 가로수가 지나갔다. 얼마 후면 매일 지나는 이 거리를 지날 수 없게 될까. 그럴 수도, 그렇지 않을 수도 있겠지.

문득 작년 이맘때 일이 떠올랐다. 그날도 그는 여느 때와 다름없이 은행을 향해 출근하는 길이었다. 아침 8시에 출근해서 세팅을 하고, 출근하는 직원들을 기다리는 것으로 일과를 시작하곤 했다. 그런데 그날은 평소와 달리 은행 앞에서 그를 기다리는 사람들이 있었다. 셔터가 내려진 문 앞에 두 명의 경찰관과 정장 차림의 남자 대여섯 명이 서성대고 있었다. 이들을 본 순간 그는 드디어 일이 터졌다는 것을 깨달았다. 그들은 D은행을 접수하기 위해 출동한 점령군이었다. 그렇다, 그것을 본 병수는 그들을 지나쳐 왔던 길을 되돌아가기 시작했다. 다시 이 길로 출근하는 일은 이제 없을 것이리고 생각하면서. 그때 삐삐가 울렸고, 선화기를 통해서 목이 쉰 M의 목소리가 들려왔다. M은 대구에서 농성 중이라고 했고, 이제 은행에는 나가지 않아도 됩니다, 라고 했다. 이 말에 병수는 이제 마지막 출근이라는 글을 써야겠군요, 라고 말했다.

그날이 아무런 예고 없이 다가온 것은 물론 아니었다. 이런 일에 우연이 개입될 여지는 애초부터 없었다. 외환위기가 닥치자, 금융기관의 부실 문제는 최우선의 표적이 되었다. 얼마간 은행 전체에 대한 경고가 주어지고, 부실 은행과 건전 은행 간의 합병설이 나왔다. 이때 방송매체에 의해 D은행의 합병 대상자로 떠오른 것은 J은행이었다. D은행과 정부출자 은행인 J은행의 업무가 동일하게 중소기업 전담 은행이라는 이유에서였다. 이 안은 중소기업중앙회 부회장의 발언을 통해 더욱 강화되었다. 이 방송을 들으면서 D은행 직원들은 다들 이것이 사실이기를 바랐다. 전국에 많은 점포를 가지고 있지 않은 J은행과 합병을 하게 된다면 적어도 그들이 두려워하는 흡수합병은 아닐 것이고, 직원의 반수 이상이 살아남을 것이기 때문이었다.

하지만 이 주일이 지났을 때, 이 시나리오는 다른 시나리오로 교체되었다. 그들로서는 납득할 수 없었지만, 두 은행의 전산 체계가 달라 합병하는 데 소용되는 비용이 만만치 않을 것이라는 이유에서였다. 하지만 이번 상대는 전국에 많은 점포를 가지고 있는 K은행이었다. 그래서 D은행 직원들은 남게 될 직원 수를 과반수에서 삼분의 일로 줄였다.

이런 과정을 거치며 D은행 직원들은 차츰 기력을 잃어갔다. 과반수가 남게 되던 삼분의 일이 남게 되던 그것이 문제가 아니었다. 어떤 식으로든 D은행이 합병을 당하게 되면 누군가는 은행을 떠나야 할 것이고, 그것이 꼭 자신이 아니라고 말할 수는 없었던 것이리라.

N은행을 거쳐 우체국으로 돌아가기 위해 좌회전을 기다리고 있을 때였다. 그는 운전대를 잡고 있던 서 기사에게 말했다.

"우체국에 가서 좀 기다려, 갔다가 올 데가 있으니까."

이 말에 서 기사의 표정이 잠시 찡그려졌다.

"은행에 들어가서 외출 허가를 받고 오지 그래요?"

서 기사의 말이 무슨 뜻인지 그도 잘 알고 있었다. 얼마 전 그는 전화기 대리점에 갔다가 직원과 실랑이를 벌인 적이 있었다. 통화음질이 나쁜 지역에 주거지가 있을 경우 반드시 반환해 주겠다던 대리점 직원이, 이미 개통을 했기 때문에 적어도 3개월은 사용해야 됩니다, 라고 억지를 썼다. 그는 제법 세상일에 밝은 척, 약관을 보여줄 것을 요구했다. 하지만 대리점 직원은 잠시 꼬리를 내리는 법도 없이 으르렁거리다가 마침내 덤벼들어 그의 멱살을 잡고 늘어졌다. 그도 직원의 목을 잡고 늘어졌다. 이 일이 지점장에게 알려지지 않았더라면 얼마나 좋았을까. 쥐새끼 같은 차장 녀석! 기껏 말하지 않겠다고 약속한 후 다른 지점으로 가게 되니까 고자질을 하다니… 하지만 그 일이 있고 나서 그는 내키지 않던 일을 더 이상 하지 않아도 되었다. 그는 자동 입. 출금기를 만질 때마다 정식직원이 아니었기 때문에 등으로 의혹의 눈길을 느꼈었다. 혹시 들고 튀기라도 할까 겁나나요? 그건 아니랍니다.

"됐어! 내가 알아서 할 테니까 놔두라구."

이제 얼마 있지 않으면 지점이 폐쇄되는데, 그는 될 대로 되라는 심정이었다. 설사 지금 당장 그가 그만둔다고 해도 그들은 할 말이 없을 것이라고도 생각하며.

"나중에 가요!"

병수는 말리는 진짜 이유가 뭐냐고 서 기사에게 묻고 싶었지만 우체국에 닿은 차에서 말없이 내렸다. 도대체 녀석이 정작 하고 싶은 말은 뭘까, 알 수가 없다. 이렇게 속으로 말하며 그는 늘 뭔가를 말하고 있는 자의 속을 들여다보는 일은 얼마나 힘든 일인지 깨달았다. 그는 얼마 전에 장애인을 위해 만든 노란 보도블록을 비켜 걸으며 교차로에서 왼쪽으로 방향을 틀었다. 봄까지만 해도 몸통뿐이었던 플라타너스가 나타났다. 넓은 잎이 몸통을 덮고도 모자라 하늘을 볼 수 없게 성장해 있었다. 서둘러 손을 내뻗고 잎을 내밀어야 하는 그 급박함이라니, 그는 잎이 자라는 광경을 상상하며 이렇게 생각했다.

길 건너편에 있는 낡은 4층 건물이 온열 치료기 대리점이었다. 길을 건너 4층으로 올라가는 동안 어디선지 매캐한 냄새가 풍겨왔지만 병수는 이 냄새의 원인을 찾아보려고는 하지 않았다. 오랫동안 햇빛을 보지 못한 카펫 속에 자리를 잡게 된 곰팡이들이 풍기는 것이든 낡은 건물 지붕에 사는 쥐들에게서 나는 냄새이든 그런 것에 주의를 둘 여유가 없었다. 아, 이곳이구나! 대리점 유리문에 도착하자, 그는 이렇게 외쳤다. 유리문 너머로 늙어서 몸의 어딘가가 쓸 수 없게 되어버린 노인들 수십 명이 눕는 의자에 누워 있는 것이 보였다. 다들 눈을 감고 있었고 치료기에서 뿜어져 나오는 전기 자극을 즐기고 있었다. 역기처럼 생긴 것을 손에 들고 배와 젖가슴 위를 굴리는 할머니도 보였다. 그는 잠시 문 앞

에서 머뭇거렸다. 이런 곳에서 과연 일을 해낼 수 있을까, 하는 의구심
이 피어올랐기 때문이었다. 또 다른 이유도 있었다. 다들 그렇듯이 새로
운 사람이나 환경을 만났을 때 생기는 공포심이었다.

이윽고 용기를 낸 그가 문을 밀고 들어가자, 키가 작지만 얼굴이 큰
중년 여자가 그를 쳐다보았다. 그가 온 이유를 대자, 중년 여자가 말했
다. 몸집과 달리 가냘프고 고운 목소리로.

"사장님은 출장 중입니다. 제가 메모를 했다가 전해 드리죠."

병수는 그녀의 인상에서 그의 눈에 길들여진 부분을 찾았다. 그래야만
숨을 쉬고 말을 할 수 있을 것 같아서였다. 마침내 그는 그녀의 작고 예
쁜 손과 높은 이마에서 누나의 모습을 찾아냈고 전화번호와 이름을 불
러주었다.

은행으로 돌아오자, 병수는 2년에서 일주일을 더한 기간 동안 앉아 있
었던 청경석에 앉았다. 책상 위에는 출납창구가 있는 쪽으로 검은 상자
의 인주가 있었고 그 옆으로 2년 동안 길러온 수란이 있었다. 그가 은행
앞 계단에서 주웠을 때는 작은 점과 다름없던 것이 유리병에 담아두고
물을 갈아주자 잎을 뻗기 시작했다. 그러면서 작은 유리병 안은 수란의
하얀 뿌리로 가득 찼고 연약하기 그지없던 잎은 억센 줄기를 만들어 책
상 아래로 새끼들을 쳐갔다. 집으로 가져갈까, 하지만 이것을 볼 때마다
이런 날들이 기억난다면 어쩌지? 그가 이런 생각에 젖어 있을 때 미스
리가 그를 부르는 소리가 들렸다. 청경 아저씨! 병수는 자동 입. 출금기
때문일 것이라고 직감했다. 그녀는 그 기계들을 제어할 만한 기술이 없
었고 이런 식으로 매번 그에게 도움을 청했다.

미스 리는 병수와 함께 D은행에서 넘어온 유일한 여자였다. 그는 자

리에서 일어서려다 머릿속에서 살아난 지점장의 정지명령을 들었다. 지점장은 그에게 한계를 정해놓지 않은 채 무조건 기계에서 손을 떼라고 명령했다. 아무려면 어때, 곧 끝날 텐데. 그는 자리를 빠져나와 키를 받아 들고 기계를 향해 걸어갔다. 그가 걸어가는 농안 매장에 있던 고객들이 힐끔힐끔 쳐다보았다. 하긴 이상할 테지, 늘 인사를 하고 안내를 하던 사람이 하루아침에 달라지리라고는 생각하기 힘드는 일이니까. 그때 단골 고객인 미용실 여사장이 그에게 아는 체를 했다. 그는 인사를 받으며 그녀의 일에 대해 물었다. 그냥 저냥 그렇지요, 라는 말에 그는 그럼 나중에 또, 라고 말한 후 기계를 향해 걸어갔다. (지점이 곧 폐쇄된다는 말은 할 수 없었다. 그것은 지점장 명령이었다) 나중에 그녀를 만난다면 아는 체를 할 수 있을까. 새로운 직장을 얻는다면 그것은 가능할 수 있었다. 하지만 그렇지 않으면 그는 그녀의 시선을 애써 피해야 할 것이 틀림없었다.

오후 다섯 시 삼십 분이 되자, 병수는 은행 문을 나섰다. 은행원들이 업무를 마감하려면 아직도 한 시간이나 더 있어야 했지만, 문을 걸고 일을 하는데 굳이 그가 있어야 할 필요는 없었다. 그가 은행을 지켜야 하는 시간은 바로 여기까지였다. 그럼에도 그들은 그에게 늘 조금만 더 있어 주었으면, 하고 바랐다.

그로부터 며칠 후였다.

오전 9시 30분이 되자, 병수는 아침 일과를 위해 서 기사와 함께 은행을 나섰다.

"정말 아무 데도 알아볼 생각이 없는 거야?"

그는 서 기사 일에 왜 안달을 하는지 모르겠다고 생각하면서도 그만 두지 못했다. 내가 마땅한 일자리를 발견하지 못했기 때문에 서 기사도 답답하리라 여겨서일까. 어제 그는 온열 치료기 사장을 만났다. 그쪽에서 연락이 먼저 온 것이었다. 하지만 콧날이 날카롭고 턱 아래에 좁쌀만한 점이 있는 사장은 가족을 부양할 수 있는 수입을 줄 수 없다고 점잖고 솔직하게 말했었다. 그 점만으로도 사장은 다른 사람에게 존경을 받을 수 있다고 병수는 생각했다.

"어제 지점장님과 부산 가는 길에 마침 거기 지점장님과 같이 가게 됐는데."

"응, 그래서?"

"우리 지점장이 거기 지점장에게 기사를 쓸 생각이 없냐고 물었더니, 별 필요가 없답니다. 지점장이 직접 운전을 해도 불편하지 않고요."

"그럼, 어쩌지."

이 녀석은 지금껏 믿을 구석이 있었구나, 그가 이렇게 생각하는 사이 서 기사의 입에서 불평이 터져 나왔다.

"돈은 쥐꼬리만큼 주고 일은 정식직원처럼 부려 먹으려고 들더니, 지점이 문을 닫게 됐어도 일자리 하나 알아봐 주는 놈 없고."

서 기사는 거대기업인 K은행이 D은행을 합병한 직후 출근했다. 그래서 D은행에 대한 기억 때문에 그들을 밉살스럽게 보았던 병수와는 달리 열심히 일했다. 은행의 마스코트라고 불릴 정도로. 하지만 서 기사도 이제 알만큼은 알고 있었던 셈이다. 늘 한 가족처럼, 정식직원이라고 생각하라던 간부들의 위선적인 말들이 지향하는 점을 알게 된 것이다.

"그래도 형님은 하는 일이 있지 않습니까?"

시샘하는 듯한 서 기사의 말에 병수는 경악했다. 내가 글을 쓰는 것이 내내 부럽고 못마땅했던 것일까, 도대체 그럴 필요는 없다, 고 말하려다 괜한 소리라고 할까 봐 그는 그만두었다. 그 일은 곧잘 복권이 당첨되는 시으로 인식되지만 많은 수의 진업 작가들은 허기를 면치 못하고 있다고 그는 들었다 ― 작가들의 엄살일지도 모르지만.

10시 20분에 은행에 도착한 병수는 자리에 앉아 정보신문을 펴들었다. 한 장, 두 장, 여러 장을 한꺼번에 넘겼다. 어리석게도 또다시 33면, 독자투고란이었다. 34면으로 넘기려다 그는 서두에 있는 글을 보았다. 섬에 대한 말이었다.

'그 섬은 사소한 잡담으로 시간을 때우고, 텔레비전을 보고, 아이들과 노는 때에도, 아내와 단둘이 있는 시간에도 불현듯 떠오르리라. 음침하고 잔혹한 모습으로 물 위에 떠서 손짓할 것이다.'

처음에 본 섬은 무엇이고 이 섬은 무엇인가. 어떤 이름을 가진 섬들일까. 병수는 이 글을 쓴 사람의 이름을 찾았지만, 저번처럼 익명으로 발표된 글이었다. 구인란을 보고 난 후 그는 몇 개의 전화번호를 적었다.

그때 객장에 많은 사람들이 와 있는 것이 보였다. 아, 카드대금 결제일과 보험회사 급여일이 겹쳐 있는 날이구나! 이것을 깨닫고도 그는 고집스럽게 자리에 앉은 채 혹 그를 눈여겨보는 자가 없는지 확인했다. 아무도 없었다. 다들 자신의 일에 열중하고 있었다. 이층에 있는 지점장이 떠올랐다. 지점장은 책상 옆에 놓인 CCTV 화면을 통해 매장을 감시해 왔다. 그것이 자신이 할 수 있는 고유의 임무인 것처럼. 그때 누군가 그를 부르는 소리가 들렸다. 분명히 서무계장일 거야, 그가 아니면 이렇게 큰 소리로 나를 부를 사람은 없어, 무슨 말을 하려는 걸까? 좁쌀영감이.

그는 청경석과 가장 먼 곳에 있는 서무계장의 앞으로 갔다. 곱슬곱슬한 머리에 입술이 넓어서 간혹 흑인종쯤으로 착각되는 서무계장이 데스크 너머에서 머리를 숙이고 있었다. 그가 무슨 일이냐고 묻자, 서무계장은 하얀 봉투를 내밀었다.

"이달 세팅비야."

그가 내키지는 않지만 고맙다는 인사를 하자, 서무계장이 다시 말했다.

"다음 달부터는 직원들이 세팅을 할 거야. 우리 유종의 미를 거두어 보자고."

이 말에 그는 묵묵히 있었다. D은행에서는 당연하게 받을 수 있었던 세팅비가 K은행으로 오면서 감사해야 할 것으로 바뀌었다 ― K은행의 다른 지점에서는 응당 직원들만이 이 일을 하고 있었다. 감사해야 할지 아니면 당연하게 받아들여야 할지 그는 늘 갈피를 잡을 수 없다. 그는 유종의 미라는 말에 대해서도 생각했다. 어쩐지 그 말이 자신에게는 해당이 되지 않는 듯해서였다. 늘상 들어오던 이 말에 대해서 반감이 이는 것을 느꼈다. 마치 지배자들의 논리 같아서.

막 필경대를 지나서 병수가 자리로 돌아오고 있을 때였다. 유리문을 통해 잠바 차림의 한 남자가 들어오는 것이 보였다. D은행 직원으로 미스 리와 함께 K은행 인수 팀에 불려 나와 한 달 동안 고생을 한 후에 정식 발령을 받지 못한 신 계장이었다. 다른 D은행 직원들도 몇 차례 은행에 온 적이 있었다. 과거 자신들의 사무실이었지만 더 이상 주인이 아니었기에 고객의 것도 주인의 것도 아닌 어색한 표정을 지으며 들어 왔다. 그들은 몇 번에 걸쳐 받게 된 위로금을 찾고 황급히 은행을 떠났었다.

병수는 신 계장이 들어오기를 기다렸다가 악수를 나누었다. 그러면서 한 달 동안 둘이서 같은 죄의식에 시달렸다는 것을 생각해 냈다. 은행이 합병되고 난 후 1주일 만에 연락을 받은 그는 성식직원은 아니었지만 동료를 저버린 것 같은 괴로운 상태에서 신 계장을 만났고 고통을 호소했었다. 이에 신 계장도 감당하기 어려울 정도로 부담감을 느끼고 있음을 털어놓았었다. 이렇게 둘은 서로를 위로하면서 한 달을 보냈었다. 신 계장은 본의 아니게 동료를 배신했다는 부담감을, 발령을 받지 못한 은행에서 나섬과 동시에 털어 버렸을 것이라고 그는 생각했다.

병수가 어떻게 지냈냐고 묻자, 신 계장은 내일 진주로 이사 갈 것이라고 말했다. 신 계장도 이제 떠나는구나, 직장 때문에 임시로 이 도시에 거처를 정했던 다른 직원들과 마찬가지로. 이렇게 생각하는 동안 그는 자신이 D은행에 대해 애정을 가지고 있었다는 것이 떠올랐고 그 점이 이상스러워졌다. 정확히 말해 그는 은행이 기우뚱하기 전까지만 해도 D은행에 소속감이나 애착 같은 것은 없었다. 데스크 너머에서 각자의 일에 열중하는 직원들을 보며 그는 그대로 책상에 앉아 책을 읽곤 했다. 그러다가 너무 나태한 근무를 하는 것 같아 심기가 불편해지면 객장으로 걸어 나오곤 했다. 그들은 K은행이 병수에게 요구해 온 것처럼 회의에 참석하고 하루 내 객장에 서서 손님을 접대하라고 한 적은 없었다.

그런데 은행이 위태해지면서 병수는 갑자기 D은행의 직원이 되었다. 은행에 닥친 불행한 일에 대해서 자신도 모르게 보조를 맞추고 있었던 셈이다. 그는 낯선 얼굴의 인수팀이 은행을 꿰차고 앉은 것을 보았을 때 격한 증오심을 느꼈다. 마치 거기가 과거 자신의 사무실이기나 한 것처럼. 그의 분노가 극에 달한 것은 아마도 그들에 의해 더럽혀진 바닥과 쓰레기로 덮인 휴지통을 보았을 때였을 것이다. 그때 그는 원자폭탄으로 일본열도를 황폐화한 후 진주한 점령군을 보던 일본인의 눈, 그와 비슷한 눈으로 그들을 보았었다.

병수는 신 계장과 함께 자동판매기의 커피를 마시는 동안 간혹 얼굴이 마주치는 K은행 직원들과 인사를 나누고, 돈을 찾은 후 은행을 떠났다. 그는 신 계장이 계단을 내려서고 오락실 쪽으로 사라질 때까지 보고 있었다. 그러면서 신 계장의 차림이 뭔가 어색하다고 느꼈던 이유를 알아냈다. 그의 차림이 어색해 보였던 것은 정장 대신 잠바를 입은 탓이었다.

자리로 다시 돌아온 병수는 데스크 너머에서 무표정하게 일하는 직원들을 보았다. 서무계장의 말처럼 객장으로 나가 인사를 하고, 안내까지 할 생각은 추호도 없다. 병수와 은행원들은 늘 데스크를 사이에 두고 있었다. 그래서 그는 그 안에서 일어나고 있는 일들에 별반 관심이 없었고 지금 그들도 또한 그가 직장을 잃을까 봐 고민하는 것을 전혀 모르고 있었다.

12시가 되자, 스피커에서 점심시간을 알리는 반가운 음악이 울려 나왔다. 그는 자리에서 일어나서 2층 식당을 향해 걸어갔다. 전에 있던 한 청경의 별명이 '땡칠이'라는 것을 생각하면서. 지점장실을 거쳐 식당에 이르자, 과거에는 특이한 맛과 향 때문에 거부감을 느꼈지만 이제는 익숙해진 카레 냄새를 맡았다. 주방 안에는 바삐 움직이는 '식당 아줌마'가 보였고 그 옆에서 거드는 '청소 아줌마'가 보였다. 그가 주방에 들어서서 인사를 하자, 식당 아줌마는 카레가 담긴 접시를 배식구 앞으로 내

놓으며 말했다.

"아, 집에서 놀면 답답해서 어쩌지?"

이 말이 그의 귀에는 자신의 집을 소유하고 여전히 직장을 다니는 남편이 있는 어지의 한가하고 배부른 소리로 밖에 들리지 않았다.

"나야 집에서 놀면 되지만 청소 아지매가 걱정이다. 딸내미가 벌고 있다지만 아저씨가 사시장철 병원에 누워 계시니……."

이제야 병수는 식당 아줌마가 본래대로 돌아왔다고 생각했다. 이런 말들 속에서만 그녀는 다른 사람과 섞이지 않고 분별되고 있었다. 말투, 어휘, 억양……. 그 때 지점장과 서무과장이 같이 들어왔다. 자연 대화가 끊어졌다. 그들이 있는 곳에서는 그와 두 사람뿐 아니라 다른 직원들도 말을 삼갔다. 가벼운 농담과 늘상 반복되는 업무에 관한 것으로 소재도 옮겼다. 산적처럼 짙은 눈썹에 깡마르지만 뽀오얀 얼굴의 지점장이 처음 부임해 왔을 때 병수는 그와 자신과 관계가 원만하지 못할 것을 직감했었다. 지점장의 모습에서 군 시절 무던히도 괴롭혔고, 소영웅주의자라고 비웃었던 중대장의 얼굴을 보았다.

하여튼 그 예감은 적중했다. 아주 작고 사소한 일을 너무나도 귀중히 여기는 신경질적인 남자로 인해 병수나 다른 직원들은 이루 헤아릴 수 없는 많은 고통을 겪었다. 의자 하나 옮기는 데에도 포스터 하나를 붙이는 데에도 지점장의 의중을 살펴야 했다. 이런 지점장을 보면서 초임이기 때문에 서툴러 그런 것이 아닐까도 다들 생각했었다. 물론 그런 점이 없지는 않았다. 하여튼 직원들에 의해 일상적으로 이루어지지만 결국 지점장의 책임으로 남게 되는 광범위한 일 중의 하나가 약간 삐끗거리기만 해도, 지점장은 즉시 간부들을 이층으로 불러올렸다. 그리고 몸을 부들부들 떨며 인사고과에 반영하거나 보직을 주지 않겠다고 협박을 해댔다. 병수도 물론 예외는 아니었다. 사실 지점장의 안위와는 별 하등이 없지만 미래에 자신의 신상에 좋지 않은 영향을 미칠지 몰라 불안했기 때문에 병수를 다른 지점으로 보내려고 한 적도 있었다. 하지만 용역회사 사장이 다른 지점으로 보내는 것보다 자르는 게 쉽다고 말했기 때문에 그 일은 이루어지지 않았다.

이따금 지점장이 카레 속에 섞인 돼지고기를 고통스럽게 씹는 것이 보였다. 병수는 지점장의 치아가 어쩌면 신경질적으로 만드는 데 일조를 하는 것이라고 생각했다. 그렇지만 지점장을 동정할 생각은 없었다.

며칠이 흘렀다. 병수는 우체국에 갔다가 Q은행 청경을 만났다. 어쩌다 마주쳐서 안면을 익힐 정도의 사이였는데 먼저 커피를 마시자고 한 것이었다. 그는 Q은행 청경 말대로 갈색 소파에 앉아 커피를 가져오기를 기다렸다. 매부리코에 수염을 깎은 턱과 뺨이 푸르딩딩한 Q은행 청경은 커피를 내려놓자마자, 한숨을 푹 내쉬며 그에게 말했다.

"내가 듣기에 형씨 은행지점도 폐쇄된다고 하던데 우리 지점도 곧 폐쇄됩니다."

놀란 그의 눈을 보며 Q은행 청경이 다시 말을 이었다. 은행이 통합되면서 용역직원으로 내려앉았는데 이제는 아예 은행에서 나가라니, 하는 푸념 섞인 말이었다. 서로가 같은 처지에 있다는 것처럼 큰 위로가 되는 것은 없다. 하지만 그것은 아주 잠시뿐이었다. 돌아서서 자신의 갈 길로 가는 동안 그런 위로는 어디로 간 데 없이 사라지고 만다. Q은행 청경이 가방을 들고 나가는 것을 보며 병수는 누군가에게 들었거나, 어디서 읽었던 것을 생각했다.

막 은행에 들어섰을 때 휴대전화가 울렸다. 전화기를 볼 때마다 떠오르는 대리점 직원의 화난 얼굴, 이제는 잊어야겠다, 라고 병수는 생각했다. 전화를 건 사람은 온열기 대리점 사장이있다.

"새로운 자리가 났으니까 한번 와 봐! 계약직이 아니라 정식직원이니까, 월급도 더 많고 상여금도 있으니까."

이 말에 병수는 없던 자리가 갑자기 생겼나, 하고 생각했다.

"언제 올 거냐?"

사장의 말에 병수는 오후에 가겠습니다, 라고 대답했다. 전화를 끊고 난 후 오후에 면접이 있을 정유회사와 대리점을 놓고 저울질을 해 보았다. 감당할 수 없을 정도로 황홀한 기쁨을 맛보며. 두 곳 모두 청경보다 많은 보수와 대우를 보장하고 있었다.

오후에 외출 허가를 얻은 병수는 은행 문을 나섰다. 일단 정유회사에 들러 면접을 보고 그다음에 사장을 만나기로 하자. 내심 이렇게 일정을 정한 그는 야음동 사거리에서 공단 방향으로 올라가는 길가에 있는 주유소를 찾아갔다. 주유소 뒤편의 사무실에서 행해진 면접은 별 다른 것이 없었다. 그보다 몇 살 더 먹어 보이는 남자에게 이력서와 주민등록등본을 준 후 몇 마디 얘기를 나누었을 뿐이다. 내달 10일경에 연락이 오면 같이 일할 수 있을 겁니다, 라는 남자의 말을 마지막으로 그는 자리에서 일어났다. 연락이 오지 않으면 불합격이라는 말과 다름없는 말이었다.

온열기 대리점으로 가자, 사장은 그가 들어서기도 전에 손목을 잡더니 근처의 다방으로 데리고 갔다. 사장은 여종업원에게 커피를 시킨 후 메모지와 볼펜을 부탁했다. 나이가 들어 보이는 여종업원이 그것을 가지고 오자, 사장은 이야기를 시작했다. 전화에서 말했던 것처럼 새로운 자리는 아니었다. 지금 데리고 있는 직원이 마음에 들지 않기 때문에 내보내고 대신 그를 그 자리에 앉히려는 것이었다.

"글쎄, 팩스 하나도 넣을 줄 모르는 자식이라니까."

이렇게 말하는 동안 사장은 메모지에 한 달 급여 110만 원과 보너스 700%를 썼다가 그 위를 긁적거려 알아볼 수 없게 만들었다. 지금 일한다는 미련한 직원의 모습이 떠올랐다. 병수가 들어가는 대신 밀려 나갈 자였다. 그자의 모습을 생각하자, 물론 만난 적도 없는 사람이다, 가슴을 짓누르는 듯한, 위선자처럼 여겨지는 통증이 밀려왔지만 병수는 일단 긍정의 표시를 했다. 혹시라도 정유회사에 합격이 되면, 그런 일은 없을 것이라고 보이지 않는 미련한 직원을 달래며.

다방을 나서기 전에 사장이 말했다.

"그럼, 은행이 문을 닫거든 보세."

다방 앞에서 사장과 헤어진 병수는 은행으로 돌아오는 동안 청경직에 머물러 있었던 세월을 한탄했다. 여가 시간이 많아 책을 보거나 글을 쓸 시간이 많은 점은 좋았지만 생활하는 데 어려움이 있었다. 카드회사에 빚까지 지고 있었다.

확실한 일자리가 생겼다는 자각이 든 것은 그로부터 1시간이나 2시간이 지나서였다. 무엇에 쫓기는 것처럼 불안하던 내면이 잔잔한 수면처럼 가라앉아 있었고 밝은 감정을 묶어 놓았던 끈들이 툭툭 터져 나갔다. 가장 즐겁고 기쁜 순간에 불길한 생각이 떠오르는 일은 이제 없을 것이다, 병수는 이렇게 중얼거렸다.

병수는 오랜만에 객장으로 나가 어슬렁거렸다. 여직원 셋과 남자 직원이 셋, 간부들이 셋. 이들에게도 지점의 폐쇄는 분명 반가운 것이 아니리라. 새로운 지점으로 출근하기 위해 1년간 다녔던 길을 버려야 한다. 전혀 모르는 사람에게 결재를 받아야 할 수도 있고, 만나고 싶지 않았던 상급자를 만날 수도 있다. 병수는 객장의 동쪽 끝에 텔레비전과 나란히 있는 자판기 앞으로 걸어간 후 객장 안에서 우표를 붙이고 있던 서 기사를 불렀다. 서 기사가 그와 다른 점이 있다면 데스크 안에 앉을 수 있다는 점이었다. 병수는 자판기를 열고 커피를 뽑아 서 기사에게 주며 직원들에게 한 잔씩 배달해 달라고 부탁했다. 그는 매 식후 아무런 대가를 받지 않고 커피를 주는 대신 서 기사에게 이런 심부름을 시켰다. 커피를 받아 든 직원들의 눈이 웬일인가 싶은 눈치들이었다. 하지만 그건 당치도 않았다. 그는 일주일에 서너 번은 고객서비스 차원에서 이런 절차를 실행해 왔다. 얼마 동안 뜸했던 것은 그가 우울했기 때문이었다.

온라인 창구 앞에서는 몇 마디 농담도 주고받았다. 오른쪽에 앉은 김 계장은 셋 중 고참으로 유부녀였고 한쪽 다리가 짧은 아들 때문에 술에 취하면 한 번씩 서글프게 울었다. 그 옆에 앉은 이 계장도 마찬가지로 유부녀였다. 집안일에 흥미가 없는 그녀는 결혼 이후 10년 이상 아침을 제대로 차려 먹은 적이 없었고, 남편에게 아침상을 차려준 적도 없었다. 그다음이 앞서 말한 미스 리였다. D은행이 망했을 때 잠시 흔들렸던 남자와 결혼을 앞두고 있었다. 그래, 이들이 내게 적대적인 감정을 느꼈다고 생각했던 것은 오로지 내 감정을 투사한 결과였을 뿐이다. 병수는 이렇게 정리하기로 했다.

저녁에 집에 돌아와서 병수는 아내에게 곧 은행이 폐쇄될 것이지만 새로운 일자리를 얻어 놓았다고 자신 있게 말했다. 폐쇄되었다는 부분에서 잠시 어깨를 들썩이고 팽팽한 이마에 주름살을 만들었던 아내의 얼굴이 새로 일자리를 얻었다는 말에 따라 그것들을 제자리로 돌려놓았다. 그는 그것을 보며 생각했다. 현재 삶의 형태가 지속된다는 것, 이것처럼 다행스러운 것은 없고 그것을 깨뜨리는 것은 가장 큰 벌을 받아야 하는 죄악이리라.

지점 폐쇄일이 며칠 앞으로 다가왔다.

평소와 다름없이 조수석에 앉았을 때 반쯤 벌어진 입으로 서 기사가 말했다. 그리고 보니 눈도 치켜 떠져 있고 광채가 돌고 있었다. 무슨 좋은 일이 있느냐, 고 병수가 묻자 기다리고 있었다는 듯 말했다.

"노 주임님! 저쪽 지점에서 저를 기사로 받아들이기로 했답니다. 용역회사에서 이미 계약 파기장을 받았는데 말입니다."

"그것이야 무슨 문제가 되겠어? 다시 계약을 하면 되는 거지."

이렇게 기뻐하는 것을 보며, 병수는 서 기사가 얼마나 기사직에 연연해 왔는지 알 것 같았다. 갑자기 화가 치밀어 올랐다. 그간에 그에게 들려주었던 말들이 떠올랐다. 이곳은 절대 젊은 사람들이 오래 있어서는 될 곳이 아니야. 정식직원이 될 가능성이라고는 절대 없으니까 말이야. 너도 들었겠지만 다른 지점에 있던 정식직원들이 차츰 용역으로 내려앉거나 교체되고 있어. 학원을 다니며 기술을 배우든지, 자격증을 따서 이곳을 빠져나가는 것이 급선무야. 직원들이 받는 월급의 반도 못 받아서야 어디 생활이 되겠어? 이 말은 모두 그의 본심이었다. 저녁 시간이 늘어나고 주말에 생기는 여유 때문에 주저앉았다가는 후회할 날이 오리라고 믿고 있었다. 하지만 이런 말에 서 기사는 늘 동의하는 듯하면서도 시큰둥했다. 이렇게 말한 적도 물론 있었다. 공고 나온 제가 어디 가겠습니까? 자동차 부속 가게에서 배달하거나 카 센터에서 펑크 난 타이어 때우는 것이 고작인데, 거기는 여기보다도 일하는 조건이 더 나빠요. 월급이야 비슷하지만 한 달에 두 번밖에 못 쉬어요.

"노 주임님은 일자리 구했습니까?"

서 기사 말에 병수는 잠시 생각했다. 하긴 지금 상황에서 이런 생각을 떠올리고 화를 낸다는 것은 얼마나 바보 같은 짓인가. 아직은 서 기사도 떠나야 할 때가 아니다. 은행에서 내보내려고 해도 죽을힘을 다해 매달려야 한다. 나는 서 기사의 인생에 더 이상 간섭해서는 안 된다, 고 몇 번이나 다짐해 보았다.

"정말 잘 됐어. 일자리를 안 알아보기에 걱정을 했는데."

이 말을 하고 나자, 병수는 속이 후련해지는 것을 느꼈다. 그렇지만 서 기사에게 직장을 구했다는 말은 하고 싶지 않았다. 왜일까. 누군가 묻는 사람이 있기를 바라다가 이런 상황에서 서 기사가 물은 탓일까. 아니면 서 기사를 포함한 직원들에게 더 큰 고통을 안겨주기 위해서일까. 서 기사는 싱긋이 웃더니 차를 몰기 시작했다. 사실 나가야 할 자는 바로 '나'이다, 라고 그는 생각했다. 서 기사는 그야말로 '입의 혀'처럼 열심히 일했다. 내 일 네 일을 가리지 않고 일했고, 직원들이 나이가 어린 것을 핑계 삼아 시키는 잔심부름도 곧잘 해냈다. 그래서 서 기사는 '은행의 마스코트'라는 별명도 얻었다. 급여는 적게 주면서 일은 정식직원처럼 시킨다는 불평은 단지 투정이었을 뿐이다.

잠시 후 은행에 돌아온 병수는 객장을 어슬렁거리다가 자리로 돌아와서 읽다 만 책을 꺼냈다. 그가 다른 직장에 가면 낮에 책을 읽는 일은 거의 없을 것이다. 정유회사에 가면 하루 종일 전표 정리를 하거나 탱크로리를 몰아야 하고, 온열기 대리점에 가면 일 주일간의 수습 과정을 거쳐 가정집을 방문해서 사후 수리를 해야 한다. 책을 읽는 도중에 문득 그는 아내가 했던 말이 생각났다. 내일은 정유회사에 연락을 한번 해 보세요, 라는. 건망증이 심해서 곧잘 중요한 일도 잊어버리는 그에게 그녀는 기억 창고 같은 구실을 해주고 있었다.

병수는 전화를 걸기 위해 책상 위를 쳐다보았다. 전화기가 놓였던 자리에는 아무것도 없었다. 서랍 속을 열어 휴대전화기를 꺼낸 후 그는 밖으로 나왔다. 정유회사에 채용이 된다면 그는 온열기 대리점에 갈 일이 없을 것이다. 잠시 후 아득한 가상공간에 한 여자가 나타났고 합격이 된 사람은 벌써 연락이 갔습니다, 라고 말한 후 종적도 없이 사라졌다. 하지만 그의 머릿속에는 그녀가 남긴 말이 거듭 울리고 있었다. 아마도 그녀는 불합격자에게 미안함을 표현하는 대신 이런 태도를 선택했을 것이다. 그런데 이런 여유는 어디에서 올까, 만약 더 이상 갈 곳이 남아있지 않다면 과연 이런 생각을 할 수 있을까.

그다음 날 병수는 다시 정보지를 펼쳤다. 33면. 익명을 요구한 자가 쓴 섬에 대한 글은 올라와 있지 않았다. 그는 자신의 일자리 대신 청소 아줌마의 일자리를 찾아 여관에서 빌딩으로 병원으로 헤매어 다녔다. 며칠 전에는 빌딩 청소 자리를 일러주었다가 낭패를 당한 적이 있었다. 세상에 하루 동안 청소 아줌마를 쓰고도 40만 원 밖에 지불하려 들지 않다니. 병수는 얼마 전의 일자리에 혀를 차면서 한방병원으로 걸어 들어갔다. 시간은 아홉 시에서 오후 다섯 시, 업무는 한방병원을 청소하는 일, 급여는 60만 원, 이 정도면 될지 모르겠군. 그는 한방병원의 전화번호가 적힌 메모지를 들고 식당을 향해 올라갔다. 청소 아줌마는 식당 아줌마와 함께 식당 안에서 점심을 준비하고 있었다. 그녀는 식사 때마다 이렇게 일을 도움으로써 식비를 면제받았다. 병수가 메모지를 내밀며 설명을 하는 동안 청소 아줌마 얼굴에서 잠시 근심이 사라지는 듯하더니 그 위에 다시 먼지 같은 더께가 내려앉았다. 일자리를 구하든 그렇지 않든 별 뾰족할 것이 없는 살림살이 때문일까. 그것을 보자 이런 생각이 들었다. 그리고 남자로 태어나서 맘대로 한번 살아봤으면 좋겠다, 는 말도 떠올랐다. 그때 이쪽을 힐끗 본 식당 아줌마가 말했다.

"그래도, 우리 노 주임이 한솥밥 오래 먹었다고 그중 낫구만! 서 기사나 다른 직원들은 이런 거 하나 알아봐 주는 사람이 없더만."

D은행 창업 초기부터 일을 해 온 두 사람은 벌써 이 자리에 8년 동안 서 있었다. 병수가 잠시 쑥스러워하는 사이 그녀는 청소 아줌마를 향해서도 소리쳤다.

"어서, 이야기하고 가봐! 자리 나가기 전에."

청소 아줌마가 잠시 생각하는 눈치더니 탈의실을 향해 걸어갔다.

"식당 아줌마도 같이 따라갑니까?"

"몰라, 가도 좋고 안 가도 좋지만 식당이 생길지도 모른다니까 집에 가서 기다려 봐야지."

이 말에 병수는 입맛이 까다로운 것을 자랑으로 여기는 유부녀 두 사람의 말이 떠올라 고개를 저었다. 두 사람의 말은 벌써 그쪽 지점으로 건너가서 날개를 푸드덕거리고 있을 것임에 틀림없었다.

점심 식사를 마치자, 병수는 담배 한 대를 피운 후 소파 위에 놓인 신문을 펴들다가 전화기를 꺼내 들었다. 아내의 말이 생각나서였다. 사람 사이의 일이란 알 수 없는 것이라는 핑계보다 은행 폐쇄일이 눈에 보일 만큼 가까이 다가오면서 아내는 하루가 다르게 애가 타는 것이리라. 전화벨 소리가 크게 한 번 울리고 사장의 목소리가 아주 멀리서 들려왔다.

"여기 대전인데 영업 문제로 말이야… 통화감이 좋지 않으니까, 조금 있다가 내가 다시 할게."

전화가 일방적으로 끊어진 것에 불안함이 뒤통수를 자극하지만, 병수는 별반 걱정이 되지는 않았다. 기다리면 다시 사장으로부터 전화가 올 것이다.

전화를 기다리는 동안 지점장이 병수가 앉아 있는 책상으로 다가왔다. 지점장은 메모지를 내밀더니 이전될 지점의 약도와 은행폐쇄 공고문을 써서 현관 유리문에 붙이라는 것이었다. 병수는 한참 메모지를 들여다보았다. 연필로 그린 서식과 약도였다. 지금 이걸 나더러 써서 붙이라는 것인가. 잠시 후 그가 예, 하고 대답을 하자, 지점장은 되돌아서 객장을 걸어갔다. 그 순간 이 뻔뻔스런 작자가 지점으로 온 것은 자신이나 직원들 모두에게 불행한 일이라는 생각이 들었다. 하지만 병수는 곧 일에 착수했다. 그 일은 은행이 점령된 후 지금까지 병수가 해온 일 중 가장 애착을 느꼈던 일이었다. 검은 매직과 종이를 챙겨 공고문을 쓰기 시작했다. (지금껏 지점장은 고객들에게 이 사실을 숨겨왔지만 이제는 더 이상 미룰 수 없었을 것이다.) 그것이 끝나자, 시청에서부터 한국전력공사에 이르는 약도를 그려 나갔다. 지점장의 요청에 따라 부근에 있는 다른 은행의 이름은 넣지 않았다.

그 일이 거의 끝나갈 무렵 전화가 울렸다. 병수는 서둘러 밖으로 나갔다. 분명 사장의 전화일 것이라고 그는 생각했다. 플립을 열자, 예상대로 사장의 목소리가 흘러나왔다.

"자네, 어디 다른 데 알아보거라. 내가 급해서 다른 사람은 먼저 채용했다."

그 순간 물 위에 떠있는 벌레 먹은 갈색 나뭇잎과 물에 떨어지지 않기 위해 나뭇잎에서 미끄러지지 않기 위해 몸부림을 치는 검은 개미의 모습이 떠올랐다. 그리고 백 미터 앞에 폭포가 기다리고 있는 것이 보였다. 그곳에서 땅이 진동하고 하늘이 울어대는 엄청난 소리가 울려오고 있었다. 그 후 병수는 몇 번이나 사장이 했던 말을 기억해 내려고 했지만 무슨 말을 했는지 알 수가 없었다. 병수는 그 말을 들은 적도 없고 대리점에 간 적도 없었던 것처럼 되어버렸다.

'이제 당신은 침몰하여야 한다. 함께 침몰하는 사람들의 아우성을 들으며 깊은 물속으로 들어가야 한다. 그런 뒤 눈을 뜨면 늘 당신을 부르던 섬의 해변에 도착해 있을 것이다.'

다시 익명의 글을 보았다. 병수는 더 이상 섬에 대해서 말할 것이 없을 것이라고 생각했다. 병수가 이미 막바지에 와 버린 것처럼 익명의 작자도 막바지에 와 있다고 생각했다. 사실 그가 그 글을 읽지 않으면 그 글은 없는 것이었다. 그는 아이의 살결처럼 부드러운 수란을 이 계장 앞 데스크 위에 놓았다. 그녀가 이것을 탐해온 세월만큼만 애착을 가져주어도 수란은 생명에 지장을 받지는 않을 것이라 여긴 것이었다.

마지막 영업시간이 끝나자, 병수는 서랍 속에 들어 있던 책과 볼펜, 연습장을 꺼내 종이박스에 담았다. 입었던 제복도 신문지에 싸 놓았다.

건물 관리를 맡고 있는 영감에게 주기로 했다.

이런 일들이 모두 끝나자, 그는 고객들이 빠져나간 텅 빈 객장을 보았다. 이 자리에 은행이 생긴 후 8년간 거래를 했던 방앗간 아저씨는 이제 이곳에 올 일이 없게 됐다고 여간 섭섭해하지 않았다. 아저씨에게도 이 일은 충격이었을 것이다. 그것은 오랫동안 길들여진 습관을 강제적으로 바꾸는 것이었다. 데스크 안에서는 직원들이 마지막으로 남은 서류를 정리해서 종이박스에 넣고 있었다. 그들 옆에는 지점장이 서서 무어라고 지껄여 대고

데스크에 막혀 안이 잘 보이지 않자, 병수는 자리에서 일어났다. 출납의 유리 칸막이와 이번에 새로 들인 에어컨, 금고……. 금고 번호를 알고 있었기 때문에 얼마나 괴로웠던가. 더구나 세팅 열쇠까지 가지고 있었을 때 병수는 몇 번이나 금고를 터는 꿈을 꾸었다. 서 기사는 어디에 있을까. 궁금해졌을 때 서 기사가 경쾌한 발걸음으로 이층에서 내려오는 것이 보였다. 마치 아이가 풀밭을 뛰어다니듯 해 맑은 얼굴로.

대충 일이 마무리되자, 직원들은 문을 잠그고 밖으로 나왔다.

"노 주임님, 어서 갑시다! 송별식인데."

서 기사가 병수의 팔을 붙들며 이끌었다. 은행을 나와 탑을 향해 걷다가 첫 번째 골목으로 들어섰다. 그러자 백 미터 앞에 단골 고객이었던 박 사장의 갈빗집이 보였다.

두툼한 유리문을 밀고 들어서자, 잘 차려진 상이 그들을 기다리고 있었다. 잠시 후 벌건 소갈비가 불판 위에서 핏기를 잃으며 익어갔다. 술잔이 부딪치는 소리도 들리자, 말없이 앉아 있는 병수에게 서 기사가 술잔을 들려주며 소주를 부어 주었다.

"너무 걱정하지 마세요."

이 말에 병수는 태연한 체 그래, 올해는 작년보다는 나아, 봉급을 적게 주려고 해서 그렇지, 일자리는 얼마든지 있어, 라고 말했다. 1년 전의 일이 떠오르기 시작한 것은 이때였다. 은행이 파산한 이 후 일주일 농안 병수는 부지런히 일자리를 알아보았지만 '자리'라고는 없었다. 3D 업종도 비집고 들어갈 틈이 없었고, 일당 4만 원을 주던 용역 공사도 실업자로 가득 차 있었다. 메추리 농장으로 일하러 갈까, 도 했다. 하지만 농장주는 경험이 없는 병수를 쓰려고 하지 않았다.

그 때 누군가 일어나는 것이 병수의 눈에 흐릿하게 보였다. 아마 서무계장이리라, 그는 생각했다. 서무계장은 이런 자리가 있을 때마다 웅장한 목소리로 분위기를 주름잡았다. 서무계장이 앉음과 동시에 또 한 사람이 일어나자 곳곳에서 박수 소리가 났다. 곧이어 약간 목이 쉰 듯 낮은 목소리가 들려오기 시작했다. 너무 작아서 차마 들을 수 없을 정도로, 병수는 지점장의 말을 애써 들으려고 했지만 도대체 무슨 말을 하는지 알 수 없었다.

이윽고 그런 노력을 포기한 병수는 몽롱한 상태에서 자동차를 타고 달리고 있었다. 두 아이와 아내를 싣고 바다를 향해 달리고 있었다. 주전 고개를 넘자, 해안도로가 나타났다. 병수는 휘발유가 떨어질 때까지 내처 동해안을 달렸다. 그런 후 둥근 자갈이 널린 으슥한 해안에 차를 대고 창문을 열었다. 풍요로운 바다가 눈에 잡힐 듯이 들어왔고 끊임없이 반역을 꿈꾸는 파도가 밀려오는 것을 보았다. 그때 병수는 아내의 이제 어쩌지요, 라는 울음 섞인 말과 함께 갈매기의 울음소리를 들었다.

서울역 풍경

민정이도 과연 투사가 될 수 있을까. 여성스런 몸짓과 언어로 친구들에게 조소를 받던 민정이 과연 군사정부의 졸개들을 향해 돌을 던지고 잽싸게 달아날 수 있을까. 나는 여전히 믿을 수 없었다. 처음 그 소식을 들었을 때도 그랬고 놀라움이 가라앉은 지금도 마찬가지였다. 상황근무를 하는 내내 투사라는 단어가 연상시키는 갑옷이나 날카로운 검과 민정의 해맑은 얼굴, 희고 긴 손가락을 연결시켜 보려고 했지만 이어질 듯하면서도 이어지지 않았다.

　어쩌면 헛소문일지 모른다, 라고 생각하다가 민정과 함께 찍은 최초의 사진을 떠올렸다. 중학교 1학년 봄 소풍 때 찍은 사진으로 우리는 서로에게 매혹되어 늘 붙어 다녔다. 어떻게 해야만 그 감정에 합당한 언어를 사용하고 행동할 수 있을까 고심했다. 또한 서로를 위해 희생할 수 있는 한계점에 대해서도 진지하게 생각했다. 그 때 내가 느낀 감정은 우정이었을까. 어쩌면 무당에 의해 중재되는 산 자와 죽은 자의 만남처럼 신비스럽고 영원한 생명이나 불멸의 영혼이라는 말처럼 항구성을 가진 것이었을까.

소풍의 목적지는 몇 번이나 다녀온 백제의 고성이었는데 봄에는 진달래꽃, 가을에는 억새가 고지의 평원에 펼쳐졌기 때문에 꽤 적합한 장소라고 할 수 있었다. 그렇지만 이미 몇 번이나 다녀온 터라 기대감 같은 것은 없었다. 그리고 우리는 소풍 때마다 주어지는 음식이나 지폐 등의 감각적인 즐거움에서도 어느 정도 벗어나 있었기 때문에 그다지 들뜬 것 같지는 않다.

그 때까지만 해도 나는 사진이 어떤 것인지 몰랐다. 반 친구들은 그것과 관련해서 추억이니 영원이니 하는 말들을 하고 있었지만 나는 그것이 나중에까지 남게될 줄도 몰랐다. 아니 주변의 것들은 늘상 변모하고 있어서 영원이라는 것은 실재가 아니라 머릿속에만 있는 것으로 여겨졌기 때문일 것이다. 그 사진 속에서 나는 콧수염이 약간 돋아난 민정과 나란히 연녹색 이끼가 덕지덕지 검은 바위 위에 걸터앉아 있었다. 민정은 하얀 이빨을 드러내며 환하게 웃고 있었고, 그 옆에 검게 탄 얼굴로 잔뜩 찌푸린 내가 왜소하게 앉아 있었다. 그 불만스런 표정을 떠올리자 과거가 뒤따라 나왔다. 내가 짓고 있는 그 표정은 바로 집이나 학교를 향한 것이었다. 부모님은 물려받은 것이 없이 물질적인 것이나 그 반대적인 것에서 모두 가난했다. 돈이든 애정이든 깊이 감추어두기만 하면 되는 것인 줄 아는 분이었다. 학교도 마찬가지였다. 선생님이 요구했던 것은 자유로운 상상이 아니라 정해진 지식을 아주 잘 머릿속에 구겨 넣는 것이었다. 그래서인지 나는 늘 몽상에 잠겨 산 너머의 세상을 마음껏 그려보고 있었다.

그런 내게 불만스럽지 않은 것이 있었다면 그것은 바로 사진 속에서 하얀 손을 무릎 위에 포개어 다소곳이 앉은 민정이라는 여자이름을 가진 친구였다. 우리 사이는 좀이 슨 죽마고우라는 말과는 어울리지 않았다. 당시 소녀들간에 사랑의 상징으로 품에 지니고 다녔던 하트와 유사하다면 모를까.

사실 난 민정을 친구라기보다는 누나나 어머니처럼 생각하고 있었다. 민정에게 지긋이 기대어서 지나친 동경과 욕구불만으로 생긴 우울과 슬픔을 달랬다. 그러면서 나는 좀 별난 데가 있어, 늘 공중에 붕 떠 있어서 사람들과 격리되어 있는 것 같기도 하고, 라는 말을 생각하고 있었지만 입 밖으로 내보내지는 못했다. 그랬다가 어느 한순간 민정의 얼굴에 이해할 수 없다거나 핏기 없는 표정이 나타날까 두려워서였다. 그럴 때 내가 민정에게 말한 것은 책에서 읽은 역사적인 일들이었고 중국 시인의 노래였다. 그것들을 듣는 민정은 말이 없이 무엇인가를 생각하는 듯했고 한없이 진지해 보였다.

하지만 그런 분위기는 우리 사이에 끼어든 방해꾼 때문에 간간이 깨어졌다. 영수라는 같은 반 녀석이 의자를 빼기 위해 슬며시 내 뒤로 다가가곤 했던 것이다. 민정이 옆에 있을 때는 감시자가 되어 주었다. 녀석이 뜨기만 하면 민정이 자, 일어나 하고 외쳤다. 그렇지만 민정이 잠시 자리를 뜨면 어느새 영수는 도둑고양이처럼 내 의자 뒤로 다가왔다. 그럴 때 나는 멍청히 창밖에 흔들리는 박태기나무를 보거나 먼지가 낀 불투명한 유리창을 통해 뵈는 미래를 보곤 했다. 그러다가 갑자기 중심을 잃고 뒤로 벌렁 자빠졌다. 그 순간 내가 깨달은 것은 바로 그런 것이었다. '삶이란 즐겁고 밝은 것만은 아니다. 그리고 인간이란 모두 저주스러운 욕망을 가지고 있고…….'

뒷자리에 앉지 않으면 되지 않느냐고 말하는 아이들도 있었지만 그것은 날 모르는 말이었다. 나는 초등학교 내내 맨 뒷자리에 앉아본 기억이 없었다. 맨 앞자리는 아니었지만 늘 중간에서 이쪽저쪽이었다. 나는 이런 어중간함이나 선생님이 곧잘 말하는 균형 잡힌 중용이라는 것이 싫었다. 그것은 분명 내 속에서 요동치고 있었던 또 하나의 힘을 말해주는 것으로 변화나 갈망, 방종이나 동경 같은 것이었다. 사실 나는 많은 아이 속에 섞여 조금도 구별되지 않는 것을 견딜 수 없었다. 나라는 존재가 무리 속에 묻혀 아무런 색깔도 맛도 없는 존재가 되고 싶지는 않았다. 그 외에도 또 다른 이유가 있었다. 중간에 앉아 있으면 누군가가 나를 감시하는 듯한 느낌이 들었다. 집에서도 늘 형이나 부모님으로부터 그것을 느꼈는데 학교에서조차 그것을 느끼고 싶은 마음은 없었다. 그래서 나는 중학교에 들어오면서 자유 좌석이 되자, 선생님과 가장 먼 거리에 앉아 내 꽁무니를 감추었다. 그런데 그 자리에 앉으려면 감당해야 할 것이 있었던 셈이다.

한 번은 엉덩방아를 찧고 나서 격분한 나머지 볼에 검은 점이 있는 영수를 향해 의자를 던지려고 한 적이 있었다. 참을 수 없을 만큼 화가 나서 녀석을 죽이고 싶었기 때문이다. 이제 넌 죽은 목숨이야, 속으로 외치며 의자를 높이 쳐들었다. 그렇지만 막상 의자를 쳐들고 녀석을 향해 던지려고 하자, 의자에 맞아 머리가 터지고 이빨이 부러진 녀석의 신음하는 모습이 떠올랐다.

결국 나는 의자를 다시 바닥에 내려놓아야 했다. 그러면서 눈을 크게 뜨고 있는 민정의 모습을 보았는데 이렇게 말하고 있는 듯했다. 남자가 정말 용기도 없이. 순간 나는 갑자기 떠오른 환상을 설명해 주고 싶었지만 그것은 쉬운 일이 아니었다. 하지만 민정의 다음 행동은 내 우려를 씻어 주었다.

"정말 왜 이러는 거니, 얘는 참! 한두 살 먹은 애도 아니고?"

그러면 녀석은 어떻게 했던가. 되레 커다랗게 웃어섲히곤 했다. 사실 민정의 목소리는 약간 독기가 서리기는 했지만 위엄이라고는 없는 계집아이의 그것이었다. 그래서 녀석은 민정의 목소리를 한 번 더 듣기 위해서라도 그 짓을 되풀이하고 있었다.

'환한 서울역은 이 나라를 다스리는 왕이 사는 궁전 같다. 시중을 드는 신하들이 바쁘게 드나들고 있고 무슨 축하 의식이 있는지 한 번씩 팡파르가 울린다. 해마다 명절 때면 인사를 드리고 왕의 건강을 기원하는 사람들이 줄을 지어 자신의 차례가 올 때까지 며칠 밤을 기다리고 있다. 그리고 나는 원한 적은 없지만 서울역의 외곽경비를 담당하게 된 경비병이다.'

창으로 내비친 서울역을 보며 문득 이런 생각들을 했다. 그러다가 다시 민정에 대한 회상으로 돌아갔다.

내가 민정에게 자랑할 수 있었던 것은 무엇이었을까? 나는 민정에게 과자나 연필을 줄 수 있는 문방구집 아들도 아니었고 단지 책을 많이 읽어 아는 것이 많았기 때문에 민정이 모르는 이야기들을 짤막하게 해 줄 수 있었다. 동전 한 닢을 주운 후에 일어나는 이야기나 스케이트를 타고 미지의 땅을 향해 조금씩 나아가는 북구의 소년에 대한 얘기를 해 줄 수 있었다.

지금도 잊혀지지 않는다. 암수 딴 그루와 한 그루를 배우는 생물 시간이었다. 나는 민정으로부터 쪽지 하나를 받았다.

'지금 이 순간부터 나는 남자답게 살 것임을 맹세한다.'

이 쪽지를 읽는 순간 나는 여성스러운 남성으로서 살아온 민정의 고통을 한 순간에 이해할 수 있을 것 같았다. 지금도 그렇지만 이 사회는 여성스러운 남자가 살 곳이 못 되었다. 남성이 취해야 할 행동이나 말투, 여성에게 허용된 것들이 모두 정해져 있는 사회였다. 그 점에서 볼 때 민정의 결심은 불가피한 것이었다.

언제부터인가 이 사회는 분명한 색깔을 필요로 하는 사회였다. 검다든지 빨갛다든지 자신의 색깔을 드러내 보여야 하는 곳이었다. 그렇지 않으면 그 사람은 회색분자로 낙인찍혀 이쪽 저쪽으로부터 공동의 공격을 받게 되어 있었다. 이거면 이거다, 저거면 저거다 확실하게 말을 해야지, 사람이 물에 술 탄 듯 해서는 안 되는 거야, 라는 말을 수없이 들었다. 성의 경우도 마찬가지였다. 남성이면 남성의 옷을 입고 언어를 써야 했다. 그렇지 않으면 사내자식이 되어 가지고 말이야, 하는 말을 주위로부터 듣게 되고 따돌림을 받았다.

얼마나 많은 따돌림과 비웃음을 받았으면 그랬을까. 혹시 식물들의 양태가 민정을 자극한 것은 아니었을까. 그때 나는 어떤 느낌이었을까. 흐릿해서 알 수 없지만 난 약간 부정적이었다. 정말 네가 그렇게 할 수 있을까. 아마 그건 어려울 거야, 라는 비웃음이었다. 그때 왜 그런 생각이 들었을까. 나도 은근히 민정의 그런 태도를 즐기고 있었던 것은 아니었을까? 사실 이런 일에 부딪힐 때 내가 고심하게 되는 것은 늘 이면의 목소리다. 그것은 내 속에 있긴 하지만 어쩌면 나라고 할 수 없는 것이다. 그 목소리는 나를 친구들 속에 있지 못하게 했고 외톨이거나 불순한 녀석으로 생각하게끔 했다.

다시 북쪽 창을 통해 서울역을 보았다. 멋지게 차려 입은 여자가 출구를 통해 나온 한 남자를 붙들고 사정을 하는 듯한 태도를 짓고 있었다. 그들은 마치 연인 같기도 하고, 무엇인가 청탁을 하려는 사람 같기도 했다. 남자는 매정하게 여자를 뿌리치고 뚜벅뚜벅 걸어가 버렸다. 여자는 잠시 울고 섰더니 다시 다른 남자에게 다가가 조금 전과 똑같이 사정하는 태도가 되어 있었다. 그래, 저 아름다운 여자는 늘 저런 모습으로 저 자리에 서 있을 거야. 사람은 한 순간 태도를 바꿀 수 없고, 천성을 바꾸는 것은 죽을 때까지 노력해도 힘들 거야. 그래서 난 그 때 그런 생각을 한 거야.

그해 겨울이었다. 점심시간이 되자, 나는 민정을 따라 크리스마스카드를 사기 위해 학교 앞 서점으로 갔다. 카드를 고르는 동안 옆에 있던 여학생들이 남자애들이 웃긴다, 카드를 다 사고, 라는 비아냥댔다. 이 말에 신경이 쓰여 나는 주위를 둘러보았지만 민정은 개의치 않는다는 표정이었다. 과연 남학생들은 한 명도 없었다. 여학생들만이 펴놓은 카드 위로 손을 내밀고 있었다. 민정은 그들 사이로 손을 내밀어 이것저것 고르는 것이 어떻게 크리스마스카드 사는 일이 여자애들만 하느냐고 반박하는 듯한 태도였다. 나는 눈사람, 털장갑, 빨간 십자가가 매달린 교회, 문인화 중의 하나인 대나무가 그려진 연하장을 사서 은사님들과 친구들에게 보내기로 했다. 처음 사 보는 카드였기 때문에 문구를 쓰는데 약간의 어려움이 있었다. 나는 그리스도교인이 아니었고, 하늘에는 영광, 땅에는 평화라는 따위의 말도 모르고 있었다.

"무어라고 쓰지?"

내가 물었을 때 민정은 이렇게 말해 주었다.

"크리스마스를 맞이하여 당신께도 하늘의 축복과 영광이 함께 하시기를 빕니다, 라고 쓰면 되는 거야."

그 때 화장실 쪽에서 무언가 우당탕 하는 소리가 났기 때문에 나는 상황실을 떠나 화장실을 향해 갔다. 형광등 빛에 반사된 타일 벽, 연두색의 화장실 칸막이들. 그 안에는 아무도 없었다. 아마 밤이면 바삐 움직이는 쥐들 때문인가 생각했다. 그때 다시 샤워장에서 기둥이 부러질 때처럼 우지끈하는 소리가 났다. 샤워장을 향해 걸어갔다. 대형거울 안에 활력이라고는 없는 내 모습과 대원들이 사용하는 역기와 벽에 걸린 수건들이 보였다. 지금도 그렇지만 그 때도 난 기운을 좀 내라, 어깨 좀 쫙 펴고, 라는 말을 수시로 듣고 있었다. 그런 말을 들을 때마다 화가 났지만 그런 말에도 일리는 있었다. 난 지금껏 사람들에게 웃음을 주지도 못하고 호감을 주지도 못했다. 민정이 아니었다면 난 여전히 친구가 없었을 것이 분명했다. 샤워장 안에는 별다른 이상이 없었다. 이것들은 낮 동안 생긴 소리이며 벽 틈이나 천정에 숨어 있던 잡음들이 한꺼번에 터져 나올 때 생긴 소리였다. 이제 날 방해하지 마.

학년이 바뀌면서 우리는 같은 자리에 앉지 않았다. 이것은 마치 약속이나 한 것처럼 이루어졌는데 민정은 여전히 뒷자리에 있었고 나는 중간으로 옮겼다. 더 이상 봉변을 당하고 싶지 않았기 때문일까, 아니면 내가 있어야 자리를 찾아 나선 것일까. 어느 쪽인지 알 수 없지만 나는 새로운 변화를 갈구하고 있었다. 난 매일 같은 삶이 지속되는 것을 원하지 않았다. 오늘은 내일과 다르며, 먼 훗날 뒤를 돌아보았을 때 조금씩 옳은 방향을 향해 진보해 가고 있는 내 모습을 보고 싶었기 때문이다. 앞으로 좀 더 나아지리라는 믿음, 지금도 그것이 나를 여전히 지배하고 있다.

　민정은 막 변성기를 지나 목소리가 굵은 용기라는 학생과 함께 앉아 있었다. 민정에게 함께 앉지 않겠느냐고 물어보지는 못했다. 두 사람을 지켜보기만 할 뿐 둘 사이를 갈라놓기 위해 중간에 끼어든 적도 없었다. 사실 그들 사이에 서면 나는 채 자라지 않는 어린애였다.

　아, 그렇다. 상황실을 서성거리다가 나는 걸음을 멈추었다. 민정과 함께 찍은 사진이 한 장 더 있었다. 2학년 봄 수학여행을 갔을 때 찍은 사진이었다. 새벽 어스름 속에 '동명불원'이라는 콘크리트 사원에 부속된 종각에 세 사람이 서 있었다. 나와 민정, 용기라는 친구였다. 오른쪽에 사람을 위압하는 듯한 강한 표정의 용기가 있고 왼쪽에는 예의 변함없는 미소를 지닌 민정이 있었다. 그리고 나는 하늘색 웃옷과 잿빛 바지를 입고, 모표를 단 녹색 모자를 쓴 채 보호자 두 사람을 옆에 낀 어린애처럼 왜소하게 서 있었다.

　이 학년 내내 난 우울하고 괴로운 시간을 보냈다. 일 학년 때보다 우울증이 더 심해졌다. 학교, 친구, 가족 어느 것 하나 마음에 드는 것이 없어 다른 곳으로 혼자 떠나고 싶었다. 지겨운 학교생활이나 아무런 애정도 없는 듯 여겨지는 집을 떠나 방랑을 하고 싶었다. 이 알 수 없는 욕구들을 민정이 알고 있었으리라는 생각은 들지 않았다. 민정은 용기라는 친구와 지극히 친밀한 상태를 유지하고 있었고 간혹 둘이 장난을 치는 것이 내 눈에 들어왔다. 그때마다 나는 절망했다. 이제 이 세상에는 어느 누구도 날 이해해 줄 사람이 없다는 생각이 들었다.

　가출을 할까도 생각했었다. 그때마다 머릿속에 불이 환하게 켜지는 것을 느꼈기 때문이다. 하지만 막상 눈에 익은 환경을 버리고 미지를 향해 발을 내디디려고 하면 금세 불안해졌다. 그런 때 내가 할 수 있었던 일은 삼십 리 떨어진 친척 집에 가서 주말을 보내거나, 동네의 불량기 있는 녀석들과 어울려 영감이 혼자 지키는 포도밭에 들어가 서리를 하거나 감나무가 많은 집 곶감을 빼먹는 것이었다.

언젠가 민정이 사는 마을을 지나친 적이 있다. 1학년인지 2학년인지는 모르지만 그것은 순전히 우연이었다. 혼자서 집을 나섰다가 저수지가 있는 곳까지 가게 되었다. 그러다가 중간에 억센 풀이 있는 길을 따라 걷기 시작했다. 벌레들의 소리가 곳곳에서 들렸고 거대한 물의 흐름이 느껴져 아득하고 섬찍한 기분이 들었다. 그렇게 얼마를 걷자 산적이 나타날 정도로 으스스한 골짜기가 나타났고 고지대에 위치한 한 채의 기와집 옆에 다다랐다. 거기가 바로 민정의 집이었다.

민정의 아버지는 부지런하고 사리에 밝아서 마을 사람들의 존경을 받고 있는 농부였다. 9남매 중의 여섯째가 민정이었다. 그 많은 형제자매들 속에서 자란 민정이 여성화된다는 것은 좀 이상한 일이지만 가만 생각해 보면 그것은 집안 내력이었다. 여섯의 남자 중 모두 네 명이 여성의 말투와 행동을 쓰고 있었다.

대문 앞에 서서 나는 설레는 마음으로 민정이 나타나기를 기다렸다. 저 집에서 민정은 얼마나 귀여움을 받으며 살까. 민정을 부를까도 생각했지만 마당으로 들어서지는 못했다. 어쩌면 민정의 부름으로 인해 내가 발길을 옮겼을지도 모른다는 생각이 들었기 때문이다.

대문에서 마당까지는 제법 거리가 있었다. 그래서 밀창을 열고 토방으로 내려서는 사람이 누구인가 쉽게 알아볼 수 없었다. 얼마 뒤 어머니로 보이는 분이 부엌과 아래채 사이를 오갔고, 소에게 먹이를 주기 위해 머슴이 마당을 가로질러 왔지만 민정은 나타나지 않았다. 결국 어스름이 되어서야 나는 발걸음을 뗐다. 민정의 집에 비해 초라하고 아버지의 술주정 때문에 소란스러운 집으로 돌아가기 위해서였다.

돌아오면서 나는 나무들의 후드득거리는 소리와 저수지의 물결이 이는 소리를 들으며 민정이 내게서 멀어져 간 원인을 생각하려고 했다. 내가 그처럼 큰 잘못을 민정에게 저질렀던가. 나는 곰곰이 그 이유를 캐보았지만 도저히 알 수 없었다. 그러면서 내게 생겨난 신앙은 무엇인가를 간절히 원하면 언젠가는 그것이 이루어진다는 것이었다. 약간 어리석다는 생각은 들었지만 내가 기댈 것은 그것밖에 없었다.

그런 덕택인지 다시 민정과 앉게 되었다. 그렇지만 일 학년 때와 같은 비밀스런 우정을 기대할 수는 없었다. 우리의 중간에 반장이라는 삼자가 떡 버티고 있었기 때문이다. 나는 이것이 간혹 견딜 수 없었지만 내내 그런 것은 아니었다. 어쩌면 민정의 태도가 공정하다는 생각이 들었다. 비밀스럽고 유아적인 감정을 배제하려면 삼자가 필요한 법이니까. 그래서 일부러 그런 자리를 마련했다고도 생각했다.

3학년이 되면서 나는 민정과 같은 반에 있지 않게 되었다. 나는 쉬는 시간이나 청소 시간에 창 너머로 민정이 멍청한 데다가 바보 같은 녀석들과 앉아 장난을 치는 것을 보았고 시험공부 하는 것을 보았다. 이제 너는 날 잊은 모양이구나. 그런 마음 때문인지 나는 어쩌다 한 번 마주칠 뿐인 민정을 약간 무심하게 대했다. 일종의 복수심에서 네가 그렇게 하니까 나도 그렇게 한다, 는 식이었을까.

그해 가을 중학교 시절 마지막 체육대회가 맞았다. 모두 5개의 팀으로 나뉘었다. 그 팀에는 충(忠), 효(孝), 예(禮), 지(智), 인(仁), 의(義), 신

(信)이라는 이름이 붙었다. 내가 속하게 된 팀은 예팀이었고, 민정이 속하게 된 팀은 신팀이었다.

예선 첫 게임에서 지기는 했지만 나는 초등학교 시절 핸드볼 골기퍼를 맡은 적이 있었다. 그래서 나는 당연히 핸드볼 팀에 들어가 있으려니 했는데 아니었다. 나도 모르는 새 배구팀에 들어가 있었다. 나는 팀을 이끄는 녀석들에게 배구는 할 수 없다고 했지만 이미 팀을 다 짜놓았으니 할 수 없다고 했었다. 그때부터 걱정이 시작되었다. 난 키가 작았고, 리시브를 멋지게 할 줄도 서브를 강하게 넣을 줄도 몰랐다. 그리고 제대로 연습을 해보지 못했다. 경기가 시작되자, 나는 네트 앞에 자리를 잡았는데 초반에는 그런대로 괜찮았다. 몇 번이나 상대의 빈 곳에 공을 찔러 넣을 수 있었다. 그렇지만 우리 팀은 곧 상대에게 허점을 노출시켰다. 상대 팀의 간단한 공격에도 우왕좌왕 하다가 공을 놓치기 일쑤였다. 그 때 나는 옆에 있던 선수와 호흡을 맞추지 못해 응원석으로부터 많은 비난을 받았다.

경기가 끝났을 때의 참혹감, 그것은 말할 수 없을 정도로 고통스러운 것이었다. 나는 얼굴도 제대로 들지 못하고 수돗가로 달려갔다.

핸드볼 코트에서 함성이 터진 것은 내가 얼굴을 씻고 막 운동장으로 나왔을 때였다. 무슨 일일까. 나는 눈을 들어 핸드볼 코트를 보았고 방금 상대 골문에 슛을 한 민정의 모습을 보았다. 그 장면은 몇 번이나 재현되었다. 민정의 그 날렵한 몸 동작이라니! 새처럼 라인 위를 날아올라 상대의 골문 속으로 힘껏 공을 꽂아 넣는 동작이라니! 나도 모르게 박수를 쳤고 은근히 질투를 느꼈다. 그것은 내가 바라던 내 모습이었다. 또한 민정이 생물 시간에 했던 약속도 떠올랐다. 민정은 그가 원하는 모습대로 자신을 가꾸어 가고 있었다.

그때까지는 그래도 좋았다고 할 수 있다. 나와 민정의 사이는 오락가락했을 뿐이니까. 우리는 중학교에 오기 전인 12살에 처음 알게 되었고, 13살 때는 약간 거리가 생겼었다. 그리고 중학교 1학년이 되면서 최고조로 가까워졌고 그 이후에는 조금씩 멀어졌다.

그런데 남원과 전주라는 곳에 각각 고등학교 진학을 하면서부터는 우리는 아예 멀어져 버렸다. 각각 다른 도시에 진학한 후 단 한 번 정류장에서 만난 이후 3년 내내 만나지 못했다. 누가 먼저 만나자는 말을 꺼내지도 않았고 따로 시골집을 찾아간 적도 없었기 때문이다.

버스 정류장에서 만난 것은 아주 우연한 일이었다. 그 때는 고등학교 진학한 지 6개월쯤 지났을 때였는데 누가 먼저 발견했는지는 기억할 수 없었다. 버스를 기다리던 민정은 아주 반가워했는데 나도 아마 그런 표정을 지었을 것이다. 우리는 손을 맞잡고 한참 동안 서 있다가 주위 친구들의 시선을 의식하고서야 겨우 손을 놓았다. 그 때 만난 민정은 활력이 넘쳐 보였고, 가슴에 학교의 뱃지를 달고 있어 모범적인 학생으로 느껴졌다.

"그래 너로구나. 그동안 어떻게 지냈니?"

민정의 말투에 난 기분이 좋아 크게 웃을 뻔했다. 민정은 마치 남동생을 대한 누나처럼 날 불렀기 때문이다. 정말 민정은 조금도 변하지 않았었다.

"잘 지냈지, 넌?"

"나야, 잘 지내지, 학교 생활은 재미있어?"

재미있다고 말은 했지만 나는 학교나 전체적인 삶에 아무런 재미도

의욕도 느끼지 못하고 있었다. 다른 사람에게는 있는 활력이라는 것이 유독 내게는 없었다. 그것은 객지 생활에서 오는 외로움 때문에 더했는데 몇 년이 지나도 전주라는 도시나 학교가 마음속에 들어올 것 같지 않았다.

민정은 학교에서 사귄 다섯 명의 친구들에 대해 털어놓았다.

"우리는 아마 고등학교 이후까지 그룹을 깨지 않고 사회로 나갈 거야. 모두들 그렇게 결의했거든. 그래서 그런지 재미있어. 운동도 같이 하고 공부도 같이 하고. 진작부터 이런 친구들을 만나야 했는데."

그 때 난 생전 들어보지도 못한 아이들의 이름을 들었다. 누구는 무엇을 잘한다고 했고 누구는 어떤 면이 마음에 든다고 했다. 나는 약간 화가 나서 민정을 앗아간 뼈다귀들을 향해 속으로 욕을 퍼부었다. 그러다가 마음이 가라앉자 진심으로 민정에게 좋은 친구가 생겼음을 축하해 주었다.

그 후 나는 오랜 방황의 시간을 보냈다. 민정이 그립지 않은 것은 아니었지만 한 번도 편지를 쓴 적은 없었다. 펜을 잡자마자 힘들고 고통스러운 마음을 민정에게 토해낼 것 같았기 때문이다. 여자친구를 만나기 시작한 것은 아마 그때부터였다. 일부러 교회를 다니기도 하고 모임에 나가기도 했다. 그렇지만 난 좋아하는 여자들에게서 만족할 만한 시선을 받지 못했다. 난 여자들의 아픔을 이해하고 위로해 줄 수 있는 형편이 아니라 그것들을 받으려고만 했기 때문이었다. 그러면서 난 서서히 성인이 되려는 문턱에 와 있는 것을 느꼈고 혼자서 고통이나 슬픔을 혼자서 참고 견디려는 방식을 택하게 되었다. 이것은 물론 민정과는 다른 방식이었을 것이다. 민정은 그룹의 친구들과 협력하는 방식으로 성인의 문턱을 넘고 있으리라 생각되었다.

학교를 졸업하자 나는 다시 고향 집으로 돌아왔다. 가정 형편 때문에 진학을 하지 못한 것이다. 이후 난 반건달 행세를 했다. 주위 사람들의 눈총이 무섭지 않은 것은 아니었지만 집안일을 거들지도 않았고 책을 읽지도 않았다. 왜냐하면 그때까지 믿고 있었던 희망이나 개선 같은 것들이 아무 의미가 없어 보였다. 이때 누군가 시간이 아깝지 않으냐고 묻는 사람이 있었다. 그럴 때 난 이렇게 대답했다. 분명히 기억이 난다. 시간은 아무런 의미를 담고 있지 않아요, 라고. 그 때 내가 뭘 알고 말했는지는 알 수 없다.

그해 여름 어떻게 소식을 들었는지 민정이 나를 찾아왔다. 명문대학 전자계산학과에 다니는 친구와 함께였다. 정말 오랜만의 일이었다. 그때 나는 두 사람이 대학에도 가지 못한 내 처지를 동정해서 찾아왔다고 생각해서 약간 불쾌한 기분이 들었다. 그래서 속으로 나를 약 올리려고 찾아왔던 이거지, 하고 몇 번이나 생각했었다.

그날 밤 우리는 학교 운동장에 앉아 막걸리를 마셨다. 그 텁텁한 술을 처음 마셨을 때는 얼굴이 화끈거려 몇 차례나 세수를 했는데 그때쯤은 익숙해서 몇 병을 마셔도 끄떡도 하지 않았다. 내게도 술주정뱅이인 아버지의 기질이 흐르고 있었던 셈이다. 너도 아버지처럼 술주정뱅이가 되려고 그래, 라는 어머니의 잔소리가 두렵지 않은 것은 아니었다. 하지만 나는 술을 마시면서부터 아버지를 더욱 잘 이해하게 되었다고 할 수 있었다. 나도 아버지처럼 무능하고 게으른 남자였기 때문이다.

하여튼 우리 셋은 운동장 한가운데 앉아 막걸리를 마시며 지나치게 큰 학교의 운동장으로 인해 자신의 목청에 놀라며 노래를 불렀다. 그 날 나는 처음으로 민정이 술 마시는 것을 보았다. 그런데 그것을 보았을 때 기분이 묘했다. 자, 한 잔 따라줘 봐. 민정의 말에 나는 떨떠름한 기분으로 술을 따랐다.

무슨 노래를 불렀는지는 기억할 수 없다. 그렇지만 함께 온 친구가 혀 꼬부라진 소리로 부른 노래는 얼핏 기억이 난다. 그 친구는 대학가에서 유행하는 사회비판이나 풍자 노래를 불렀다. 그러다가 언뜻 정신이 들어 보니 나는 울고 있었다. 그것도 혼자가 아니라 다른 누군가를 끌어안고 있었다. 민정인가 싶었는데 민정은 아니었다. 민정이 데리고 온 친구였다.

그로부터 얼마 뒤 나는 민정이 보낸 몇 권의 소책자와 대학신문을 받았다. 소책자는 노동자의 현실에 대한 고발이 쓰여 있었고 대학신문에 게재된 것은 주로 학생운동에 대한 것이었다. 그것들이 한순간 내 몸을 달아오르게 하고 새로운 시각을 제공한 것은 사실이다. 그렇지만 나는 아직 사회에 대한 관심은 없었다. 그때까지 내 문제에서 한 걸음도 벗어나지 못하고 있었기 때문이다.

그러다가 난 군인이 되기 위해 훈련소에 입대했고 교관들이 시키는 대로 엎드려뻗쳐, 를 하거나 인명을 손쉽게 살상하기 위한 총검술을 배우고 있었다. 그 일이 취미에 맞지는 않았지만 난 그런대로 재미있다고 생각했다. 격한 운동을 하고 나면 가슴속을 꼭꼭 누르고 있던 것들이 모조리 용해되어 공중으로 날아갈 때처럼 상쾌한 기분을 느꼈던 것이다. 그래서 한때는 내가 군대 체질이 아닐까 하는 생각도 했지만 그것은 순전히 잘못된 생각이었다. 자대 배치를 받자마자 나는 곳곳에서 고문관 소리를 듣게 되었다. 어떻게 하면 눈치가 빠르고 동작이 빠를 수 있을까, 그때 나는 하루에도 몇 번씩 그 생각을 했었다.

  전투경찰로 배치되어 서울 시가지로 진입한 것은 그해 겨울이었다. 난학생이나 시민들이 벌이는 데모를 방어하기 위해 기본적인 교육을 받은 후 닭장차를 타고 시내 곳곳을 돌아다녔다. 그러면서 시민들이나 학생들이 외치는 구호를 들었고 전단지를 보았다. 내게 사회에 대한 관심이 생긴 것은 아마 그때부터일 것이다. 데모를 막기 위한 현장에 설 때마다 생생한 역사의 현장에 서 있다는 느낌을 받았고 또 자신과 자신의 가족만을 위해 살지 않는 사람들이란 바로 그런 사람들이 아닐까 생각하게 되었다.

  그동안 나는 민정을 거의 잊고 살았다고 해도 과언이 아니었다. 방황하며 허송세월할 때는 인간이란 결국 혼자서 고통을 견딜 수밖에 없다고 생각했고, 군대에 와서는 특수한 상황에서 생겨난 긴박감 때문에 미래나 과거 어느 것도 생각할 수 없었다. 그리고 민정도 운동장의 사건 이후 신문과 책자를 한 번 보낸 이후로는 연락이 없었다. 그래서 나는 그가 어느 대학 경영학부에 다니는 것만 알고 있었을 뿐 어떤 써클에 들고 어떤 사람들과 만나는지 들어본 적이 없었다. 우리 사이에는 시간이 만들어 낸 어두움이 차츰 서로의 얼굴을 가리고 있었다.

  그러다가 어떤 과정을 거쳐 중대 행정반에 근무하게 되었을 때 민정의 소식을 들었고 얼마 있지 않아 전화를 받았다. 내일 면회를 오겠다는 것이다.

  정말 네가 투사가 되었니, 하고 물어보고 싶었지만 그것을 중대 행정반 안에서 물을 수는 없었다. 다들 나를 이상한 눈으로 쳐다볼 것이 틀림없었다. 나는 전화를 받고 난 후 잠시도 쉬지 않고 민정에 대한 생각을 했다. 전화선을 통해 들은 민정의 목소리는 약간 달라진 듯했다. 몇 년 서울에 사는 동안 촌스러운 억양은 평평하고 사근사근한 것으로 바뀌고 약간 근엄해진 듯했다. 어떤 옷을 입고 나타날까. 거리에서 본 서울 사람들처럼 세련된 복장일까, 넥타이까지 매고, 아니면 그전에 보았던 모습 그대로 말쑥하고 단정한 옷차림일까. 그다음 근무자와 교대를 한 후에도 민정에 대한 생각으로 잠을 이룰 수 없었다.

다음 날 오전에도 마찬가지였다. 나는 민정이 오기 전에 미리 제복을 빳빳하게 다리고 군화도 광이 나게 닦아 놓았다. 위병들로부터 전화만 오면 바로 신고를 하고 뛰어나갈 작정이었다. 그러다가 난 민정이 전투경찰 복장을 한 모습을 보고 경멸하기라도 하면 어쩌지, 하는 걱정이 들었다. 상대가 민정이었기 때문만은 아니었다. 그것은 누가 면회를 와도 마찬가지였다. 전투경찰은 비록 군인의 신분이기는 했지만 군사정부와 함께 지탄을 받는 처지여서 외박 날도 감히 제복을 입고 부대 밖에 나갈 수 없었다. 지나가던 행인들의 눈은 모조리 전경에게 쏠리고, 지나치면서 손가락질을 하고, 더 심하면 멀리서 돌을 던질 수도 있었다. 우리는 조국을 위해 봉사하기 위해 입대했지만 누구에게도 떳떳이 드러낼 수 없는 처지였다.

면회실 위병의 전화를 받은 것은 오후 1시경이었다.

나는 5분 대기병처럼 서둘러 상관과 고참에게 면회 신고를 하고 계단을 내려갔다. 늑골이 오르락내리락 해서 빨리 숨이 찼고 다리가 후들거리는 것을 느꼈다. 간신히 계단을 내려와 면회실 앞에 섰을 때 창을 통해서 단정하게 앉아있는 민정의 모습이 보였다. 탁자 위에 검은 장갑이 올려져 있고 옆에는 작은 손가방을 놓고 있었다. 나는 심호흡을 몇 번

한 뒤 면회실 문을 열었다. 내가 가까이 다가가자, 민정은 자리에서 일어났다. 엘비스 프레슬리처럼 구레나룻을 기른 민정은 한눈에 반할 정도로 미남자가 되어 있었다.

"어머, 길수야!"

이 말투에 나는 모든 것을 알아차렸다. 민정은 예전과 조금도 달라진 데가 없었다. 코밑에 검은 콧수염이 나고 키가 늘씬했지만 세월은 민정을 변모시키지 않았다. 나는 친구를 다시 찾은 기쁨에 민정에게 손을 내밀었다.

"정말 반가워, 민정아."

나와 민정은 한참 손을 잡고 서 있다가 주위 사람들의 시선을 의식하고 자리에 앉았다.

"네 이야기는 들었어. 기자회견을 하려고 했다는 것 말이야."

민정도 그 소식을 들었던가. 벌써 1년 전의 얘긴데. 나는 쑥스러운 미소를 짓고는 고개만 끄덕거렸다. 사실 나는 아무것도 아니야. 투사가 된 너에 비하면. 나는 내가 살아있는지 지렁이처럼 몸을 꿈틀대본 것뿐이야. 나는 민정이 용감하게 구호를 외치고 나로서는 아군이라고 할 수 있는 전투경찰을 향해 돌을 던지고 달아나는 모습을 떠올렸다.

커피를 마신 후 민정은 수포제를 맞은 후 고생했던 일을 털어놓았다. 물집이 생겨 처음에는 좁쌀만 하던 것이 계란 크기로 부풀어 올라 수없이 병원을 드나들었다는 것이다. 나도 수포제(水泡劑)나 줄 끊어진 연처럼 허공을 날아가다 땅에 곤두박질치는 지랄탄에 대해서도 알고 있었다. 그렇지만 그것 때문에 약간 호흡이 곤란함을 느꼈을 뿐 몸에 이상을 일으킨 적이 없기 때문에, 그것이 얼마나 사람을 고통스럽게 만드는지 모르고 있었다. 나는 민정이 내민 흉터가 있는 팔을 만지려고 했지만 민정은 그것을 허락하지 않았다.

"얘는 참."

얼마 후 나와 민정은 매점을 나와 서울역을 바라보며 걸어갔다. 낮에 본 서울역은 밤에 본 풍경과 달랐다. 건물은 우중충하고, 칙칙해 보였고 온갖 병균이 자라는 온상 같았다. 서울역 주위에 유달리 기생하는 자들이 이리저리 오가고 있었다. 주위를 오가는 사람들로부터 무언가를 낚아채려는 자들이었다. 물정에 어두운 시골 처녀를 꾀어 술집으로 팔아넘기는 깡패들도 있었고, 슬며시 행인을 밀치며 안주머니에 든 지갑을 빼 내가는 소매치기도 있었다.

오랜만에 민정과 같이 걷는다는 생각이 들었다. 그러면서 그간 관련도 없는 길을 걸어왔지만 순간적으로 한 점에서 일치했다는 생각에 가슴이 뿌듯했다. 경찰서 앞을 지나자, 민정이 가죽장갑을 벗더니 손을 내밀었다. 우리는 여자들이 곧잘 하는 것처럼 손을 잡고 같이 걸었다. 손을 통해 느껴지는 체온을 통해 나는 민정의 마음을 알 것 같았다.

다시 친구를 찾았다는 뿌듯한 기분은 외박 날 민정의 집을 찾아갔을 때 극에 달했다. 언젠가 그랬던 것처럼 술을 마시고 서로가 살아온 이야기를 할 시간을 갖게 된 것이다. 민정은 소로우의 말을 인용하여 사람 하나라도 부당하게 잡아 가두는 정부 밑에서 의로운 사람이 있어야 할 곳은 바로 감옥이다, 라고 말했다. 이 말에 난 얼마나 감격했는지 모른다. 역시 우리는 닮은 데가 있어.

민정의 말은 계속 나를 흥분시켰다.

'사람에게는 누구나 혁명을 할 권리가 있다. 정부의 폭정이나 무능이

심하여 견딜 수 없을 때는 거기에 충성하기를 거부하고 저항해야 한다……'

난생 그렇게 가슴을 파고드는 말은 들어본 적이 없는 것 같았다. 나는 그다지 많은 금서를 읽지 않았고 단지 피상적으로 이 정부는 옳지 못한 일을 하고, 국민들이 일어서야 한다고만 생각했을 뿐 학생들이 하는 것처럼 체계적인 사상 무장을 할 수는 없었다.

그 외에도 민정은 학생지도부의 분열에 대한 비판을 늘어놓았는데 내가 동의하지 못할 대목은 없었다. 그들은 본질을 망각하고 있었다. 말을 끝낸 후 민정은 술에 취했지만 그다지 비틀거리는 기색도 없이 책상 서랍을 열더니 몇 장의 종이를 꺼내 가지고 왔다.

"자, 이걸 보겠니?"

나는 민정이 내민 것을 무심코 받아 들었다. 그것은 현 정부에 대해 벌이는 학생운동의 방향이 인쇄된 것이었다. 나는 어슴푸레 열린 눈으로 그것을 보다가 민중을 깨우치기 위한 노력, 이라는 부분에서 잠시 멈추었다. 사실 독재자의 시대가 좋은 시대인 양 착각하는 어리석은 사람들이 아직도 많이 있었고 진실을 알고 행동하려는 자는 소수에 불과했다. 그래서 투표함을 개봉해 보면 재벌이나 군부와 결탁한 자들, 독재 정부에 아부하여 벼슬이나 해보려는 작자들이 늘 당선 사례를 써 붙이곤 했다.

그것은 본 다음 나는 가장 밑에 있었던 한 장의 사진을 보았다. 그것은 나도 몇 번 본 적이 있는 흑백사진이었다. 그들은 대개 구호를 외친 후 자기 몸에 시너를 붓고 스스로 불태워 죽였다. 사진 속의 얼굴은 알아볼 수 없을 정도였고 옷도 대부분 불에 타 있었다. 그때 민정이 죽은 남자는 바로 우리 학교 학생이야, 라고 말해 주었다.

그 순간 왜 그랬는지 모른다. 나는 가슴속이 소용돌이치는 것을 느꼈고 불에 타서 처참하게 죽은 학생과 자리를 바꾸어 누워 있었다. 그런 뒤 내 부모님과 형제들, 민정이 날 위해 구슬프게 울고 있는 것을 볼 수 있었다.

그러다가 언뜻 정신이 들어 민정의 눈을 보았는데 젖은 속에 서릿발 같은 냉랭함이 깃들어 있었다.

남자 간병사

그녀의 목소리는 불식간에 찾아온다. 잠시 여유를 부리는 사이, 한가롭게 커피를 마시거나 아내와 즐겁게 산책을 하는 동안에 온다. 그녀의 목소리는 특별한 데는 없다. 신경질적이거나 거친 쇳소리가 나는 것은 아니다. 업무적인 목소리로 내게 이렇게 묻는다.

"일할 수 있어요?"

그날도 아마 이렇게 물었을 것이다. 나는 이 일을 하고 있는 것을 누구에게도 말한 적이 없다. 어머니에게도 형이나 동생에게도 말한 적이 없다. 나와 아내와 아이들만이 이 일을 하는 것을 안다. 이 일이 다른 사람에게 말하기 힘든 일이라는 것을 누구든 이해할 것이다. 그래서 나는 소설을 쓸 수 있는 것이다. 내 자신의 일이든 아니든 소설 속에서는 아무 상관이 없는 것이다.

"아, 예~"

이 순간부터 나는 당황한다. 나는 손님을 받을 준비를 하는 술집 여자가 된 기분이다. 어찌해야 할지 당황하며 어떻게 말해야 할까, 몇 번을 아니 몇 십번을 고민한다. 이 순간 아내의 얼굴을 본다. 나는 아내의 말처럼 이 집의 가장이며, 일주일가량 힘든 시간을 보냈다. 그런데 가장이라는 말은 내가 이 가정의 책임자라는 말인가. 가부장적인 호주제도 폐지되었는데, 니가 갑의 행세를 하는 것도 아닌데.

"네, 할 수 있습니다."

이 말을 기다렸다는 듯 그녀는 빠르게 말한다.

"B대 병원 409호 환자 이름은 황영주. 나이는 69세. 병명은 뇌경색. 화장실 갈 때 부축해 주기만 하면 됩니다."

숨이 가빠진다. 이번에는 어떤 환자가 나를 기다리고 있을까. 물론 그녀의 말이 환자의 병세 전부라고 생각하면 오산이다. 나 같은 간병사들은 어렵고 힘든 환자를 피하고 싶어 한다. 5천 원이나 만 원을 더 받기 위해 밤에 잠을 자지 못하거나 기저귀를 갈아주어야 한다. 때론 3시간마다 욕창을 예방하기 위해 자세를 바꾸어 주어야 한다.

"알겠습니다. 몇 시까지 가면 되지요?"

"오후 4시요. 그럼 수고하세요."

그녀의 전화가 끊겼다. 이제부터 바빠진다. 시계를 본다. 아직 2시간이 남아 있지만 동창에서 51번 버스를 타고 B대 병원 앞에 내리는 시간을 감안하면 많은 시간이 아니다. 아직 초보자인 나는 병원에 갈 짐을 캐리어에 싸 놓기는 했지만 더 필요한 것이 있을지 생각한다. 반찬 몇 가지와 쌀, 1인용 밥솥, 라면기 등도 챙겨 넣어야 한다. 아내가 짐 싸는 것을 도와주다가 나를 바라본다. 내가 떠나고 나면 아내는 아무것도 할 것이 없다. 아이들 둘은 모두 기숙사에 가 있고 혼자서 끼니를 때우고 텔레비전을 시청하면 되는 셈이다.

얼마 후 나는 캐리어를 들고 집을 나선다.

"돈이 필요하면 통장으로 넣어 줄게. 전화하고."

간병하러 가는데 무슨 돈이 필요하냐고 할지 모르지만 내가 먹을 밥은 스스로 해결해야 한다. 김밥을 사 먹든, 컵라면을 사 먹든 비싼 병원밥을 먹든 그렇다. 환자는 간병비 외에 식사비를 따라 주지 않는다. 그들은 나를 일시적으로 고용했을 뿐 식사를 제공해 줄 의무는 없다. 간혹 식사를 주문해 주는 보호자도 있지만 어쩌다 있을 뿐 흔한 일이 아니다. 그들은 병원비를 대기에도 버거운 환자들이다. 그나마 여유 있는 사람들이 간병인을 고용하는데 그들도 여전히 간병비를 부담스러워한다. 아무려면 어떤가. 내가 이 일을 시작하게 된 것은 생활비도 벌고 사람들을 위해 봉사도 할 수 있다는 것이었다. 그러니 좀 힘든 들 어떠랴 싶었다.

캐리어를 들고 아파트 후문 정류장을 향해 걸어간다. 지금까지 자동차를 운전해서 출퇴근을 했는데 도보는 아직 낯설다. 한 걸음 한 걸음 걸어가는 것이 그렇게 더딜 수가 없지만 그간 속도에 너무 길들여진 것이 아닌가 싶다. 정류장에 도착해서 버스를 기다리는 일도 힘든 일이다. 몇 분 후 도착한다는 안내판을 몇 번이나 쳐다본다. 햇빛이 따갑게 느껴진다. 자동차를 타고 다닐 때는 이런 것을 생각해 보지 못했다. 왜 사람들은 차를 타고 다니지 않을까 생각했을 따름이다.

멀리서 빨간 버스가 달려오고 있다. 나는 서둘러 정류장 안내판 앞으로 달려간다. 버스가 도착하자 나는 끙끙거리며 차 안으로 캐리어를 들고 올랐다. 양손에 든 짐으로 인해 교통카드를 찍는 것이 힘들다. 겨우 찍고 나서 자리에 앉으려는데 급히 버스는 출발한다. 뒤로 쏠렸다가 비틀거리며 뒤편에 있는 좌석을 향해 걸음을 뗀다. 겨우 자리에 앉아 창밖을 볼 여유가 생기자 마음이 가라앉는다. 다시 어떤 환자일지 궁금해진다. 의학지식이 거의 없었던 내게 대부분의 환자는 뜻하지 않는 환자라고 말하는 것이 맞을 것이다. 내가 주위에서 알고 지내던 사람이 아닌 듯하다. 그들은 웃으며 차분하게 말하지 않는다. 알아들을 수 없는 경우도 많다. 아예 말을 할 수 없는 환자도 있고 아주 사소한 일도 고함을 지르며 말하기도 한다. 눈앞에 어른거리는 환자복과 병원의 모습에 마음이 무거워진다.

아까부터 차창 문에 매달려 있는 모기가 눈에 띈다. 아니 장구벌레나 어린 잠자리인가. 그것은 차가 달리면 좁은 틈으로 들어오는 바람을 견디기 위해 힘껏 유리창 밑에 달린 고무를 힘껏 붙잡고 있다. 그 모양이 꼭 모터보트 위에 매달린 윈드서핑족 같다. 공중에 붕 떠 있다가 차가 멎으면 다시 아래로 몸이 내려오고, 놈이 가여워 어떻게 해 줄까 보았지만 방법이 없다. 손으로 잡아서 창문 너머로 던지고 싶지만 버스의 창문은 열리는 것이 아니었다. 바람을 맞기 위한 것이 아니라 햇빛을 받아들이거나 밖의 경치를 보기 위해 만들었을 따름이다. 문을 열 수 없다고 느끼자 갑자기 답답해지고 위험상황이 발생했을 때 어쩌지, 하는 생각이 든다. 바닷물 속에 잠겼던 세월호의 아이들이 얼마나 답답했을지 느껴진다. 죽음을 앞둔 아이들의 표정도 떠오른다. 나, 이제 죽을 것 같다.

눈을 감았다. 지금까지 무엇을 위해 살아왔을까. 나는 사람들의 바람대로 무슨 일인가를 해왔고, 이제 오십을 바라보는 나이가 되었다. 벌써 죽음에 이른 중학교 친구가 둘이나 된다. 한 녀석은 나와 중2 때 한 번 싸운 적이 있고, 또 한 녀석은 비 오는 날 부침개를 해 먹었다. 둘 다 결혼은 한 적이 없고 건설 노동자로 살았다. 아마 둘은 거의 매일 술을 마셨을 것이고, 식사를 챙겨 줄 마누라도 없었다. 죽는 순간에는 어땠을까. 앞의 녀석은 스스로 목숨을 끊었고 뒤의 녀석은 위장이 녹는 줄도 모르고 술을 마셨기 때문에 고통을 느낄 사이가 없었을지도 모른다.

눈을 떴다. 벌레는, 아니 곤충은 여전히 버스에 매달려 있다. 그 사이 버스는 벽계를 지나 일기수원지를 향해 달리고 있다. 멀리 고속철도 위를 달리는 KTX가 보인다. 나타났다가 금세 사라진다. 속도가 빨라진 만큼 우리도 빨리 죽을까. 문득 이런 생각이 든다. 갑자기 사위가 어두워진다. 법기 터널이다. 먼 곳에 희망 같은 한 점의 빛이 보인다. 차 안은 조용하다. 누구도 말하는 사람이 없다. 앞만 보고 달리고 있는 버스 주변은 암흑이다. 숨을 들이마신다. 빛이 조금씩 커지더니 터널이 끝났다. 터널 안에 들어갈 때와 나올 때 달라진 것은 없다. 약간 배경이 달라졌을 뿐이다. 아니 가만 보니 벌레도 어디로 갔는지 보이지 않는다. 그렇게 힘껏 매달려 있더니.

버스는 Y대학을 지나 도서관을 지나면서 사람들을 대부분 내려놓고 시가지에서 다시 승객들을 태운다. 그들은 다시 신시가지를 지나면서 하나둘 내리기 시작한다. 안내방송이 들리자, 나는 B대 병원 앞에서 내렸다. 캐리어를 끌고 한 손에 짐을 든 채 많은 사람의 기부금으로 지어진 병원 안으로 걸어 들어간다. 오른쪽에 어린이병원, 병실, 중앙에 응급실, 왼쪽에는 재활병동과 한방병원이었다. 부근에 이렇게 큰 병원은 없다. 거대한 병원에는 많은 의사, 의료기기, 거기에 맞는 환자들이 필요했다.

한방병원 4층으로 올라가는 엘리베이터를 탔다. 캐리어를 끌고 간호사들 앞으로 갔다. 그들에게 간병사 신고를 한 후 병실 앞으로 갔다. 환자 이름을 확인하자, 문을 열었다. 낯선 두 사람이 나를 보았다. 한 사람은 키가 크고 머리가 희끗희끗한 환자였고, 또 한 사람은 보호자 침대에 앉아 있던 이제 막 노년에 접어든 여자였다.

"저 간병하러 왔습니다."

"아, 어서 오세요. 기다리고 있었습니다."

내 말에 여자가 웃으며 자리에서 일어났다. 그녀는 체구가 작고 목소리도 차분하다. 어디선가 본 듯한 모습이다. 어디에서 봤을까. 입술이 두터운 것을 자세히 본다. 그녀는 그간에 일어났던 일을 내게 자세히 말해 주었다.

"뇌경색이 올 줄 미리 알았더라면 얼마나 좋았겠어요. 그랬다면 미리 준비를 해 두거나 운동을 하거나 했을 텐데. 저 양반은 술을 많이 마시거나 담배를 많이 피우거나 그랬던 것은 아니었어요."

내게 이런 것까지 말할 필요는 없었지만 그녀는 나를 믿는다는 듯 말을 이었다.

"처음에는 K병원에 입원했는데 한의학 교수가 된 아들이 여기에 있어서 이리 왔어요. 얼마 안 있으면 여기 들어올 거예요. 물론 아들이 여기 교수로 일하고 있으니 할인도 되고 혜택도 있어요. 아무래도 다른 환자보다야 차도가 있겠지요."

그 때 침대에 누워 있던 환자가 몸을 일으켰다. 체구가 생각보다 크고 염색한 머리는 멋져 보였다.

"내가 3급 공무원을 하다가 퇴직한 사람이야. 이렇게 안 되었으면 저 사람하고 즐겁게 여행도 다니고 맛있는 것도 먹고 할 텐데, 베렸어. 이렇게 아파 가지고 하루하루가 지옥 같지 뭐. 내가 아는 사람도 많고 지금도 병이 어떠냐고 자주 전화가 오지. 그리고 아들이 여기 한방병원에서 일하는 교수님이고 하니 다른 의사 선생님이나 간호사들도 잘 해줘. 어디가 안 좋느냐, 어디가 아프냐, 하고 늘 물어보아."

"지금 그런 얘기해서 뭐 해요."

그녀가 나서서 말을 잘랐다. 환자는 불만스런 표정을 지었다.

"요 앞에 하던 간병사가 둘이 있었는데 제일 처음에 우리를 봐 주었던 간병사는 정말 잘해요. 딱 이 환자는 3주면 다시 걸을 수 있을 거라고 했는데 딱 맞아요. 자기가 이런 환자 많이 돌봐 주어서 아는데 딱 자기만 믿고 기다려 보라고 하더라구요. 제가 여기서 같이 지내면서 하는 것을 보았는데 나는 아무것도 모르고 쳐다보기만 했어요. 무엇이 필요하다, 하면 의료용품상에 가서 사 가지고 오기도 하고, 배달해 주는 곳에 주문도 하고. 하지만 우리 집 양반이 키도 크고 덩치가 커요. 거기다 남자라서 좀 힘들기는 힘들어요. 한 번은 수영장에 데리고 가서 샤워를 시키다가 저 양반이 넘어졌어요. 그래 가지고 엉치뼈가 부러져서 한 3주간 치료를 제대로 못 받았어요. 그래, 그 사람이 미안해서 안 되겠다고 그만두더라고요. 두 번째 여자는 혼자 사는 여자인지 교회에 다니는데 일주일에 며칠은 못 한대요. 교회 가서 예배를 보아야 한다고. 뭐 어차피 내가 옆에 있으니까 하루 이틀은 빠져도 되겠다 생각했는데 밥도 안 해 먹는지 영 부실해요. 내가 먹는 것을 사줄 수도 없고, 나도 냉장고 안에 먹을려고 뭘 좀 사다가 놓으면 나중에 보면 내가 먹을 게 없어요. 난 참 여자가 그렇게 사는 여자도 다 있다는 것을 첨 알았어요."

"안 다쳤으면 진작 집으로 갔을 텐데."

환자는 첫 번째 간병인을 원망하는 듯했다.

"아, 그런 소리 말고 운동하러 나가요. 참 뭐라고 부르면 될까요?"

여자가 내게 물었다.

"간병인이라고 부르세요?"

"좀 그렇네."

"이씨라고 그러세요."

"알겠습니다. 이씨 아저씨!"

그 말에 환자가 자리에서 일어났다.

"그럼, 갑시다. 이씨! 시키는 대로 해야 빨리 낫는다니까."

나는 환자를 부축하러 달려갔다.

"넘어지는 것만 조심하면 됩니다."

환자의 신발을 신기려고 하자, 여자에게 말했다.

"양말을 줘."

여자는 양말을 찾아 신겨 주었다.

"몇 바퀴 돌아?"

"다섯 바퀴는 돌아야지."

"알았어."

"이제는 좀 안심이네."

뒤에서 여자가 말했다. 나는 환자를 데리고 밖으로 나갔다. 한쪽 팔을 잡으려 하자, 환자는 팔을 흔들어야 한다고 말했다. 옆에서 넘어지지 않도록 가까이 붙었다. 간호사실을 지나자, 간호사들이 아는 체를 했다.

"간병인이 왔네요."

"네."

"남자 간병사라 든든하네요."

그 말에 환자는 미소를 지어 보였다. 침구실을 지나 모퉁이를 돌았다.

반대편에서 오던 여자 환자가 아는 체를 했다. 그러자 환자도 아는 체를 했다. 모퉁이를 빙 돌자 반대편 복도가 나타났다. 특실을 지나고 다시 간호사실이었다. 오른편에서는 환자들이 모여 텔레비전을 보거나 운동을 하는 중이었다. 혼자 나온 경우도 있었지만 대부분은 가족이나 간병인이 딸렸다. 마침 TV조선에서는 북한의 김정은을 조롱거리로 만들고, 지나치게 크게 말하거나 히스테릭하게 웃어대는 시사토크 프로그램이 진행되었다.

다섯 바퀴를 다 채운 후에야 재활 운동이 끝났다. 다시 병실 안으로 들어갔다.

"2인실인데 마침 환자가 없어 다행이야. 안 그렇다면 이렇게 호젓하게 지낼 수가 없지. 이씨, 피곤하면 여기 좀 누워. 내가 있는 며칠 동안은 밤에 내가 일어날 거야."

그녀는 벽에 길게 놓인 보조 침대를 가리켰다. 나는 여자가 사용하는 환자용 침대를 보았다. 한 여자와 두 남자의 동거가 어쩐지 어색했다.

여자는 창가에 놓인 포트에서 물을 따라 환자에게 주었다.

"우엉차야. 이게 건강에 좋은 거니까 물 대신 먹어. 그리고 당신도 누워서 좀 쉬어."

환자는 우엉차를 마시고 자리에 누웠다.

"나는 겁이 나서 데리고 나가기가 무서운데 이씨 아저씨가 와서 다행이에요. 우리 남편 좀 잘 부탁해요. 이씨 아저씨!"

"네. 알겠습니다."

"제가 내일 가니까 오늘 저녁은 제가 화장실에 데리고 갈 테니 주무세요."

그 말에 한시름 덜었다 싶었다. 환자들은 밤에 몇 번씩 일어나 화장실에 가고, 수액이나 긴급한 일로 간호사를 부르러 가야 하는 일이 자주 있다. 과연 환자는 저녁에 자신의 아내를 불렀다. 같이 화장실 가는 소리가 들리고 휠체어에 앉혀 달라는 소리도 들렸다. 그는 자신을 가누지 못했지만 예전의 모습처럼 완전한 형태로 인식하고 있어서 스스로 일어나지 못하는 것을 받아들이지 못했다. 그는 고통스럽게 울부짖었다. 그때마다 아내는 자신만 생각한다고 잔소리를 해댔다.

다음 날 아내는 짐을 챙기며 자신이 쓰던 침대를 사용하라고 했다. 보조 침대가 불편했던 나는 그렇게 하겠다고 대답했지만 어쩐지 생각하고 있었다. 간병사가 환자가 나란히 침대에 누워 있는 것이 어쩐지 부담스러웠다. 환자 침대 아래서 잠들며 환자를 섬기며 살아온 기간 때문이었을까.

아내가 가고 난 후 환자는 더욱 신경질적으로 바뀌었다. 침을 놓으러 온 의사가 빨리 오지 않는다고 불평을 하며 내게 빨리 좀 불러오라고 했다. 의사는 앞 병실에 있었다.

"좀 있으면 오실 겁니다."

그 말에 그는 알았다고, 한 후 물을 한 컵 달라고 했다. 의사가 오자, 그는 느낌이 없는 다리를 가리키며 침을 놔달라고 했다. 의사는 부드럽고 환한 미소를 지녔다. 이정섭처럼 여성스러웠다.

"어디가 아프세요?"

"여, 여기가 아파요"

환자는 허벅지 아래를 손으로 짚었다. 같이 온 의사가 환자의 하의를 벗겼다. 사타구니가 드러난 환자는 자신의 엉덩이 아래를 다시 가리켰다.

의사는 그곳에 침을 놓았다.

"조금 있다가 침을 뽑아 줄 겁니다. 불편하시더라도 조금만 참으십시오."

"예, 고맙습니다."

의사가 간 후 환자는 한동안 적외선 등 아래 가만히 있었다. 그러나 환자는 견딜 수 없는지 불평을 하기 시작했다. 나에게 얼마나 됐느냐고 물었다.

"이제 십 분이 지났어요. 적어도 삼십 분은 맞으라고 했어요."

"침 맞는 거 효과도 없어요. 우리 아들보고 좀 봐달라고 해야겠어. 침 좀 뽑아 달라고 해요."

간호사에게 말한 지 얼마 지나지 않아 수련의가 병실로 들어왔다. 수련의는 침을 뽑고 난 후 배 위에 뜸을 올려놓았다. 연기가 병실을 조금씩 채워갔다. 다시 얼마 지나지 않아 그는 다시 불평을 하며 뜸을 떼 달라고 했다. 그것을 간호사실 앞에 가져다 놓은 후 돌아오자, 그는 일어나 걷고 있었다.

"재활 운동을 해야지요. 이번 주말에 둘째 아들이 오는데 그 애가 물리치료사요. 그 애가 나한테 운동을 시켜준다고 했어요. 그때 이씨는 집에 갔다 와요."

"그러지요."

나는 환자 옆에 바짝 붙어 섰지만 손이나 옷을 잡지는 않았다. 단지 유사시에 대비할 따름이었다. 그는 다시 잘 걷기 위해 애썼지만 얼마 지나지 않아 한쪽 발을 질질 끌었다.

"다리요, 다리!"

내 말에 그는 발에 힘을 주고 끌지 않았지만 한 바퀴 돌아 휴게실 앞을 지날 때 다시 끌고 있었다.

"다리에 힘을 주세요."

"야, 여기! 여기!"

환자가 환자복을 두는 수레를 가리켰다. 그의 손가락이 바지를 가리켰다. 미리 환자복을 챙겨두라는 뜻인 듯했다. 얼마 지나지 않으면 옷이 남아 있지 않기 때문이었다.

창문 앞에서 잠시 쉬었다. 그는 문을 열었다. 찬바람이 세차게 들이쳤다. 나는 그로부터 좀 떨어져서 앉았다.

"아, 시원하다. 시원해! 이씨는 먼저 병실에 들어가요."

이 말에 나는 머뭇거렸다. 아직은 혼자 둘 수 없다 싶어 그대로 있었다.

"예, 좀 이따가요."

잠시 후 그가 다시 일어났다. 나도 따라 일어났다. 병실 앞에 다다랐을 때 그가 외쳤다.

"죽는 것 같아. 병실에 들어가면 곧 죽을 것 같아."

그는 곧이어 집에 가고 싶다고 했고, 다시 죽고 싶다고 말했다.

"죽으면 이렇게 힘들지 않아도 되는데."

그는 3급 공무원이었다고 몇 번이나 내게 말했다. 지금 받고 있는 연금도 몇 백이 넘는다고 자랑했다. 그 말을 들을 때마다 그것이 지금 아픈 것과 어떤 상관이 있느냐고 말하고 싶었지만 그럴 필요는 없을 듯했다. 그래, 좋은 시절을 즐겁게 보냈고 이제 당신도 아플 때가 된 거야. 사람은 늘 자신이 잘 나갈 거라고 생각하지만 그건 착각이지. 운 좋게 좋은 시절을 구가했지만 이제는 아니야. 힘들어 봐야 어려운 사람들 심정을 이해하지. 어쩌면 하느님이 당신에게 기회를 준 거지. 깨달음을 얻을 수 있는 기회, 자신이 아니라 타인을 생각해 볼 수 있는 기회 말이야. 이렇게 속으로 생각하자, 불쾌한 기분이 사라졌다.

전화벨 소리가 울렸다. 환자의 손짓에 나는 전화기를 찾아 그에게 주었다.

"여보세요?"

"어, 김 교육감! 나는 아파서 병원에 있지. 얼마 안 있으면 다시 전주로 갈 거야. 여기는 아들이 교수로 있는 병원이야. 응, 아들이 병실도 잡아 주고, 가격도 싸지."

전화를 끊은 후 그가 내게 전화기를 주었다.

"약이 올라 죽겠어. 골프 치러 간다는데 나는 못 가고. 아, 내가 왜 이렇게 되었을까?"

환자는 내게 옷을 갈아입고 싶다고 했다. 내가 도와주려고 하자, 그는 거절했다. 그는 침대에 걸터앉아 스스로 옷을 갈아입으려고 먼저 옷을 벗었다. 아직 그의 피부는 하얗고 윤기가 있었다. 입다가 그가 인상을 찡그렸다. 나는 팔을 소매 속으로 밀어 넣어 주었다.

"이건 바지가 영 맘에 안 드는데."

검은 고무줄이 들어간 하의가 마음에 들지 않다니, 나보고 어쩌란 말인가 싶었다.

"그럼, 맘에 드는 것으로 고르세요. 나중에 그쪽에 갈 때요."

나는 화를 참으며 말했다. 그러자, 그가 역정을 내었다.

"대체 왜 그래요? 정 떨어지게. 나는 한 번 정 떨어지면 다시는 보기

싫은 사람이요."

그 말에 나는 입을 다물었다.

"바지가 자꾸 내려간다고."

"그러면 그렇게 말씀하시지 왜 투정을 부리세요."

이번에는 그가 말이 없었다.

"재활치료 가요."

그말에 침대에 누워 쉬던 환자가 몸을 일으켰다. 혼자 몸을 일으키는 것은 쉽지 않았다. 침대 손잡이가 곧 부서질 듯 위태로웠다. 나는 휠체어를 침대 옆에 놓았다. 그가 자리에 앉자, 휠체어를 밀며 병실을 나섰다. 오전에 있는 재활치료를 위해 재활병동을 향해 나아간다. 제일 먼저 있는 치료는 작업치료다. 물건을 하나씩 옮기기도 하고 팔 근육을 강화시켜 주는 운동을 하기도 한다. 그것이 끝나면 물리치료가 있다. 치료를 위한 침대 위에 올려주고 나오면 치료사가 다리를 구부리며 운동을 시킨다.

오후에는 수(水)치료가 있다. 이게 가장 조심해야 할 치료다. 넘어져서 한 달이나 재활을 하지 못했던 가족 샤워장이 있는 곳이다. 여자였던 간병사는 플라스틱 간이 의자에 앉혀 씻기다가 돌아서는 사이 꽈당 넘어졌다는 것. 그 때문에 나는 남자샤워실 안에 있는 레저용 의자에 편안히 그를 앉힌 후 씻겼다. 그는 행복한 표정을 지었다. 머리를 감기고 비누칠 하고 타올을 문지르는 동안 아무 말이 없었다.

병실을 나가기 전에 수영복을 입힌 후 출발했다. 재활병동까지 가는 통로를 지나며 그는 마주친 환자에게 어쩌다 한 번씩 아는 체를 했다. 대부분 치료를 하는 도중 만난 사람들이다. 남자보다 여자들이 더 관심을 가져주었다. 몇 번이나 많이 좋아진 것 같다고 말하자 휠체어에 앉은 영감은 웃었다.

재활병동 지하실에 있는 수영장에 들어서자 겨울이지만 따뜻한 바람이 분다. 수영장에는 치료사가 자신이 맡은 환자를 붙들고 걷고 있는 것이 보인다. 혼자서 걷는 환자들은 좋아진 상태라고 할 수 있다. 수영장으로 내려가는 경사로 앞에서 휠체어를 멈추었다. 영감이 자신을 지도해주는 치료사를 향해 손짓을 한 후 환자복을 벗었다. 나는 머리에 수영모를 씌워준 후 손을 잡고 천천히 경사로 앞으로 데리고 갔다.

"좀 빨리 오셨네요."

이십 대 후반으로 보이는 여자 치료사의 말에 영감은 기분 좋게 웃었다.

"빨리 운동을 해야 낫지."

웃고 있는 여자 치료사에게 영감을 건네준 후 남자 탈의실로 들어갔다. 샤워실 안에서는 한 남자가 아들로 보이는 청년의 몸을 구석수석 깨끗이 닦아주고 있다.

저녁 식사가 끝난 후 다시 재활 운동이 시작되었다. 그는 두 바퀴를 돌더니 창가에 주저앉았다.

"여기 좀 앉아 있다가 들어갈게요."

미심쩍었지만 나는 일단 병실로 돌아왔다. 텔레비전에 김정은의 얼굴이 나왔다. 채널을 보았다. TV조선이었다. 사회자는 격앙된 목소리, 아니 웅변조로 북한 체제를 비웃고 있었다. 더 이상 나는 텔레비전을 통해 북한에 대해 알고 싶지 않았다. 10년간의 민주화 정권이 종말을 고한 후 등장한 정권은 반공을 통해 득을 보았던 자들의 구미에 맞는 채널을 승인했다. 이후 그 정권 내내 통일 논의는 이루어지지 않았고 인권도 후퇴했다. 사람들이 벗어나고 싶어 했던 권위주의나 구태의 집으로 다시 돌아갔다. 그러자 그때까지 잠시 입을 다물고 있던 사람들이 입을 열었다. 우리가 잠시 방심했지. 하지만 잃어버린 10년일 뿐이야. 과연 그들은 힘이 있었다. 나폴레옹의 시대를 그리워하던 이들은 나폴레옹의 조카를 대통령으로 만들어 주었다.

침대에 앉아 있는 동안 밖에서 무언가 쿵, 하는 소리가 들렸다. 어디 병실에서 물건이 넘어졌던가 환자가 침대에서 떨어진 거야. 나는 그렇게 생각했다. 그런데 얼마 지나지 않아 병실 문이 열렸다. 간호사가 황급히 나를 찾았다. 나는 급히 환자가 있는 곳으로 달려갔다. 바닥에 쿵, 하는 소리와 함께 떨어진 것은 바로 환자였다. 버럭 겁이 난 나는 환자를 일으키며 말했다.

"괜찮으세요? 제가 옆에 있는다니까요."

"아, 나는 괜찮아요. 딱 여기를 짚었는데 미끄러졌어요."

환자는 여전히 자신이 아프기 전의 몸이라고 여기고 있었다. 좋아지기는 했지만 아직은 아니었다. 병실로 들어가 환자의 몸을 확인한 의사는 다른 이상은 없다고 말해주었다. 아마 이상이 있었다면 나는 짐을 싸야 했을 것이다.

주말에 그들은 집에 갈 수 있게 해주었다. 작은아들이 영감의 치료를 위해 의정부에서부터 달려왔다. 작은아들은 물리치료사였다. 그는 내게 계단을 같이 올라가는 운동을 시켜달라고 몇 번이나 부탁했다. 나중에 보답을 하겠다는 말과 함께. 그 말이 나는 진심으로 들리기는 했지만 사양했다. 그렇게 하도록 교육도 받았다. 환자를 볼 때는 화초를 돌보듯이 그렇게 해야 한다고요. 간병사협회장이 자주 힘주어 했던 말이었다.

"제가 대가를 바라는 일은 아닙니다. 당연히 해 드려야지요."

이렇게 말했지만 기대가 되지 않은 것은 아니었다. 관례에 따라 주말에 집에 가는 것을 유급으로 해준 것 외에는 어떤 금전적인 보상은 없었다. 그는 커피믹스를 몇십 개씩 가져다주었을 따름이었다.

시간이 지나며 환자의 상태는 좋아지고 있었다. 밤에 일어나며 손잡이를 잡아당겨 부러뜨린 것 말고 특별한 사건은 일어나지 않았다. 집에 다녀온 부인도 상태가 좋아지는 것을 보고 흐뭇해했다.

텔레비전을 켜면 그는 여전히 TV조선을 보았다. 그는 여전히 친정부 인사이며 자신이 여전히 고위층에 있음을 믿어 의심치 않았다.

"자네를 위해 사 오라고 시킨 거야. 유명한 빵집에서 사온 거니까 맛있을 거야."

"아 그러세요."

나는 행복한 미소를 지어 보였다.

얼마 뒤, 집으로 가기 위해 싼 캐리어 손잡이를 잡고 두 사람을 보았다.

"다시 만났으면 좋겠습니다. 좋은 일로요."

"나도 마찬가지라네. 내가 나중에 한 번 부를게. 우리 집에 내가 타던 차가 있으니까 같이 놀러도 다니자고. 내가 맛있는 것도 사줄 테니까."

"연락하십시오."

말은 이렇게 했지만 나는 그를 다시는 만나지 않기를 바랐다.

님은 먼 곳에

유튜브를 이리저리 헤엄치다가 검색을 눌렀다. 김추자를 치고 '님은 먼 곳에'를 찾는다. 얼마 전에 컴백한다는 소식이 있었지만 나는 그 가수에 대해 잘 모른다. 텔레비전에 몸을 흔드는 모습을 본 적도 없고, 연예 뉴스에 나온 적도 없으니 잘 모른다. 그녀는 시골에서 자란 내 나이 사람들에게는 익숙하지 못한 셈이다.

사랑한다고 말할 걸 그랬지/ 님이 아니면 못산다 할 것을/ 사랑한다고 말할 걸 그랬지.

얼마를 듣다가 그녀를 생각한다. 나를 떠난 여자인데, 보고 싶은 여자는 누구인가. 시절 인연이 지나고 난 후에 기억이 나는 여자. 그해 크리스마스의 노란 밀감이 떠오른다. 거리 리어카 위에서 카바이드 등을 켜고 작은 밀감을 팔았다. 캐럴이 울리는 가운데. 그것이 낭만이라고 생각했다. 그녀는 어느 모로 보나 내 마음을 빼앗아 갔고, 졸업식도 올리기 전에 서울로 사라졌다. 그다음 해 그녀의 집 앞에서 다시 만났을 때 그녀는 몰라보게 변해 있었다. 나는 그녀를 안고 눈물을 흘렸지만 그뿐이었다. 그녀는 내게 말했다. 나중에라도 찾아와. 이혼이라도 해줄 테니. 이 말에 나는 돌아섰다.

협회 카톡방에 이 노래 주소를 옮겨 붙이고 다시 듣는다. 내가 올리는 노래를 기다리는 사람들이 있기 때문에 한 번씩 올려야 한다.

마음 주고 눈물 주고 꿈도 주고 멀어져 갔네.

가사를 듣는 동안 그녀가 보냈던 편지의 구절이 떠올랐다.

— 중학교 3학년 때 만났던 오빠가 있어요. 아주 키가 크고 마음씨가 좋은 남자였어요. 나는 그에게 모든 것을 다 주었어요.

내게 이런 편지를 보낸 이유가 뭐였을까. 나보고 단념하라고 그랬을 것이 분명했다. 그렇지만 다음 해까지 그녀를 잊지 못했다. 화장한 그녀의 마지막 모습이 떠오른다.

— 우리 마을까지 찾아오면 어떻게 해요? 저 이러면 이 마을에서 쫓겨나요.

그녀는 이렇게 말하며 자신이 결단코 행실이 나쁜 여자는 아니라고 강조하고 있었다. 그러나 한편으로 생각하니 그녀는 상습범이었다. 그러니까 이런 일이 한두 번이 아니었을 것이다.

그녀의 얼굴이 보고 싶어지며 멀어진 인연을 다시 생각해 본다.

막걸리 한 잔과 밥을 마시고 나자, 다시 기운이 생긴다. 몸으로 하는 일은 고되기는 하지만 잡다한 생각에서 해방되게 해준다. 사소한 고민이 있어도 몸을 움직이면 나도 모르게 사라지고 없다. 그동안 찾아오던 우울도 자주 찾아오지 않는다. 몸과 마음은 서로 연결되어 있고, 어느 것도 우월한 것이 없다. 서로가 서로를 보살피는 것인 셈이다.

음악을 튼 채 핸드폰을 들고 엘리베이터에 탄다. 약간의 취기가 나에게 흐릿하고 몽롱한 기분을 만들어 준다. 이것들이 민초들이 삶을 견디게 해준 것이 아니겠는가. 주차장을 걸어간다. 나 혼자 걸어가는 것이 꼭 영화 속의 장면처럼 황홀해진다. 탑차 문을 열고 자리에 앉아 시동을 건다. 음악이 다 하자, 다시 삼각형 버튼을 손가락으로 누른다. 장갑을 끼다가 오른손 장갑을 벗는다. 정지하면 다시 눌러야지.

아파트 단지를 벗어나 진남을 향해 달린다. 나와 같은 나이였던 그녀는 이제 좀 늙었을 거야. 최백호의 낭만에 대하여, 에 나오는 가사처럼. 얼마 전에 내게도 갱년기가 온 징후가 있었다. 견딜 수 없이 아내와 어머니에 대해 화가 치밀었다. 나는 둘 다 사랑했지만 이제 어머니와는 단절된 상태이다. 어쩌면 어머니는 나를 통해 며느리까지 통제하려고 했을 것이다. 어머니의 권력의지는 놀라운 것이었다. 그녀가 며느리로부터 받는 것은 모조리 당연한 것이었지만 딸로부터는 아무 것도 그렇지 않았다. 같은 자식인데 너무 이상하지 않은가. 어머니는 내게 무엇이든 다 주고 싶다고 했지만 사실 말뿐이었다. 내가 다른 형제들에 비해 더 많은 사랑을 받았다고? 나도 한동안 이것 때문에 어찌할 수 없는, 결혼 후 10년을 보냈다.

아버지가 돌아가신 후 얼마 지나지 않아, 어머니는 누구에게도 말하지 않고 누나에게 1억이라는 거액을 빌려주었다. 이자를 받기 위해. 이것이 뭐 잘못된 것이냐고 말할 사람이 있을지 몰라도 그건 사정을 모르는 이야기다. 우선 어머니는 우연히 알게 된 동생을 제외하고 그 사실을 공개하지 않았다. 하긴 뭐 내 돈도 아니고 무슨 상관이 있을까마는. 내가 마지막으로 그 사실을 알게 된 셈이다. 뭐 동생의 끈질긴 설득으로 어머니가 내게 말했다고 하니 감안을 해야 할까, 이해를 해주어야 할까.

— 어머니가 이야기했다고 하데?

동생의 전화에 나는 말했다.

— 형제들에게 묻지도 않고 시골 논을 누나에게 이전해 준 건 알았지만, 그전에 돈도 빌려주었다니 너무 놀랐어. 어떻게 그럴 수 있냐고 따졌지. 그랬더니 이자를 받는 것이라고 말하시더군. 그래, 나도 이자 줄테니 좀 빌려달라고 했지. 그랬더니 누나한테 말을 해보겠다고 그랬어.

— …….

— 어머니도 쉬운 결정은 아니었어.

— 아무튼 난 충격이야, 지금. 내가 진남에 살 때, 그러니까 결핵에 걸렸을 때 한 번은 찾아가겠다고 미리 전화를 한 적이 있어. 아마 추웠던 것 같아. 약간 추웠나. 아이들 둘 데리고 갔더니 세상에 불 끄고, 사람이 없는 거야. 우리 부모님은 늘 자식이나 사람보다 돈이 우선이야.

— 충격이 심한가 보네.

— 나는 좀 시간이 필요해. 지금까지 살아온 것처럼 차라리 계속 인색하게 살던지. 그러면 누구도 충격을 받지는 않지.

막걸리 한 컵 반을 마셔서인지 알딸딸하다. 막걸리를 흔들어 마시지 않고 맑은 채로 마시면 깨는 것도 금방이고 골치가 아프거나 트림이 나오지도 않는다. 누가 막걸리는 흔드는 거라고 말했을까. 전주한옥마을 막걸릿집 방송이 아니었으면 자기도 몰랐으면서 왜 그래. 어디선가 아내의 목소리가 들리는 것 같다. 그녀는 나를 가장 잘 아는 여자가 되었다. 어머니는 나를 아는 것 같지만 그렇지 않다. 단지 어머니 노릇을 하고 있을 따름이다. 그렇지 않았다면 진학하지 못한 데 대한 화풀이를 내게 해대는 형을 가만두고 보지 않았을 것이고, 그 때문에 나는 몇 번이고 가출을 하지 않았을 것이다. 뭐 지나간 일을 다 전개하고 그러냐. 어머니는 이렇게 말할지 모르지만 내게는 그렇지 않다. 그게 내 삶이고 역사다. 아프면 아픈 대로 슬프면 슬픈 대로 기쁘면 기쁜 대로 켜켜이 앉아 나를 이루고 있는 것들이다. 내 잘못이 없으리라는 것은 아니다. 반성하지 않겠다는 것도 아니다. 그것들이 모여 나가 되었듯이 다른 사람들의 삶도 그렇다는 것이다. 서정주의 시가 주옥같다지만 한켠에 친일의 오물통도 있는 것처럼 말이다. 그의 말처럼 해방이 쉬이 올 줄 몰랐든, 신군부가 등장했을 때 부들부들 떨었든 간에 그는 참회하지 않고 죽었다.

몇 번이나 되풀이해서 '님은 먼 곳에'를 듣는다. 벚꽃이 진 길을 달린다. 아스팔트 위에는 연분홍 꽃잎들이 곱게 날리고 있다. 솜사탕이 노면에 날리고 있는 듯하다. 나는 솜사탕이나 귤을 마음 놓고 사 먹지 못하고 살았다. 그러나 그것이 어쨌단 말인가. 그 이유 때문에 내가 돈을 벌기 위해 어머니나 누나처럼 살아야 하는가. 그건 아니지 않은가. 돈을 벌지 않겠다는 것은 아니다. 물질의 유혹이 견딜 수 없이 클 때도 있지만 그것들은 잠시 내게 기쁨을 주고 금방 사라진다. 그것이 처음 다가왔을 때의 짜릿함이란 사라지고 금세 시들시들해지고, 잊어버리고 만다. 사람들은 참 그걸 모른다. 자본주의라는 게 그런 건가. 헤아릴 수 없이 많은 물건을 끝없이 만들어 내고 사람들이 그것을 소비해 주어야 하고 많은 서민이 사소하게 소비하는 것들로 소수의 사람은 부자나 권력자로서 거들먹거리고 서민들을 개돼지 취급을 한다. 운전기사에게 갑질을 해대는 회장님을 보면 안다. 뭐 다 그렇다는 건 아니다. 나도 빠져나갈 구멍이 있어야 하지 않겠는가. 흐흐

영테크에 차를 세우고 식당 안으로 걸어 들어간다. 빈 그릇을 노란 박

스에 담는다. 이층 콘테이너박스에는 외국인 노동자들이 살고 있다. 밥통의 밥을 확인해 본다. 그들이 이미 남은 밥을 퍼 가지고 갔는지 비어 있다. 노란 박스를 이단으로 놓고 등에 짊어진다. 처음에는 힘들었던 일이 이제는 기쁘하게 느껴진다. 아침 7시 30분에 출근해서 저녁 8시경까지 일을 하니 중간에 쉬는 시간 좀 빼도 노동시간이 과다하다. 하지만 외국인들도 나에 못지않다. 많은 돈을 벌어 돌아가고 싶은 외국인들은 무리를 해서라도 일을 하고 싶어 한다.

차를 돌리기 위해 후진 기어를 넣고 액셀을 밟는다. 삐 소리와 함께 후방센서가 작동하며 삐삐 소리를 낸다.

마음 주고 눈물 주고 꿈도 주고 멀어져 갔네

다시 노래를 듣는다. 그녀를 만날 수 없을 것이다. 살아 있는 동안 만나지 못한들 무슨 대수랴. 단지 한 번씩 추억할 수 있다면 좋은 것이 아닐까. 시절 인연이 다한 것이다. 그녀는 한때 내 전부인 것처럼 생각되었지만 내 것은 아니었다. 사랑한다고 말하지도 못했고.

그때 무언가 턱 막히는 느낌이 들었다. 불안한 느낌에 급히 브레이크를 밟았다. 겁이 난다. 뒤에는 사장님의 검은 외제차가 서 있다. 무덤덤해서 인정 있어 보이지는 않지만 머리가 살짝 벗겨진 육십 대의 사장님. 그는 어쩌면 외제차를 갖고 싶어 고생고생하며 사업을 했을지도 모른다. 머리가 벗겨진 사람들은 열정이 지나치다. 이것은 그들에게 욕이 될까 정당한 평가가 될까. 아, 그런 것은 지금 생각할 때가 아니었다. 사장님은 단지 내가 이곳에 밥을 배달해 준다는 이유로만 나를 용서하기 어려울 것이다. 외제차는 그에게 어수룩하고 미련한 사람 이상이 될 수도 있는 것이니까. 제대로 보험이 들어 있어도 외제차는 수리비가 엄청나다던

데. 눈앞이 캄캄해지고 혼란스러워진다. 이건 누구 때문이지? 누구 때문인가? 갑자기 이런 말들이 떠오른다. 화가 치밀어 오르고 견딜 수 없어진다. 천만 원이 넘을 수도 있는데, 내가 이 돈을 부담하게 된다면 어떤 일이 벌어질까. 대학에 다니는 아이들 모습이 떠오른다.

브레이크를 밟자마자, 차를 전진시킨다. 잠시 멈추었다. 백미러로 보이는 검은 차를 살핀다. 아마 벤츠일 거야. 오베라는 남자에서 주인공은 아우디는 멍청이들이 타는 차라고 했던 것 같은데. 사람들은 왜 외제차를 타는 것일까. 멍청하기는 뭐가 멍청해. 많은 수리비를 받아내기 위해 일부러 사고를 내는 자들도 있는데. 가만 생각해 보자. 후방센서 소리가 났었나. 물체에 닿기 전에는 급하게 소리가 나는데. 하지만 나는 지금 술을 한 잔 먹었지 않은가. 감각이 생생하지 않다. 삐삐 소리가 요란하게 났는지도 기억이 나지 않는다. 사람의 감각이란 이렇게 형편없는 것이었나. 음주 측정을 하면 나오지는 않을 거야. 겨우 한 잔 반을 먹었을 따름인데. 그렇지만 음주 운전을 한 건 맞잖아. 내려서 확인을 해 볼까. 아니야 그러면 누군가의 눈에 띌 것이고, 냄새가 날 거야. 어쩌지.

— 일단 가자구.

차를 몰고 입구를 지나기 위해 턱을 넘었다. 옆에 있는 개집이 보인다. 검은 바탕에 흰털이 섞인 개다. 주인이 부르면 스스로 달려가 목에 개 줄을 달아주어도 가만있는 녀석이다. 내 처지가 저 개만도 못하다는 생각이 들었다. 저 녀석은 그래도 지금 이 순간 평안하게 제집에서 잘 수 있지. 아무 걱정 없이. 아니야. 그렇지 않아. 녀석에게는 나처럼 돌아다닐 자유가 없지.

회사를 나오자, 다음 회사 안으로 들어갔다. 뒷문을 열고 고리를 걸면서 문득 삶을 포기하고 싶은 생각이 들었다. 다리에 힘이 없어지면서 주저앉고 싶어졌다. 그나마 조금 누리고 있는 삶을 포기해야 할지 모른다니. 견딜 수 없이 슬퍼졌다. 요즘 들어 꿈자리가 무척이나 사나웠다. 어머니 때문에 그리리라고 몇 번이나 생각했다. 어머니한테 전화를 하면 뭐가 달라질까. 몇 달 전으로 돌아가겠지.

— 왜 이리 요새 연락도 안 하냐

— 내가 하는 일이 좀 바뻐. 노가다도 해야 하고.

— 그래. 산다고 애쓴다.

— 별일은 없는가. 아픈 데는 없고.

— 그냥저냥 그렇다. 나이 드니 곳곳이 아프고. 에미가 못 가게 하냐.

— 안 그래. 내가 힘들어. 거기 갔다가 오면 싸우게 되고.

— 그년이 못 쓰겠구만. 어디 내다 버려라.

— 됐어. 그만. 그런 소리 할라면 끊어요.

언젠가 이혼 이야기를 꺼냈을 때 나는 어머니에게 그런 적이 있었다.

— 도대체 여자라고 생긴 게 왜 그래. 이혼해라. 이혼 해.

그때는 아버지도 살아계셔서 대화를 듣고 있었다.

— 그러면 어머니가 애들 키워 줄 건가.

어머니는 잠시 말이 없었다. 그녀는 단지 며느리가 마음에 들지 않을 뿐이었다. 내가 행복하게 사는 것에 그녀는 관심이 없었다. 내게 그럴 권리가 있냐고 묻고 싶었지만 나는 바보처럼 아무 말도 하지 못하고 있었다. 그다음에는 어떻게 하고, 또 그다음에는 어떻게 하고, 이렇게 하나씩 물어갔어야 했다. 아들은 당연히 부모의 명령에 복종해야 한다고 배왔기 때문일까. 어머니는 아내 대신 나에게 관심을 주고 아이들을 건사해 줄 마음이 없으면서도 무책임한 말을 하는 거였다. 누군가 내게 욕을 하는 것 같다. 그러나 아내 대신 어머니와 살 수는 없는 것 아닌가. 둘은 내게 어떤 존재일까. 아내와의 섹스 모습이 떠오른다. 이상한 일이지만, 아내 얼굴에서 어머니 모습을 발견하기도 한다. 아, 이런 생각이 왜 드는 거지. 이건 있을 수 없는 생각이지. 내가 사는 세상에서는 생각도 할 수 없는 생각. 나는 오이디푸스의 덫에 또 걸려들었어.

다시 문제의 검은 차의 모습이 나를 짓누른다. 차에서 내려 확인하면 안 되었다. 분명 그 차에는 카메라가 달려 있을 것이고, 내 모습도 찍힐 것이다. 바보 같은. 확인하든 안 하든 트럭이 후진하면서 받는 모습이 찍히지. 참 넌 바보야. 누가 이런 걸 발명해 냈을까. 이것이 생겨나기 전에는 스스로의 양심에 맡겨둘 시간이 있었는데. …모른 체 며칠을 지난 후에 갑자기 사고를 발견해도 범인을 잡을 수 있다니. 불안해 견딜 수 없다. 나는 차를 충격 후 도주한 범인인 셈이다. 지우지 않으면 한 달 후에도 남아 있을 거라고 생각하니 빠져나올 수 없는 그물에 걸린 것처럼 허우적거렸다.

다시 거기 가볼까. 안 돼, 거기 다시 가 보면 넌 잡힐 거야. 범인은 다시 현장에 나타난다는 것을 경찰들은 다 알지. 아니 이제는 일반 사람들도 다 알지.

빈 그릇을 치우고 남은 음식물을 비닐에 모아 박스에 담는다. 그것을 식탁 위에 이단으로 올리고 짊어진다. 무겁다. 삶이 이렇게 무거운 것이기에 부모들은 자식들에게 부를 세습하기 위해 몸부림치는 것이구나. 그들의 심정이 이해가 간다. 법을 어기기도 하고 편법을 저지르기도 하는.

그러나 부자는 삼대 못 간다는 말이 있는 것을 보면 부질없는 짓이었다.

짐을 지고 가는 동안 다리가 후들거린다. 심장 박동 소리도 요란하게 들린다. 전에 차를 박고 도망간 적이 있다. 작은 차의 문을 들이박고 도망친 것이 십 년 전의 일이있다. 그녀는 후방센서도 없었고 게다가 5톤 트럭이었다. 그 때문에 얼마나 괴로웠던가. 그래서 어떤 할머니가 막 출발하는 내 차를 받았을 때 벌벌 떠는 그녀에게 수리비를 주었다. 어려운 처지였지만 속죄하는 심정으로 그랬다. 반대편 차선에 차를 세워 놓은 후 출발한 탓도 있었지만 나는 그녀에게 속이지 않고 전화번호를 적어 주었다. …아니야. 넌 너를 지금 속이고 있어. 반대편 차선에 주차했다가 조금 움직였을 때 그 할머니가 들이박았지. 날씨가 그때 비가 좀 왔고, 음. 모르겠다. 좀 따져봐야 하는 게 아니었던가. 아니야, 반대편 차선에 왜 차를 댔던 거야? 피할 수 없는 거지. 그날은 그랬어. 꼭 내가 출발하려는 시간에 날씨는 우중충하고, 눈이 어두운 할머니가 나를 꼭 만난 거야. 이건 우연이라고 하기 어려워. 과학적으로 설명한다고? 그건 좀 그렇지. 과학은 훌륭하게 여러 가지를 설명할 수 있지만 많은 것을 속 시원히 말해줄 수 없어. 왜냐하면 과학은 많은 사람보다 자본주의의 팔다리로 나왔으니까.

다시 가볼까. 아니야, 넌 거기에 갔다가는 분명 의심받을 거야. 넌 불안함을 이기기 위해 거기에 가고 싶지만 아무것도 얻을 게 없어. 아니, 이미 일어난 일을 시간 여행을 통해 다시 바꾸기 어렵잖아. 그러니까 네가 그곳에 다시 간다고 해도 이미 일어난 일이 달라지지는 않아. 속상하지만 하는 수 없어. 아무것도, 이미 카메라에 찍혔을 수도 있고, 그것을 부순다고? 그러면 그때부터는 범죄, 진짜 범죄가 시작되는 거지. 이제 포기해. 그게 현명한 거야. 원하는 대로 수리비를 물어주는 거야. 설마 트럭에 대물 보험이 들어있지 않을 리 없어. 그것으로 해결이 될 거야. 아니, 외제차는 안 될 수도 있다고. 그래도 달라질 게 없어. 이미 일어난 일이야. 나는 이미 태어나서 어머니의 자식이 되었고, 살고 있는 여자 말고 다른 여자를 한 번씩 추억하고 있고.

문을 닫고 달린다. 하루에도 몇 번을 오간 이 길을. 올 때마다 별다른 기억이 없었기 때문에 오늘의 사건을 만들었을 리는 없겠지. 우울하고 고통스러운 기분이 나를 온통 옭아매고 깊은 수렁 속으로 잡아당기고 있다. 이미 지나간 일들이 떠오른다. 그녀는 내게 마지막으로 기회를 주지 않았다. 내가 잘못한 일도 있었다. 뭐든 자기 맘대로 하려고 해서 우울했던 나는 그녀를 죽이고 싶다는 편지를 썼으니까. 적과 흑을 읽으며 생긴 무섭고 괴이한 줄리앙의 마음이 전이된 채로, 칼을 한 자루 샀다고 했을 것이다. 지금 생각해도 있을 수 없는 일을 저질렀다. 그건 내 마음이 아니라고 변명을 하려고 했지만 나는 그녀에게 괘씸하다, 는 말을 들어야 했다. 아무 말도 하지 못하고, 그때 사과를 했었다면 우리는 달라질 수도 있었을 거야. 그렇지만 아무것도 달라질 것이 없었다. 1년 후에 추석 전날 그녀의 집에서 만났을 때 그녀는 달라져 있었다. 야한 화장을 하고 좀 더 살이 올랐기 때문이 아니라 그녀에게는 이미 남자가 있었다. 이렇게 사무치게 날 사랑해 줄 줄 몰랐네요. 하지만 아무 기반도 없는 남자를 어떻게 만나겠어요. 좋아요. 나중에 나를 다시 찾아와요. 이혼이라도 해줄 테니. 이 말에 나는 아무 말도 하지 않았지만 이제 우리는 끝났다는 생각이 들었다. 우리는 이미 다른 길을 가고 있으며 이걸로 우리의 인연이 끝났다는 것도.

삼거리에 가기 전에 왼쪽으로 돌았다. 이 길 끝에 수거할 곳이 있었다.

그녀를 다시 만난다면 어떻게 할까. 아무래도 좋다. 다시 만나도 좋고, 그렇지 않아도 좋다.

조금씩 날이 어두워져 가고 있다. 차폭등을 켜고 안개등을 켠다. 좁은 골목이지만 차들이 빠르게 달리는 탓이다. 자신이 어디로 향해 가는 줄 모르고 달리는 차들. 잠시 후에 일어날 일도 모르고 무언가를 쫓아 흡사 귀신 붙은 것처럼 운전대를 돌리는 사람들.

아직 불이 꺼지지 않는 공장들이 많다. 대명 주차장에 차를 대고 2층 식당으로 가기 전에 산 위를 올려다본다. 절의 빨간 만자(卍)가 아직 보이지 않는다. 아마 수거를 끝내고 내려오면 켜질 것이다.

터벅터벅 걸어간다. 감정이나 생각이란 줄기차게 이어지는 경우도 있지만 대부분 일시적이다. 감정의 소용돌이 속에 휘말려 있을 때는 아무것도 생각지 못하고 나는 오로지 그것으로만 이루어진 인간이라 생각되지만 정작 그 가운데 들어가면 아무것도 없다. 정지해 있다. 그리고 나면 그 소용돌이는 어디론가 사라지고 없다. 이건 마술이나 기적과 같다. 지금 내가 하는 생각이 내일 아침이면 모조리 사라지기도 한다는 것. 아, 내가 지금 이런 생각을 할 때가 아니다. 조금 전에 내게 무슨 일이 일어났다. 나를 파괴할 수도 있는 일, 말할 수 없이 고통스럽게 할 수도 있는 일. 아, 이런 나를 비웃는 사람도 있겠구나. 하지만 내가 겪어본 바에 의하면, 이건 내 말투가 아닌데 전임 대통령의 말투인데, 사람들은 아주 커다란 일보다 사소한 일에 더 많은 고통을 느낀다. 그렇다니까 내가 겪어 보았다니까.

올라가서 치우고 노란 박스를 구루마 위에 얹어서 나오는 데까지 20분이 걸린다. 영화 같지 않은가. 나는 범인이고 아주 빠른 시간 내에 무언가를 훔치거나 할 수 있다. 나는 간혹 동작 빠르게 움직여야 할 때마다 이런 생각들을 했다. 적외선을 피하고 비상경보가 울리기 전에 빠져나와야 하는 날쌘 도둑.

난 지금까지 많은 어려움을 겪어왔는데 또 그런 일을 겪어야 한다면 어떻게 하지. 노래를 부른다. 다시 가라 하면 나는 못 가네 마디마디 서러워서 나는 못 가네 지는 해에 실려 보낸 내 사랑아 바람처럼 사라져 간 내 인생아

반복한다는 것처럼 견딜 수 없는 일이 또 어디에 있을까. 아픈 데 또다시 찌르는 것처럼 고통스러운 일이 어디 있을까. 눈물이 흐른다. 이건 어머니 탓인가. 어머니가 이렇게 할 수는 없다.

아내는 풍으로 쓰러지고, 나는 폐결핵으로 입원해 있을 때 찾아온 어머니에게 나는 말했다. 이제 인연을 끊고 싶다고. 백만 원에 십만 원하는 월세방에 겨우 몸을 누이고 어머니에게 도와달라고 했을 때 그녀는 내게 당신의 가진 1억도 넘는 돈에 대해서는 말도 하지 않고 1000원짜리로 백만 원을 주었다. 허공에 뿌리고 싶었지만 차마 그렇게 하지 못했다. 그때 내게는 100만 원도 없었다. 그렇게 인색하게 살아왔으면 내내 그렇게 살아야 했다. 그래야 동정이라도 할 수 있었다. 그런데 얼마 전에 나는 어머니로부터 청천벽력과 같은 말을 들었다. 아버지가 돌아가셨을 때, 그러니까 7년 전에 어머니는 누나에게 1억을 빌려주었다고 어렵게 말했다.

— 누나에게 돈을 빌려줘? 내가 아무리 죽는다고 난리 쳐도 들은 체

도 않더니 돈을 빌려줘?

— 그래, 이자 받을라고 그랬지. 한 달에 오십씩 주기로 했어.

— 어머니는 그러면 안 되지. 시골 논도 억대가 넘는데 거기에 넘겨주고

— 너희들 누구도 날 오라는 사람이 없으니 어쩌냐, 거기는 오라고 하는데.

— 우리가 잘하려고 했을 때 어머니는 도와주지는 않고, 시어머니 행세만 하려고 하고, 아들한테 그리도 뭘 바래더니… 누나는 재산이 있으니까 빌려주어도 안 떼이고, 우리한테는 떼인다는 말이네 그러면. 나도 돈 좀 빌려줘. 이자 줄게.

— 얼마나 필요하냐. 누나한테 이야기해서 빌려주마.

— 천만 원, 아니 이천만 원만 빌려줘.

— 그래.

— 내가 누나고 뭐고 가만 안 둘 거야. 우리가 아들 노릇 한다고 애쓸 때는 시누이 노릇 한다고 뒤에서 어머니하고 같이 험담하면서 정작 일이 있으면 모두 우리한테 떠밀고 하더니. 혼자 날로 드실라고 하는구만. 어머니한테 못하기만 해. 내가 가만 안 둘 거야.

— 누나는 너를 그리 생각 안 하더만.

— 나를 좋게 생각하든, 착하게 생각하든 편하게 생각하라고 해. 아, 어째 이런 일이.

— 그래, 너 내가 울산 내려가면 전화할 거지?

— 해야지.

— 그래 알았다. 꼭 전화해라.

13명의 외국인 노동자들이 묵는 숙소는 옆에 있다. 그들은 깨끗하게 청소하는 것에 서툴다. 아예 관념이 없다. 한국인들은 이런 것을 잘 견디지 못한다. 마치 몇십 년 전의 우리와 다를 바 없는데도, 식탁을 닦으며 이런 것을 생각하다가 털썩 차에 대한 생각으로 옮아간다. 내일이면 몰래 지나가다가 봐야지. 아주 자세히 보면 보일 거야. 아니야, 그전에 연락이 올지도 몰라. 블랙박스를 보면 금세 알 거야. 내가 탄 차가 후진하는 모습이 거기 찍혀 있을 거야. 넌 어쩔 수 없어. …나를 보고 싶다고 어느 날 나를 찾아오면 어쩌지? 나는 정신분열증 환자 같다는 생각이 든다. 지금 그런 생각이 나냐고, 뭐 어때. 이미 어쩔 수 없는 일이야. 내가 지금 기분이 좋든 좋지 않든 그 일에 어떤 영향도 미칠 수 없어. 한 마디로 달라질 게 없다고. 난 지금 이 순간을, 되돌릴 수 없는 이 순간을 고통스럽게 보낼 수는 없어. 왜냐하면 다시 오지 않으니까. 내일 다시 그 일이 불거진다면 그걸 받아들이면 되는 거야. 미리 내일 일어날 일을 끌어당겨 고통스러워하지 말자고.

일을 마치자 노란 박스를 들어 구루마 위에 올려놓는다.

주차장으로 구루마를 끌고 나오자, 밖은 어두워져 있다. 산 속의 빨간 만(卍)자가 보이고 개구리 우는 소리도 들린다.

우리는 다시 만나든 그렇지 않든 추억할 수 있다는 것으로 족하다. 내가 생각해도 멋진 말이라고 생각했다. 그래도 사랑한다고 말은 해보는 건데.

차를 타고 큐에이치로 가는 동안 다시 우울해진다. 그녀를 만났을 때는 내가 가장 힘들 때였다. 나는 희망도 없이 허우적거리며 교회에 다니다 그녀를 만났다. 그해 크리스마스에 처음으로 연극을 했고, 그녀는 연극이 끝나자 내게 기대며 행복한 미소를 지었다. 처음 그녀의 방을 찾아갔을 때가 떠올랐다. 연극 준비를 하다가 가게 된 그녀의 자취방. 왕관을 만들고 있을 때 하얀 블라우스를 입은 그녀가 계란국을 끓여 왔다. 먹다가 그녀의 부름에 고개를 들었다. 얼굴이 발개요, 빨개졌어요. 나는 어쩌지 못하고 고개를 숙였다. 나는 그녀와 행복하게 사는 모습을 그 뒤에 몇 번이나 생각했다. 그러나 그것은 내 생각에 그치고 말았다. 그때부터 우리는 서서히 정점을 벗어나 다른 길을 향해 걸어가고 있었다.

에이치는 가장 식당이 먼 곳이다. 들어갈 때는 건물 사이의 통로를 통해 들어갔다가 구루마를 밀고 나올 때는 넓은 주차장으로 나왔다.

어머니가 형제 중 가장 나를 사랑했다는 말을 한 번도 의심해 보지 않았다. 어머니가 가장 사랑한 자식이 바로 나라고 형이나 다른 형제들도 말했고, 어머니도 그것을 부정하지 않았다. 그러나 내가 특별히 무얼 많이 받았던 기억은 없었다. 나는 그저 아픈 손가락에 지나지 않았을까. 그녀에게 말했다. 나는 부모님이 사랑한다고 하는데 그것을 한 번도 느껴본 적이 없어. 그래서 가출을 감행했던 거라고. 애정결핍증인가. 불안 증세인가. 나도 잘 모르지. 결혼 후에도 형제들은 옆에 있는 내가 무언가 많은 것을 받고 있다고 생각했지만 그건 오해였다. 오히려 나는 내가 번 돈으로 용돈을 드리고, 가끔 선물도 하고 있었다. 아내는 며느리로서 해야 할 도리를 다하기 위해 명절 때 빼놓지 않고 음식을 해 갔다. 꼭 그렇게 할 필요는 없다고 해도 소용이 없었다. 그녀는 그 역할을 하고 싶어 했다. 어머니는 어땠던가. 그런 것들을 당연하게 생각했다. 당신의 것은 한 푼도 쓰지 않을 정도로 인색했지만 내게 받은 것들은 당연한 것으로 생각했다.

  사랑한다고 말할 걸 그랬지 망설이다가 가버린 사람
  가사가 떠오르다가 사라졌다.

  다음 날 눈을 뜨자마자 전날의 기억으로 몸이 떨렸다. 생각지도 못한
의외의 하루가 시작되고 있는 셈이었다. 내 인생에 이런 일이 몇 번이나
있었던가, 아무래도 생각이 잘 나지 않는다. 자꾸 이 사건으로부터 벗어
나려고 하고 있지만 다시 원점으로 돌아오고 있다. 마치 집에서 도망치
기 위해 가출했지만 늘 다시 집으로 돌아올 수밖에 없었던 때처럼.
  드디어 영테크에 도착했다. 확인을 해 보면 알겠지만 아무 일도 아닐
거야. 그리고 차를 찌그러뜨리는 것은 대단한 일이 아니야. 술김에 살인
한 것이 아니라고. 아, 맞아. 정신 차렸을 때 차안에 사람이 죽어 있으면
얼마나 충격일까.
  차에서 내려 일단 짐을 옮기고 음식을 배열하는 것이다. 내일 이 세상
이 망한다고 할지라도 나는 어제 하던 일을 오늘 하는 거야. 책을 읽고
아침을 먹고 옷을 갈아입고, 꿈을 되새겨 보고.
  일은 순식간에 끝났다. 트럭 뒷문을 닫으며 사무실 옆 참다래 덩굴 아
래 세워진 검은 승용차를 흘깃 본다. 차에 오르고 앞으로 간 후에 차를
돌린다. 천천히 오른쪽에 있는 차에 눈길을 준다. 보닛은 아무 이상이
없고, 라디에이터 앞의 그릴, 거기에도 이상이 없다. 한숨이 금방 나올
것 같다. 그런데 범퍼에 달린 번호판 한쪽이 눈에 띄지 않게 찌그러져
있다. 내가 정말 어제 저지른 일일까. 트럭 뒷부분의 튀어나온 곳 높이

와 번호판의 높이를 비교해 본다. 눈으로는 도저히 짐작이 가지 않는다.

차에서 내려 자세히 보기로 했다. 뭐 이상할 것도 없지. 여기서 몇 번이나 꽃 사진을 찍기도 했으니까. 하얀 동백, 모과나무꽃. 영산홍도 찍었다. 그때 사무실에서 시장님이 밖으로 나온다. 덜컥 겁이 나서 발길을 돌려 대문간에 있는 개를 향해 걸어간다. 사장님은 머리숱이 없어 대머리로 보인다. 아직까지 그가 말하는 것을 들은 일이 없다. 그는 나를 흘깃 보더니 다시 사무실로 들어간다. 그래, 무슨 일이 있었던 거야. 내가 이 일에 관련되어 있다는 것은 모르고. 나는 검둥개를 한 번 보고 박태기나무에 솟은 꽃들을 본다. 자주색도 아니고, 분홍도 아니고, 나무는 화려한 색을 보여준다. 다시 돌아와서 트럭 위에 오르려고 문을 연다. 아니 벤츠가 아니고 제네시스였다니. 지금껏 나는 그것도 모르고 있었다니. 외제차는 아니지만 그래도 고급차다.

해질 무렵

전국 각지에서 모여든 노동자들은 콘크리트 구조물 속이나 슬레이트 집 셋방에서 밤을 보내고 아침이 되면 오토바이를 몰고 일터로 분주하게 달려갔다. 그들은 고향을 떠나 객지생활을 하는 몇 해 동안 남자들은 거의 술집에서 세월을 보내며 고향으로 돌아가겠노라고 큰 소리를 쳐댔고 여자들은 아이들을 방에 가두고 맞벌이에 나섰다.

　그렇게 몇 년을 보내는 동안 차츰 그들은 쉽게 이 도시를 떠날 수 없게 되리라는 것을 깨닫게 되었다. 그래서 낮에는 돌아갈 수 없다는 절망을 깊숙이 숨기고 있다가 해가 지기 시작하면 자신도 모르게 그것을 이상하게 드러내기 시작했다.

　서부동 상가 앞에서 과일을 파는 한 여자가 도로변에 옷을 늘어놓은 옷전으로 향하고 있었다. 그녀는 어제 이곳에서 바지 하나를 샀다. 그것은 예전 같지는 않았지만 여전히 여자들에게 인기가 있는 검은 색 쫄쫄이 바지였다. 그것은 다른 옷과 달리 다리에 착 달라붙어 몸의 윤곽을 드러내 줄 뿐 아니라 쭉쭉 늘어나서 활동하기에도 편했다. 그녀는 오십

줄의 염색 파마머리를 한 여자에게 다가갔다. 그녀 앞에는 옷걸이에 걸린 원피스나 바지 말고도 돗자리 위에 서울 남대문 시장이나 동대문 시장에서 킬로당 얼마씩 하는 옷들이 그런대로 볼품 있게 개켜져 있었다.

그녀는 일단 장사치 여자에게 아는 체를 한 후 기회를 보고 있다가 검은 비닐봉지에 들어있던 바지를 꺼냈다.

"어제 여기서 산 옷인데 한 번 빨았더니 이렇게 오그라져 버렸어요"

조심성 있는 여자의 말을 장사치 여자는 금방 알아챘다. 이런 일이라면 한두 번 겪는 일이 아니었고 어떻게 하면 이런 손님을 물리칠 수 있는지도 알고 있었다. 그렇지 않고서는 장사라는 것을 할 수 없는 것이다.

"아니, 금방 산 옷도 아니고, 또 오늘 산 옷도 아니고, 어제 사서 한 번 빤 옷을 어쩌자는 말잉기요? 물러 달라는 말잉기요, 아니면 돈으로 내달라는 말잉기요?"

장사치 여자는 우선 상대의 기를 꺾을 작정으로 대뜸 이렇게 외쳤다. 그러자 옷을 들고 왔던 여자는 대번에 분격해서 지금까지의 조심스러운 태도를 집어던졌다.

"무슨 말을 그렇게 합니꺼? 옷을 빨아보지도 않고 물건이 어떤지 사람이 어찌 압니꺼? 요새 겉은 세상에 손님이 물건을 샀으면 다른 물건으로 바꾸어 주던지 돈으로 내주는 것이 당연한 일인디 …이거 순 불량품이니께 어거지를 쓰는구만."

그녀의 말투는 전라도 말도 섞이고 경상도 말도 섞인 이상한 말이었다. 억양도 마찬가지여서 그녀의 고향이 어디인지 말투로는 알아낼 수 없었다. 그녀도 다른 객지 생활자들처럼 몇 해 이곳에서 사는 동안 자신도 모르게 이쪽 말을 배워가고 있었다.

"그럼, 물건으로 바꾸어 가시우!"

장사치 여자는 자신이 몇 발짝 양보해서 인심을 쓰는 것처럼 말했다. 물건을 바꾸러 왔던 여자는 진열된 옷들 사이에서 얼마간 쭐쭐이 바지를 찾는 눈치더니 마침내 시선을 들어 장사치 여자에게 말했다.

"물건도 없는디 뭘 바꿔 가라고 허는 소린기요?"

"그럼, 나중에 물건 해 가지고 올 테니 그때 바꾸어 가든가."

"그때까지 언제 또 기다려요? 그냥 돈으로 내주시오"

장사치 여자 목소리가 다시 높아졌다.

"내가 여기서 장사를 몇십 년 해오고 있지만 아줌마 같은 사람은 처음 봐요. 나도 이 옷을 돈을 주고 서울서 사온 거란 말이요. 그러니 나만 손해를 볼 수는 없어요."

장사치 여자의 말은 결코 돈으로는 내 줄 수 없다는 뜻이었다. 그러는 사이 지나가던 부근의 아파트 여자들과 시장에 왔던 사람, 시장 안에 가게를 가지고 있는 사람들이 하나둘 몰려들었다.

장사치 여자가 바닥에 깔려있던 몇 개의 물건을 집어 들어 그녀에게 골라보라는 뜻으로 눈앞에 보여주었다. 그러나 물건을 바꾸러 왔던 여자는 주위에 둘러선 사람들을 의식한 듯 기세 좋게 말했다.

"여러 소리 하지 말고 돈으로 내주시오 같은 물건이 있으면 바꿔 가겠지만 같은 물건이 없는디 나보고 어쩌란 말잉기요?"

그때였다. 장사치 여자가 잠시 무슨 말인가를 하려고 침묵하는 사이, 주위에 서 있던 사람 중 누군가가 말했다.

"이러다가는 여기서 오래 장사 못하지…."

이 말에 장사치 여자 얼굴이 발갛게 달아올랐고 여자와 더 이상 상대하지 않겠다는 듯 입을 다물어 버리고 말았다. 그로부터 몇 분간 장사치 여자와 옷을 바꾸러 왔던 여자를 포함한 주변 사람들 사이에서 둘 사이에 침묵이 흘렀다.

"이거 도저히 안 되겠어! 경찰을 불러야겠어."

더 이상 참을 수 없다는 듯 여자가 옷 장수에게 들으라는 듯 큰 소리로 말했다. 그러자 지금까지 입을 다물고 있던 옷 장수가 억세게 받아쳤다.

"신고할 테면 신고허래지. 누가 겁낼지 알고."

그런데 이 말에 동요한 사람은 주변 사람들이었다. 구청에서 도대체 무엇을 하길래 이런 노점을 단속하지 않는지 모르겠다고 하는 사람도 있고, 소비자 고발센터에 신고를 해서 맛을 보여야 한다고 말하는 사람도 있었다.

드디어 여자가 시장 안으로 들어갔다가 나온 지 몇 분 후에 순찰차가 나타났다.

얼굴이 앳되게 보이는 순경은 차에서 내리자 당사자를 불러 일단 양측의 이야기를 듣더니, 이런 일은 당사자 간에 해결하는 것이 최선이라며 원만한 해결을 유도하려고 노력했다. 하긴 누가 보아도 법적인 처벌만이 능사가 아니었다.

십 분 후였다.

그의 중재 노력으로 서로 간에 약간의 손해를 보는 선에서 어느 정도 합의가 이루어졌다. 옷 장수가 여자에게 옷의 원래 가격인 만원 대신에 7천 원을 주기로 했다.

그런 후 앳되게 보이는 순경은 바쁘다는 핑계로 그 자리를 떠났다.

그런데 순찰차가 현대백화점 골목을 돌아가기도 전에, 옷 장수는 주위에 몰려있는 사람들을 상대로 삿대질하며 큰 소리로 외쳤다.

"왜 남의 일에 감 놔라 배 놔라 야단이야? 느그가 이 사람한테 돈을 물어 줄 거야?"

옷 장수의 이 말에 주춤했는지 누구 하나 나서서 말하는 사람이 없었다. 서슬에 질렸는지 슬금슬금 자리를 뜨는 사람조차 있었다.

그때였다. 회사에서 쏟아져 나온 오토바이 부대가 명덕시장 앞 도로로 들어오기 시작했다. 그들은 하얀 안전모에 푸른 작업복을 걸친 채 등에는 거대한 골리앗 크레인을 통과한 석양빛을 한 짐씩 지고 있었다.

갑작스러운 오토바이 소리에 조금 전까지 옷장 수 주변에서 서성거리던 사람들은 언제 무슨 일이 있었냐는 듯이, 자신들이 무엇인가 중요한 것을 잊고 있었다는 듯이 슬슬 흩어지더니 바삐 제 갈 길을 가기 시작했다.

조금 전까지만 해도 돈을 받을 때까지 꿈쩍도 하지 않을 것 같던 여자도 자신이 무엇 때문에 이 자리에 서 있었던 지를 모르겠다는 표정으로 머리를 긁적였다. 여자도 가지고 온 검은 봉지를 다시 집어 든 채 걸음을 옮겼다.

고향을 떠나온 노동자와 가족들은 늘 이랬다. 해질 무렵만 되면 지금 눈앞에서 일어나는 일 따위는 안중에도 없다. 그 일이 아무리 중대한 일이라도 말이다. 해가 지고 있다는 것을 알아차리자마자 밀려드는 향수를 감당할 수 없어서인지, 아니면 고향에 돌아갈 짐을 꾸려야겠다고 생각하는지 미련 없이 자리를 툴툴 털고 일어서는 것이었다.

슬픈 레이먼드 카버

일이 끝나기 무섭게 자전거에 올랐다. 자전거 앞 바구니에 매달린 풍경소리가 어두워 가는 공기를 흩어놓는다. 사람들이 옆으로 비켜선다. 앞뒤에 달린 LED등으로 인해 붉게 번쩍이기도 한다. 다리 위를 건너며 환하게 빛나는 아파트를 쳐다본다. 오늘이 목요일이라 얼마나 다행인가. 목요일만 여덟 시까지 근무하는 늘푸른 의원. 더 이상 다른 방도가 없다. 남의 손을 빌려 내 팔에 링거를 매다는 수밖에 없다.

처음 감기가 시작된 것은 지난주 금요일 저녁이었을 것이다. 노동으로 인해 피곤했지만, 딸들의 이사가 있어 대구로 가야 했다. 둘째가 차를 빌려서 내려오면 같이 움직이기로 했다. 퇴근해 집에 오니 아내는 이미 떠날 준비를 하고 있었다. 밥통에 있는 밥을 모두 비웠고, 국도 남겨두지 않았다. 개수대에 모인 그릇도 깨끗이 씻어 놓았다.

– 가다가 휴게소에 가서 먹으면 되니까.

그런데 한참을 기다려도 둘째가 도착하지 않았다.

– 좀 늦네.

내 말에 아내는 다소곳이 말했다.

– 그래도 운전하고 있으니 전화하기 그렇고.

한참을 기다리다가 배가 고파지기 시작할 무렵 나는 딸에게 전화를 걸었다. 다행히 딸은 전화를 받았다.

– 좀 늦게 출발했어. 리포트 할 게 있어서. 곧 도착해.

조금씩 노동의 피로가 몰려왔다. 다른 날 같으면 식사를 하고 막걸리를 한잔했을 터였다. 기다리던 딸은 오래도록 도착하지 않았다. 통화 후 삼십 분이나 지난 후에 도착했다. 딸은 몹시 피곤한 모습이었다.

– 아 힘들어. 갈 때는 아빠가 운전 좀 해줘.

지난주 먼 곳에 갈 때는 내게 아예 운전대도 주지 않더니 웬일이지 싶었다. 그때라면 운전을 잘할 수 있었을 텐데 지금은 아니다. 몸이 축 늘어질 것 같고 눈도 아파 오는 듯하다. 운전대에 앉자, 다리가 풀리며 걱정이 앞선다. 이제 쉬고 싶은데, 라고 말하고 싶지만 그럴 형편이 아니다. 이제 아빠의 운전 모습을 보여주어야 할 때가 온 거야. 난 내게 말하고 있다. 피할 수 없는 순간이지.

잠시 후 운전대에 앉아 달리다 보니 앞이 잘 보이지 않는다. 나이 오십이 지나니 야간 운전도 쉽지 않다. 안경을 가지고 올 걸 잘못했다 싶다. 갑자기 배가 고파오는 것을 느껴 내가 말했다.

– 배가 고픈데 김밥이나 한 줄 먹자.

– 아니야. 휴게소에 가서 정식으로 먹자구.

아내의 말에 딸도 동의를 표한다. 나는 무어라 할 말이 떠오르지 않는다. 노포동으로 가는 것보다 울산으로 가는 편이 더 수월하리라 싶어 방향을 그쪽으로 잡는다. 신복로터리에서 언양으로 가는 길 위를 달린다.

오래전에 나는 이 도로를 매일 달렸다. 평균 110km 정도의 속도로. 비가 오나 눈이 오나 달렸다. 그때는 그래도 삼십 후반이었다.

겨우 언양휴게소에 내려 셋이 콩나물 라면에 공깃밥을 먹었다. 그런데 공복이 시리진 후 졸려오고 시야가 흐려진다. 여기가 경부고속도로이기에 더욱 그렇다. 국도와 다름없이 위험한 구석이 많다. 곳곳이 사망사고 발생 구간이다. 속도를 내다가는 사망자 뒤를 따르기 십상이다. 밤새 이 고속도로를 달려 전주 친구 집에 가던 때가 떠오른다. 그때는 아이들이 어렸고 나도 지금보다 한참 젊었던 때이다.

얼마 후 새집에 도착한다. 큰방이 두 개나 있다. 지금까지 살아온 원룸보다 훨씬 넓다. 침대에 누웠다. 순식간에 피로가 몰려와 코 고는 소리에 깼다가 다시 잠들었다. 이제 걱정을 좀 덜기는 했다. 곧 아이들이 졸업이니 제 밥벌이는 제가 할 것이다. 아내는 둘째가 매니저 자리에 가지 않는 것이 서운한 듯했지만 곧 다른 자리를 구할 것이다. 둘째가 200만 원이 넘는 월급을 받는다는 것에 얼마나 아내가 들떴는지 이해할 것도 같다. 내가 잠시 잠을 깬 사이 첫째와 남자친구가 들어왔다. 남자친구는 짐을 들어다 주고, 몇 마디 인사를 나눈 후 보냈다. 어디에 사는지 무슨 과에 다니는지 말고 그다지 물을 것이 없었다. 이미 첫째보다 한 살이 적다는 것은 알고 있었다. 남자친구가 아직 재학 중이라 미래를 생각하기에는 좀 어리기도 했다.

다음 날 아침 몇 년 동안 그래왔던 대로 6시에 알람에 눈을 뜬다. 나는 늘 이 시간에 일어나 책을 읽고 출근 준비를 했다. 이것이 내 삶을 비추어 준다. 목이 컬컬하고 입안에 타는 느낌이 있다. 이마에도 열감이 있고, 어제 운전을 할 때도 나른한 게 축 처지는 느낌이 있었다. 큰딸과 함께 봉지에 든 레토르트, 육개장 국을 끓여 먹고 셋이 집을 나선다. 아내는 아침 식사가 익숙하지 않다고 사양한다.

"오늘 시험이 있어 그래도 좀 봐야 해요. 잠시라도."

원룸에 도착한다. 오래전 이사할 때 한 번 온 탓인지 이곳에 온 기억이 가물가물하다. 그린카 승용차를 조심스럽게 주차했다. 둘째 딸 이름으로 빌린 차인 탓이다. 출입문을 열고 301호 앞에서 비번을 누른다. 이상하게 열리지 않는다. 이 집이 아닌가 싶어 옆집 302호 비번을 눌러본다. 전혀 아는 번호가 아니다.

"이 집이 아니라니까 그러네."

아내의 말에 나는 한 번 맞다고 우기고는 다시 누른다. 역시 아니다.

"진짜 아니라니까."

"응, 그런가 보네."

다시 301호 비번을 누르려고 했을 때 큰딸이 아래층에서 올라왔다. 큰딸은 301호 앞에 서서 비번을 누른다. 역시 열리지 않는다. 얼마 전까지 주인도 알아보지 못한다. 큰딸은 동생에게 전화해서 혹시 어제 짐 날라준 친구에게 하룻밤 자라고 했는지 묻는다. 곧 전화를 끊고 기다린다. 얼마 후 문이 열리고 한 남학생이 벌컥 문을 열고 밖으로 도망친다.

첫째가 공부하는 동안 몇 차례나 새집을 오가며 짐을 날랐다. 3년간 산 집이라 짐도 많다. 아내는 아이들에게 돈을 풍족하게 주어서 쓸데없는 짐을 많이 만들어 놓았다고 후회하는 말을 내뱉는다.

"애들 준다고 나는 제대로 쓰지도 못했는데."

나는 그녀의 후회가 부당하게 여겨진다.

"우리 때도 그랬어. 부모는 먹지도 입지도 못하는 걸 아이들이 썼어.

몰래 타내기도 하고, 부모들은 그걸 알면서도 속아주었고."

"그런가. 당신 부모는 안 그렇잖아."

"그렇지. 우리 부모님은 노랭이였으니까."

이 말을 하면서 나는 내 몸을 찌르는 것처럼 고통스러워진다. 과거의 일이 떠올라서만도 아니다. 아버지는 돌아가시고 어머니는 거의 만나지 않고 지내지만 잠시동안 분리되지 않은 것처럼, 아프게 느껴진다. 가만 보니 비싼 물건도 아니다. 아이들다운 옷가지들이 봉지 곳곳에 있고, 신발도 여러 켤레에 부츠도 있지만 좋은 물건이라고 보기 어렵다.

일이 끝나자, 병원으로 가기 위해 차에 오른다. 대학교 부근이지만 집을 벗어나니 들판이다. 그 너머로 가야 아파트 단지가 있고 상가가 있다. 병원 가는 길에 철물점에 들러 드라이버를 하나 샀다. 커튼 봉을 다는 데 공구가 하나도 없다. 여자애들만 살아서 그런가 보다. 아파트 주변 연합의원에 들어가 주사를 맞고 처방전을 받았다. 십 년 전만 해도 주사를 맞으면 마음이 놓였지만, 이제는 아니다. 일주일을 넘기는 것은 기본이 되었다.

돌아온 후 무사히 졸업하고, 이사를 축하하기 위해 집 주변에 있는 돈 짬뽕집에서 식사를 했다. 간짜장, 짬뽕, 볶음밥을 골고루 시켜 나누어 먹었다. 간짜장은 특히 맛있다고 아이들이 처음 먹어본 것처럼 말했다. 하긴 나도 삼십이 넘어서야 간짜장을 먹어보았다.

"짜장은 미리 볶아두고, 간짜장은 바로 볶는다고 들었는데."

"아마 맞을 거야."

내 말에 아내가 맞장구를 쳐주었다.

돌아오는 길은 아이들이 배웅해 주었다. 지하철 앞 버스 정류장까지 앞서거니 뒤서거니 하며 걸어갔다. 주도로 외에 작은 공원을 넘어 이어지는 지름길에는 줄지어 원룸이 서 있다. 고등학교를 졸업한 이후 방황하던 시절에 만난 길이 연상되었다. 학생도 아니었고 직장인도 아니었던 시절. 동생은 내가 공무원 시험공부를 하는 것도 아니고 어떤 지향점도 있는 것으로 보이지 않았던지 내게 시비를 걸었다. 막걸리를 마시거나 담배를 피우는 것이 눈에 거슬렸던 모양이었다. 그때 나는 어디로 갈지 몰랐다. 부모님 바람대로 공무원 시험공부를 할 생각은 없었다. 동생이 학교에 가고 혼자 있는 사이 한 번씩 마을에 있는 동산에 올랐다. 견딜 수 없이 우울해진 마음을 달래러 갔던 터였다. 결국 나는 얼마를 견디지 못하고 동생과 함께 있던 자취방을 나와 이곳저곳을 떠돌았다.

울산 가는 버스는 쉽사리 오지 않았다. 기다리는 것은 늘 늦게 오는 법이라고 누군가 했던 말이 떠올랐다. 그건 그러니까, 시간에 내가 기다림을 얹어놓은 탓이 아닐까. 날씨가 쌀쌀했다. 그것을 어느 정도 느꼈을 때 버스가 왔다. 자가용을 타고 다닐 때는 이런 장면들이 만들어지지 않았다. 기다리는 일도 배웅하는 일도 없었다. 차를 폐차시킨 것은 얼마나 잘한 일인지 몰랐다. 어쩌면 그 이후로 나는 과거로 조금씩 돌아가고 있는지 모른다. 시간이 빠르게 흐르지 않는 과거로 말이다.

울산 신복로타리에 내려 다시 1127번을 기다린다. 이 동네는 내게 전혀 낯설지 않다. 뒤에 아람마트가 있어 자주 온 기억이 있다. 언젠가 모텔을 한번 해 보겠다고 매물을 보러온 일도 있다. 내가 이것들을 기억하는 것처럼 거리나 건물이 나를 기억하고 있을까. 어쩌면 가능할지도 모른다 싶다. 그러나 그들은 사람처럼 쉽사리 사라지지 않는다. 아버지가 죽고 난 후 대공원 앞 여학교나 약국이 있던 건물, 철물점이나 주유소는 그대로 있지만 아버지는 다시 볼 수 없는 곳으로 가버린 것처럼. 가까스로 1127번을 타고 버스카드를 찍고 자리에 앉는다. 대학교 앞 6차로 거리가 눈 앞에 펼쳐진다. 왼쪽에는 정형외과가 있다. 한때 우리 가족과 친했던 분이 저 병원에 입원한 적이 있고 문병을 갔다. 이제 강화도에 가서 전원주택에 사는 분들. 나는 그분들에게 돈을 빌렸고 지금도 여전히 갚고 있다. 우리는 어떤 인연으로 만나 한때 좋았다가 또 돈으로 인해 괴로워하다가 다시 아프게 추억하는 처지가 되었다. 집으로 돌아오는 길에 떠오르는 또 다른 생각. 아이들이 졸업을 앞두고 있으니 큰일은 이제 다한 것처럼 여겨지는 것. 아내는 우리 자신에게 잘했다고 축하를 해주어야 하는 게 아니냐고 몇 번이나 말했다. 그것이 맞기는 하지만 자꾸 들으니 어쩐지 거북살스럽다. 망년회를 멋지게 하자고도 했다. 우리 넷은 정말 수고했다고 말해주고 싶다고. 하지만 이게 인생의 막바지라면 그럴 수도 있겠지만 어쩐지 내키지 않는다. 하지만, 마음을 고쳐먹는다. 아주 작은 일에도 행복하다고 말하고 축하하는 것도 나쁘지 않다. 우리가 지금껏 살아온 방식과는 다르지만. 동창에 내려 20번 마을버스로 갈아탄다. 얼마 지나지 않아 우리는 집에 도착할 것이다. 무수히 많은 갈림길을 지나 길을 잃지 않고 다시 집으로 돌아온 것은 어쩌면 기적일지 모른다.

　다음 날 아침에 일어나니 어딘지 모르게 몸에 활력이 사라지고 없다. 일요일 내내 쉰다고 했음에도 불구하고 기력이 오르지 않는다. 엊저녁에 피로를 잊기 위해 막걸리를 마신 탓인가. 긴장이 풀려서 그런가. 아니면 말일까지만 일하고 그만두라는 회사의 통고를 받아서인가. 어느 쪽인지 모른다. 하긴 우리 몸의 면역이 어떻게 떨어져 불치의 병에 걸리는 과정까지 어찌 의학이 알아낼 것인가. 겨우 샤워를 하고 온종일 누워서 보냈다. 병이 몸에 도달하여 머문 시간과 회복을 위한 시간이 동일하면 혹 낫지 않을까. 면역력을 잃은 시간만큼 회복하면 돌아오지 않을까. 그런 생각은 망상에 불과하다. 그건 계산으로 이루어지는 것이 아니다. 일요일에는 아내와 함께 산책길에 나서곤 했는데 포기해야 했다. 오후 4시가 넘어서자 다시 쌀랑한 바람이 불어왔다.

다음 날도 원기가 회복되지 않았다. 실장에게 허락받고 늘푸른 의원에 가서 주사를 한 대 맞았다. 3일분 약을 처방하려고 했을 때 나는 5일분을 달라고 말했는데 그는 내 말을 들어주었다.

일은 평소대로 진행되었다. 감기에 걸렸다고 앓아누워 있을 수는 없는 터였다. 쇼케이스 30대가량을 연이틀 5t 트럭에서 끌어 내렸다. 그전 같았으면 이를 악물고 견뎠겠지만 굳이 견뎌야 할 이유를 발견하지 못한 나는 의기소침해진다. 굳이 여기에서의 삶을 지탱해야 할 이유가 없다는 생각이 연거푸 든다. 곧 그만두어야 한다. 이 말이 병상에 누운 불치병 환자의 이미지를 부른다. 나는 사형선고를 받은 암 환자처럼 절망해 있다. 이제 삶을 정리해야 할 일만이 남아있다. 언제인가 갈 인생이라고 여겼지만 현실에서는 이런 사고를 용납하지 않는다. 어리석음으로만 치부할 따름이다. 늘 우리는 이별과 죽음을 가까이 두고 있음에도 불구하고. 실장이나 사장은 나를 자른 것에 대해 마음이 아프다고 말하지만 그렇게 보이지 않는다. 자본주의에서 그들은 나를 쉽게 해고할 수 있다. 그러니 그들을 사악한 사람들이라고 하기는 어렵다. 이것이 나와 주변의 사람들이 간단치 않게 살아가는 삶의 방식이 아니던가.

사장이 했던 말이 떠오른다. 그는 나로 인해 경비 처리가 힘들다고 했다. 나는 아이들이 곧 취업할 것이고, 그러면 4대 보험 처리를 해도 된다고 했지만 그는 이미 마음을 굳힌 상태였다. 그는 AS를 잘하는 사람이 필요하다고 덧붙였다. 그는 달력을 쳐다보더니 이번 달 말까지 시간을 줄 테니 다른 데를 알아봐요, 라고 말했다. 나는 할 말이 없었다.

 - 성격도 AS하러 다닐 성격이 아니에요, 알잖아요.

 - 알겠습니다.

나는 자리를 물러 나오며 시의원에 두 번이나 나왔다가 낙선했다는 남자에게 고개를 숙였다. 보름이 남아있으니 결코 짧은 기간은 아니다. 나는 굳이 매달리지 않기로 했다. 하지만 남은 기간 어떻게 일해야 할지 부담스럽다. 최선을 다해 열심히 일해야 그것이 덕이 있는 행동일까. 내키는 대로 일해 분노를 표출할 것인가. 민주주의 사회에서 만들어진 법은 우리를 대신한 사람들이 만든 법이니 당연히 지켜야 한다.

과장은 이제 말년병장이 됐으니, 쉬엄쉬엄하라고 주의를 주었지만 실장은 내게 더 많은 일을 부여했다. 혼자 오전 배달을 하고 돌아오면 오후에는 김 팀장과 함께 일을 다녀오도록 만들었다. 둘이 가는 일은 늘 혼자 가는 일보다 부담스러운 것이었다. 2층이나 3층 계단을 쇼케이스를 들고 올라가거나, 제빙기를 들고 지하로 내려가야 하는 일이었다. 그러나 그 일에 대해서는 불평하지 않기로 했다. 팀장에게 과장을 붙여 주기를 바라는 것은 마음에 더 부담되었다. 과장은 정년에 가까운 65살이었다. 그는 냉동회사에 오래 다니기는 했지만 그다지 기술이 있는 편은 아니었다. 그래서 사장은 김 팀장을 들인 것이고, 또 김 팀장은 저보다 10여 년 동안 이 일에 종사해 실력이 있는 전 회사의 상사까지 데려오기로 한 것.

수요일 아침 기어이 지각했다. 불안하고 고통스러운 꿈을 꾸다 새벽에 일어나 다시 물 한 잔 마시고 잠들었는데 출근 시간에 맞춰 일어나지 못했다. 아침 7시 45분이었다. 평소에는 거의 규칙적으로 40분 전에 회사에 도착해 문을 열었는데. 아내도 늦게 일어나 나를 깨웠다.

– 아 이런 어쩌지?

– 어쩌기는 좀 늦은 거지.

그렇군. 매우 간단했다. 이제 곧 그만둘 직장에 조금 늦은 것뿐이었다. 아침도 먹지 않고 그대로 약봉지를 들고 옷을 입었다. 서둘러 자전거를 타고 유치원 앞 내리막을 내달렸다. 늦은 것은 처음이었다. 실장이나 사장이 성실하다고 나를 평소에 칭찬했던 데는 이런 측면도 있었다. 소남 다리를 지날 때 전화가 왔다. 팀장이었다. 지금 가고 있다고 말한 후 서둘러 끊었다. 사무실에 들어서면서 실장을 만났다.

– 약 먹고 잠들었는데 못 일어났어요. 죄송합니다.

– 아, 그래요. 아직 안 나왔네요.

일은 다름없이 진행되었다. 몸은 어딘지 모르게 불균형을 말하고 있었지만 팀장과 일해야 했다. 이 모든 일이 팀장으로부터 시작되었는지 몰랐지만 나는 그를 미워하고 싶지 않았다. 이런 생존경쟁에 대해 그는 고민 없이 한번 말하기는 했지만 마음에 두지 않았다. 그는 현재 자본이 지배하는 사회를 긍정하는 사람 중 하나였다. 그가 아니었다면 나는 여전히 회사에 남아 일할 수 있었을 것이다. 그가 오기 전까지만 해도 내게 기술을 배워두라고 말했고, 나는 과장에게 조금씩 배워가는 중이었다. 이 일이 생기기 전까지 과장도 내게 일을 잘 가르쳐주지 않았다. 심하게 생색을 냈고 사소한 것을 야단을 치기도 했다. 하긴 그것이 자신의 밥그릇을 지키는 일이라는 것을 나중에야 알았다. 나는 유튜브를 보며 인터넷 공조냉동 자료를 보며 공부를 하는 중이었다. 그러면서 알게 된 것은 냉동 기술을 배우는 데는 실전이 중요하고 시간이 필요하다는 것이었다. 그런데 내가 그만두기로 결정됐을 때 과장이 갑자기 내게 기술을 알려주는 것이 아닌가. 한참 떠든 후에 그는 내게 노트에 적으라고 말하기도 했다.

이 일에는 분명 팀장이 관련되어 있었다. 사장에게 그는 자신보다 더 잘하는 기술자가 있다는 것을 말했을 것이다. 일하는 내내 통화하여 물어보는 남자가 바로 그였다. 팀장은 제빙기를 고치러 갔을 때도 키판을 찍어 그에게 보내 뭐가 잘못된 것인지 물었다. 그의 목소리는 스피커폰을 통해 내게 들려왔다. 장난을 치거나 서로 욕을 주고받기도 했지만 분명하고 절도 있는 목소리였다. 이상하다면 둘은 한 시간에도 몇 번씩 전화를 주고받는다는 것이었다. 진단을 내리기 위해 팀장이 전화를 주고받는 것은 이해할 수 있었지만 그들은 서로 떨어져 살 수 없는 연인처럼 보였다. 사실 나는 그 남자 목소리를 듣고 싶지 않았다. 제발 네 사생활은 알고 싶지 않아, 라고 말하고 싶었지만 마음대로 하지 못했다. 팀장은 운전대를 쥔 상태에서도 늘 전화기를 들고 있었다. 한 번은 팀장이 와이프와 통화를 주고받았다. 가만히 듣고 있으니 결혼 전에 만난 남자에게 차를 살 때 명의를 빌려주었나 보았다. 그러나 헤어지고 난 후 남자는 따로 한 대의 차를 여자 명의로 구입했고, 총 2대의 차를 굴리고 있었다. 문제는 그 남자가 명의를 이전해 가지 않는다는 데 있었다. 수시로 날아오는 스티커가 그 고충을 말해주고 있었다.

― 다른 방법이 없어. 경찰서나 파출소에 가서 도난 신고를 하는 거야.

집이나 가게 어디에 차를 두었는데 사라졌다고 하는 거지. 그런데 누가 차를 가지고 있는지 말하면 안 된다는 거야. 그러면 도난신고를 받아주지 않아.

잠시 후 다시 그의 말이 이어졌다.

— 누가 차를 가지고 있는지 아는 것은 물론 허위신고지. 허위신고는 나중에 과태료만 내면 돼. 내가 형사나 다른 사람한테 다 물어봤으니까 정확한 거야. 그놈을 잡으려면 그렇게 하면 수배에 걸리게 돼 있어. 전에 우리가 가지고 있었던 폭스바겐 있잖아. 소유자가 죽으면서 가족들이 도난신고를 했는데 한 푼도 못 받고 돌려주었잖아. 그때 우리가 가지고 있었던 대포차 말이야. 대포차를 내가 돈 주고 사는 것은 문제가 될 게 없는데 소유자가 죽어서 문제가 된 거야.

여자는 아무래도 망설여지는 듯 보였다. 허위신고를 해서 벌금을 받게 되면 전과자가 되는 것이 아닌가 싶어 그러는가 보았다.

— 아, 내 말을 좀 들어. 다른 방법이 없어. 아니면 이대로 날아오는 스티커 대금을 내고 있던가. 나보다 더 똑똑한 사람이 왜 그걸 못한다고 그래. …내가 언제 갈 시간이 있어? 일을 해야 돈을 벌지. 내가 어디 시간이 있어.

아무래도 여자는 그 일을 해낼 가능성이 없어 보였다.

— 알았어. 좋아. 토요일에 같이 가. 그때는 내가 시간이 날 것 같으니까.

나는 앞에서 말한 것처럼 팀장의 사생활에 관심이 없었다. 그가 내 옆에서, 운전하면서 쉬지도 않고 통화를 해댄 탓에 그가 3년 전에 여자와 만나 티격태격 살고 있다는 것을 알게 되었을 따름이다. 그러면 과거에 초등학교 교사였고 지금은 옷가게를 하는 여자가 바로 이 여자인가 싶었다. 그것 역시 여러 사람 앞에서 팀장이 한 말이었다. 핸드폰에 있는, 두 사람이 함께 찍은 사진을 보여주면서.

일을 마치자 나는 불이 환하게 켜진 늘푸른 의원 앞에 서 있었다. 병원이 이 시간에 열려있는 것은 놀라운 일이었다. 그래, 오늘이 목요일이야. 공휴일이나 국경일에도 열지 않는 의원이 문을 연 것에 나는 감격했다.

접수를 하는 여직원은 아내와 잘 아는 사이였다. 아내는 내가 다른 작가와 쓴 수필집을 그녀에게 주었다. 우리 아이도 글을 쓰는데 진짜 쉬운 일이 아니에요, 존경스러워요, 아내가 내게 전해준 말이었다. 이후 나는 병원에 아내와 같이 갈 때마다 그녀에게 아는 체를 하게 되었다. 그녀가 오늘도 거기에 앉아 있었다. 작업복 차림이라 망설여졌지만 하는 수 없었다. 이름을 적는 메모판에 서 있는 짧은 시간 동안 그녀와 인사를 나누었다.

잠시 후 그녀가 내 이름을 불렀다. 그녀의 목소리는 약간 크고 낭랑했다. 꼭 그 자리에서 그녀가 있어야 함을 증명이라도 하듯 꼭 그 자리에 맞는 목소리였다. 나는 진료실 안으로 들어갔다. 반백이지만 편안해 보이는 표정으로 육십 대 초반의 의사가 아픈 곳을 내게 물었다.

ㅡ 감기가 낫지 않아 링거를 맞으러 왔습니다.

ㅡ 그래요, 혈당을 재어봅시다.

의사는 내 손가락에 미세한 구멍을 내고 혈당측정기에 피를 묻혔다.

ㅡ 혈당은 정상입니다.

의사의 말투는 부드러웠다. 의사는 내가 이사 오기 전부터 이곳에 있었다. 아파트가 생길 때부터 있었다면 이십 년이 넘는 셈이다. 한 자리에서 오랫동안 자리를 지킨 비결이 뭘까 아내와 이야기한 적이 있었다. 사교적이고 부드러운 그는 사람들에게 호감을 잃지 않았다. 몇 년 전에 문을 닫은 정문의 한 의사는 지나치게 많은 약을 처방한다고 불만이 많았지만 의사는 한눈에 보기에도 어딘가 모르게 예민하고, 신경질적으로 보였다. 그래서 편안함을 느끼지 못했다. 그 의사가 치매에 걸렸다는 소문은 있었지만 심해져 어찌할 수 없을 지경에야 문을 닫았다. 아내와 나는 그가 육십도 되지 않은 나이에 치매에 걸린 것을 안타까워했다. 호리호리하고 검은 안경을 썼고, 머리는 곱슬곱슬한 남자였다.

아직껏 나는 혈당이나 혈압으로 인해 어려움을 겪어본 적은 없었다. 늘 과로로 인한 몸살감기가 몸의 균형을 깨뜨렸다.

– 체온도 재 봅시다.

의사는 내 귀에 디지털 체온계를 밀어 넣었다. 신호음이 들렸다.

– 열이 나는 것 같지는 않은데, 링거를 한 대 맞고 처방을 해 드리지요.

– 네.

– 저 옆에 물리치료실로 가세요.

– 수고하세요.

– 네. 나중에 오세요.

잠시 후 나는 간호사를 따라 물리치료실로 가는 복도를 걸어갔다. 실내화로 갈아 신고 간호사의 말대로, 12번에서 17번 사이에 있는 침대에 누웠다. 굳이 번호를 지정하는 이유는 뭘까. 아마 남자들과 여자들을 나누는가 보다. 곧 간호사가 왔다. 자주색 가운을 입은 간호사는 조금도 주저하지 않았다.

– 주먹을 쥐세요.

나는 간호사의 말대로 왼손 주먹을 쥐었다. 그녀는 왼쪽 소매를 올리고 도드라진 푸른 혈관에 주삿바늘을 꽂았다. 아프구나 싶었지만 바늘이 금방 자리를 잡았다. 그녀는 반창고를 몇 번이나 잘라 붙였다. 받침대에 걸린 수액이 줄과 함께 흔들리다가 간호사가 잡는 바람에 멈추었다. 그녀는 용량을 조절하기 위해 바퀴를 움직이더니 금방 사라졌다. 뚝뚝 떨어지는 수액 방울이 보였다.

– 항생제 거부 반응이 있는지 검사합니다. 좀 아픕니다.

그녀는 주삿바늘을 꺼내 들었다. 아프면 얼마나 아프겠어, 하는 생각은 들지 않았다. 주사는 아프지 않고 혈관을 파고든 적이 없었다. 아이 때도 그랬고 지금도 마찬가지로 적응이 되지 않았다. 과연 아프다는 느낌이 들고 얼굴이 찡그려진다. 이럴 때 아픈 표정을 짓지 않을 수 있는 강심장은 누굴까. 아마 관우가 아닐까.

– 15분 후에 반응을 보고 항생제를 맞도록 할게요.

그러면 반응이 좋지 않으면 항생제를 맞을 수 없는 것이 아닌가. 불안해진다. 가만히 누운 상태에서 간호사의 움직임이 느껴진다. 그녀가 하는 일은 쉬운 일이 아니다. 늘 아픈 사람을 상대해야 하고 징징거리는 소리를 들어주어야 한다. 만지고 싶지 않은 늙은이의 피부를 만져야 할 수도 있고 피나 똥이 옷에 묻은 환자에게서 나는 더러운 냄새를 맡아야 하고, 나는 그 일을 고귀한 일이라고 생각하지만 내가 하기는 어렵다. 늘 병원에 오면 그들의 손을 빌려 어려움을 해결해야 한다. 눈이 감기는 것을 느낀다. 잠이 오려는 것을 쫓을 생각은 없다. 바닥의 장판이 따뜻하기 때문에 쉽게 잠에 이르는 듯하다. 할머니의 목소리가 어딘가에서 들려온다. 내가 지금껏 만나온 여자들은 아내와 아이들 말고 어머니와 외할머니가 있었다. 나는 여자들의 목소리 속에 늘 있었다. 어머니의 잔소리는 듣고 싶지 않지만 어떤 사설을 늘어놓을 때는 늘 귀를 기울이고 들었다. 외할머니 목소리는 구수하고 낭랑했다. 늘 누군가가 등장하고 어떤 일이 일어나곤 했다. 주로 과거에 일어났던 일이지만.

어디선가 코 고는 소리가 들려왔다. …내 코 고는 소리였다. 내가 내 코 고는 소리를 듣는 것은 여간해서 알기 어렵다. 잠이 깨면 코 고는 소리도 멈추기 때문이 아닐까. 문득 창피한 생각이 들었다. 코를 골았기 때문에 아닌 밤중에, 누군가에게 쥐어박히기도 했다. 밤에 한숨도 자지 못했다는 심한 원망을 듣기도 했고.

ㅡ거부 반응이 없네요. 항생제를 주사합니다.

간호사의 낮은 목소리가 들려왔다. 그녀는 나를 나무라지 않았다. 그 점이 고마웠다.

ㅡ 네.

ㅡ 필요하시면 옆에 있는 벨을 누르세요.

ㅡ 네.

나는 낮은 목소리로 대답했다. 다시 잠속으로 들어갔다. 다시 코 고는 소리가 들려왔다. 눈을 떴다. 반대편에 옆으로 누워 팔을 베는 듯한 형태로 누운 남자의 모습이 보인다. 그가 코를 골고 있다. 어쩌면 내가 코를 고는 소리와 같은 음조와 톤으로 고는지 내가 들어도 분간하기 어려울 지경이다. 혹시 나는 코를 골지 않았을지 모른다. 그가 코를 곤 소리를 내 소리로 잘못 들었을 수도 있지 않은가. 마음이 놓인다. 주위 사람이나 간호사가 코를 고는 사람을 나로 지목하지 않을 가능성이 생겼다. 좀 이상한 점이 있었다. 옆으로 누우면 코를 골지 않는다고 사람들은 말해왔다. 그런데 옆으로 눕는다고 코를 골지 않는 것은 아니었다. 눈썹이 짙어 보이는 내 또래나 좀 더 나이를 든 남자로 보였다. 나는 주위 사람들이 증언하듯 몇십 년 동안 코를 골았다. 텔레비전을 보며 졸 때도 코를 곤다고 야단을 들었으니까. 남자의 검은 머리카락 사이로 희끗희끗한 것이 보인다. 그도 나처럼 고단한 삶을 살아온 것이 틀림없다. 다시 잠이 오려고 한다. 물리치료사와 간호사가 주고받는 소리가 들린다. 그 사이 할머니 목소리도 들려오고.

이제 링거를 맞았으니 괜찮아질 거야. 4만 원이나 되는 링거를 맞는 것은 부담스러웠다. 의료보험 적용도 되지 않고, 좀 낫고 있는 듯해서 병원 문 앞에서 망설이기도 했다. 몸살감기가 날 때마다 링거를 맞을 수는 없지 않은가. 그러나 언제 또 재발할지 몰랐다. 내게 감기는 일정한 패턴을 가지고 있는 것이 아니라 조금이라도 관리를 못 하면 나을 듯하다가도 금세 덧나서 고약해졌다. 좀 더 나이가 들어 감기에 걸리면 아마 힘들어질 것이다. 미리 다가오지 않은 일을 걱정할 필요는 없지만. 폐가 약한 나는 쉽게 폐렴에도 걸릴 것이다. 코는 더 골 것이고, 자주 씻지 않아 냄새는 더 날 것이고, 감기에 걸릴 때마다 고통스럽게 관우의 모습을 떠올리는 것이고, 그렇지 이건 죽음으로 가는 지름길이 될 것이다. 하루하루를 견디는 것은 누구에게나 같지 않다. 한창 아플 때는 아내나 가족들이 생각의 담 밖에 있더니 몸이 편안해지자 다시 담 안으로 들어와 있다. 나는 이들과 어떤 관계가 있을까 싶다가도 가장 가까운 위치로 다가와 있다.

　책상에 앉아 레이먼드 카버의 <대성당>이란 소설을 본다. 그 책을 읽으면 작가의 인생처럼 서글퍼진다. 감기를 앓고 난 이후라 더욱 그 소설을 읽을 수 없다.

메추리 농장 냄새

어떻게 해서 내가 그곳까지 가게 된 줄 모른다. 우연이었다고 밖에 할 수 없다. 사실 내가 중식업체를 그만두게 된 것도 우연이고 메추리 농장에 가게 된 것도 우연이다. 우연에 대해 거부감을 갖는 사람은 첨단 과학의 시대에 무슨 우연이냐고 할지 모르지만, 그렇다고 해도 나는 그곳에 들어가기 전까지 그런 데가 있는 곳을 알지 못했다. 아, 약간의 전조는 있었다. 언젠가 나는 농장 앞을 지난 적이 있다.

이곳에 함부로 들어오지 마시오 주인백.

이렇게 쓰인 팻말을 보았고, 어쩌면 은둔자의 소굴이 아닐까 생각했다. 그것이 이십 년도 전의 일이었다. 그것이 이번에 보니 메추리 농장이었다.

사장에 대해 먼저 말하는 것이 좋겠다. 사장은 호리호리한 늙은이였지만 활력이 있어 보였다. 다른 직장과 좀 다른 점이 있기는 했다. 내게 주민등록등본이나 이력서를 요구하지 않았지만 주민등록증은 보여 달라고 했다. 그는 내가 살고 있는 주소와 주민등록번호를 적은 후 내게 주민증을 돌려주었다.

"퇴직금은 어찌 됩니까?"

"퇴직금은 따로 없어요. 농장에서 일하는 사람들은 다 노인들이고, 중국 사람이고 그래요. 이런 일 한다고 오는 사람도 잘 없지만. 전에 일하던 애가 일 년인가 일하고 퇴직금 안 준다고 노동사무소에 찾아가는 바람에 곤욕을 치른 적이 있는데 확실히 말해두어야 그런 일이 안 생기지요. 집은 어디요?"

"아영 리버타운인데 가깝지만 제가 차가 없어서."

"걸어 다닌 사람도 있어요. 그 뒷길로."

"혹시 트럭을 줄 수는 없나요?"

"그건 나중에 이야기해 봅시다."

"여기서 일합니까?"

"아니요. 여기는 메추리알을 포장하는 작업장이고, 농장은 체육센터 뒤에 농장에 있어요."

잠시 후 그는 내게 일하는 데 쓸 트럭을 보여주었다. 자동으로 덮개가 개폐되는 트럭 안에 메추리알을 싣고, 배달하는 일이 내가 하는 일인가 보았다.

"이 영감이 나이가 팔십이 넘어가지고 아직도 일한다고, 참. 문도 안 닫고 출발해서 내가 그거 고친다고 얼마를 들였는데."

"요 앞에 일하시던 분입니까?"

"아무것도 몰라요. 바보 멍청이 같은 영감이 집으로 가면 되는데 중국 여자하고 같이 산다고 집으로 안 가. 마누라도 있고, 애들도 있는데."

나는 본 적이 없는 노인이 아주 무능하며 곧 내보낼 생각이라는 주인의 말에 고개를 끄덕였다. 그러니까 그를 내보내기 위해 나를 고용한 것이었다.

"배달하는 일 말고, 농장에서도 일을 해야 돼요. 뭐 똥 치우라고는 안 해도 할 일이 많으니까."

그다음 날인가 나는 농장으로 출근했다. 메추리 농장 냄새는 들어서기 힘들 정도로 고통스러웠다. 거름으로 쓰는 메추리의 배설물이 길게 이어진 끝에 나타난 조립식 주택. 비닐하우스 메추리 케이지.

이날 처음으로 영감을 보았다. 조선 동포 여자와 사는 영감은 키가 작고 힘없이 보였다. 이미 일을 시작하고 있었는데 둘은 각자 다른 비닐하우스에서 나왔다. 내가 인사하자 그들은 웃지도 않고, 인사를 받는 시늉만 했다. 한쪽 집에는 역시 노인네 부부가 살았는데, 남자는 쉴 새 없이 일했고, 허리를 펴지 못하는 여자는 쇼핑카를 밀고 파밭을 향해 걸어갔다. 또 한집에 조선 동포 남자는 이미 일을 시작하고 있었다. 메추리들의 밤새 싼 똥을 손수레에 담아 실어내는 중이었다.

사장을 부리나케 달려왔다. 그는 한쪽에 쌓아 둔 더러운 케이지를 고압호스로 물을 뿌려 씻어내는 일을 맡겼다. 그것이 마르면 비닐하우스 안에 가져다 놓으면 됐다. 사장은 아직 내게 여러 가지 일을 맡기지도 간섭하지도 않았다. 그는 일을 천천히 배우면 된다고 말하며 새로운 비닐하우스를 지었다. 비닐하우스 안에 각목을 연결해서 구조물을 만들고 케이지를 옮겨올 수 있게 전기를 설치하고, 먹이통을 만드는 일이었다.

그런대로 일은 할 만했다. 옆에서 닭들이 울어 놀랐지만 금세 그런가 보다 했다. 그렇지만 닭들은 쉬지 않고 한 마리씩 울어댔다. 케이지는 메추리 똥이 붙어 있거나 댓잎이 걸려 있어 깨끗이 만들기 쉽지 않았다.

한바탕 물을 쏘고 털어내고 물기가 마르면 그것을 손수레에 싣고 하우스 안으로 들어갔다. 문을 열면 역한 열기가 엄습했다. 먼지가 가득한 그 안에 병아리 같은 메추리들이 케이지 안에 들어앉아 울어댔다. 밤새 켜진 전등에 서 있는 메추리는 움직일 공산이 없었다. 서서 울거나 알을 낳거나 쓰러지거나 할 뿐이었다. 걷다가 발 밑을 보면 먼지와 똥이 범벅이 된 땅 위로 탈출한 메추리들이 도망쳤다. 통로를 중심으로 양가로 늘어선 메추리 케이지들. 그 앞에 몇 개씩 케이지를 내려놓았다. 전등 앞으로 다가갔다. 뜨거운 전등 아래 반쯤 눈이 감긴 메추리가 나를 보았다. 녀석은 곧 죽을 것처럼 보였다. 서둘러 문을 닫았다. 문이 덜렁거렸지만 대충 밀고 나왔다.

그때 영감이 상자에 담긴 메추리알을 저울에 달고 있었다. 내가 인사를 하자, 그는 아는 체는 했지만 관심은 두지 않았다. 저울 눈금을 보고 알을 덜어내거나 채우고, 옆에 쌓았다. 열 박스씩 쌓인 줄이 몇 줄이 되어 보였다. 문제의 바로 그 영감이구나, 생각했다.

그 영감이 오후가 되자, 그 박스를 차에 실어야 한다고 내게 말했다.

"이걸 아래 사무실에 싣고 가야 돼."

여태 그의 말을 들은 적이 없는 듯했다. 함께 트럭에 알을 싣고 트럭의 날개를 닫았다. 그를 따라 트럭에 올랐다. 사장의 말처럼 나는 천천히 차를 몰았다. 옆에 앉은 영감은 말이 없다가 담배를 피워 물었다. 데꼬바꾸가 무슨 말일까? 사장은 데꼬바꾸를 조심하라고 했는데. 아마 방지턱을 말하는 걸 거야. 차는 아주 천천히 갔다. 농장을 지나 큰길로 나왔을 때 다른 차들이 가는 것을 기다려 진입했다. 차로 삼 분도 걸릴 거리가 아니었지만 십 분은 간 듯했다. 출장소를 지나 체육센터 내리막길이 이어졌다.

사무실에는 두 여자가 앉아 있었다. 그들은 케이스에 메추리알을 담았다. 그리고 그것을 다시 농장 이름이 인쇄된 종이박스에 담고, 영감과 나는 다음 날 오전 메추리알 박스를 싣고 건천으로 달렸다. 거기 거래처가 있었다. 가는 길에 영감이 운전대를 잡았다. 팔십이 넘은 영감은 그다지 말이 없었다. 담배를 피워댈 뿐이었다. 그러던 것이 시간이 흐르며 몇 마디를 주고받았다. 그는 사장에 대해 좋지 않은 감정을 가지고 있었다.

"성질이 그래 가지고 사람들이 붙어 있기가 힘들어. 우리 같은 나이든 사람이야 오갈 데 없으니 붙어 있지 누가 붙어 있어. 오는 사람마다 금방 나가."

그는 내가 오래 있을 거라고 기대하고 있지 않았다. 좀 이상하기는 했다. 사장이 이 영감을 내쫓으려고 하는 게 맞기는 한가. 그는 내가 주의할 것이나 알아야 할 것을 알려주지 않았다. 단지 길을 알려주기만 했다. 국도를 타고 건천에 가려면 갈 때는 국도로 가고 올 때는 고속도로로 오면 돼. 영감은 아주 잘 달렸다. 나보다 운전 솜씨가 더 좋았다. 고속도로에서는 속도를 올렸다. 알고 보니 그는 한 때 메추리알을 싣고 전국을 다니기도 했다. 나는 그에게 이제 그만 두고 은퇴할 때가 되지 않았느냐고 물어보고 싶었지만 그러지는 못했다. 내가 그 대신 이 일을 하려는 게 미안했지만 하는 수 없었다. 시간이 흐르며 나는 그에 대해 하나씩 알게 되었다. 그는 부산에 가족들이 있었다. 이번 명절에 가면 손자들에게 줄 세뱃돈을 준비하고 있었다.

"그래도 할배가 이 나이에 돈을 벌어 세뱃돈을 5만 원이나 주면 얼마나 좋아할 거야."

아니, 그러면 같이 살고 있는 중국 동포 할머니는 어떻게 되는 거야. 이런 생각들도 곧 의문이 풀렸다. 그는 집이 부산이었지만 전국의 비닐하우스를 돌아다니며 젊은 시절을 보냈다. 부인은 부산에서 일을 하거나 아이들을 키웠고, 동포 할머니와 알게 된 것은 오래된 듯했다.

"내가 중국 들어가는 거 보고 부산에 갈려고. 집에서 다 알아."

나 같으면 영감이 들어오는 것을 좋아할 수 없을 것 같았지만 뭐라고 하기는 좀 그랬다. 그리고 집에서 다 아는 걸 굳이 내가 무어라 말할 처지가 아니지 않은가. 사장이 했던 말이 있기는 했다. 둘 다 이런 농장에만 돌아다녀서 눈치가 빨라. 일도 대충 하고 알도 거두지도 않는 것을 보면 내가 속이 터져. 그 옆에 사는 영감만 죽기 아니면 살기로 일하고 그놈들이 중국 동포놈이 오니까 같이 동족을 만나서 반갑다고 노래방도 가고 하더니 그 뒤로 중국 동포놈이 좀 요령을 피워. 무슨 말을 했는가는 몰라. 그전에는 그러지 않았는데 가깝게 지내고부터는 영 하는 짓이 마음에 안 들어.

건천 도매상은 도로에서 좀 더 들어간 곳에 있었다. 박스를 내려 주고 사무실에 들어가 서명을 받았다. 사람이 바뀌는 거냐고, 영감에게 묻는 것이 보였다. 영감은 그렇다, 고 말했다. 잠시 기다리는 동안 영감이 탁자에 놓인 사탕을 건네주었다. 메추리알을 내려주고 영감과 식사를 하러 갔다. 식당에는 사람이 없었다. 점심시간이 좀 지나서인가. 영감은 청국장을 시켰다. 나는 좀 더 맛있어 보이는 김치찌개를 시키고 싶었지만 마음대로 하기는 곤란했다. 일단 그가 하는 것을 보고 배워야 하는 것이 아닌가.

거래처는 한 군데가 더 있었다. 부산 구포시장 안에 있는 계란가게였다. 처음이라 나는 길을 익히는 데 바빴지만 영감은 지리에 훤했다. 시장 안은 비좁고 사람들이 오가는 통에 지나가기 어려웠다. 골목을 따라가다 왼쪽으로 돌자, 트럭이 멈추고 날개를 들어 올렸다. 메추리알을 내려주고 나자 주인 여자가 말했다.

"요 앞에 온 사람이 아니네. 사람이 왜이리 자주 바뀌어?"

영감은 별말을 하지 않았다.

"다음에는 이 사람이 와요?"

그 말에는 영감이 대답했다.

"그래, 다음에는 이 사람이 와요"

나도 그 이유가 궁금했다. 나도 언젠가 그만둘 때가 오기는 올 것이지만 금방 올 것이라는 생각은 들지 않았다. 사장에게 그 이유에 대해 언젠가 말할 기회가 왔으면 바랐다.

매일 작업장에 알을 내려다 주고, 일주일에 한 두 번씩 거래처에 메추리알을 배달하는 것이 내 일인 셈이었다.

점심시간은 어느 모로 보나 애매했다. 영감이나 다른 식구들은 자신들의 집안에 들어가 점심을 먹으면 그만이었지만 나는 예외였다. 트럭으로 5분 정도 떨어진 집으로 가든지, 식당에 가든지 해야할 판이었다.

"부근 식당에 가서 사 먹어."

사장은 내게 6천 원을 내밀었고 다음에는 일주일 치를 한꺼번에 주었다.

"세금 정산 때문에 그러니까 영수증을 꼭 갖다주고"

이것이 부담이 될 것이라고는 생각지 못했다.

"집에 가서 먹어도 좋아. 영수증만 가져오면 되니까."

처음 추어탕집에 가서 먹을 때야 아무 생각이 없었지만 거기가 아내가 아주 잘 아는 집이고, 내가 메추리 농장에 소문날 우려가 있어서 아내는 기피했다. 내가 허름한 차림으로 점심을 먹기 위해 현관 앞에서 아내를 만났을 때 놀란 표정이라니. 이후로 집에 와서 먹기로 했다. 식비를 아내에게 주고, 그러나 영수증은 어디에선가 구해야 했다.

오래 묵혀 두었던 컨테이너 박스를 청소하라고 했을 때 나는 그가 나를 잠시 어떤 의도로 별 기대 없이 데리고 있다는 생각을 하지 못했다. 그 안에는 살림의 흔적이 있었다. 아이의 책과 옷이 있었고 게임기가 있었다. 사장이 여기서 살림을 살았던 흔적이었다. 그럼 아내는 어디에 가고 아이는 어디 있을까? 궁금해졌지만 누구에게 묻기도 곤란했다. 좋은 집이 있고 비싼 차가 있었지만, 그가 혼자 사는 것이 가엾게 생각되었다.

"잠깐 여기 와서 이것 좀 잡아줘."

청소를 하다 말고 사장에게 갔다. 그는 비닐하우스 안에서 메추리들의 새 거처를 만들고 있었다. 그가 시키는 대로 전깃줄을 잡아당기고 그는 나무로 된 구조물에 그것을 붙들어 맸다. 차단기를 설치하고 사료와 물을 줄 수 있는 시설도 만들었다. 나중에 알았지만, 그는 이 분야에 베테랑이었다. 처음에는 이미 농장을 하고 있던 매형으로 인해 시작했지만, 곧 자신의 농장을 스스로 만들 줄 알았다.

"내가 세상에 저 산 너머에 있는 농장을 하나 더 가지고 있었는데."

그가 아쉽다는 표정으로 말했다.

"농장이 하나 더 있었다구요?"

"그놈들이 태국 놈들 부부인데, 야반도주를 해버렸어. 둘에게 한 달에 삼백을 넘게 주었는데, 어떻게 해. 새들이 몽땅 굶어 죽었지. 내가 가서 어찌할 수도 없고"

그는 둘을 마구 욕했지만 왜 그들이 야반도주했는지는 알려주지 않았다. 사장이 못되게 굴었나. 생각해 보았지만, 아직 그는 내게 이렇다 할 부담을 주지 않았다. 하도 일을 많이 해서 팔이 아프다고 죽는소리를 해 댔을 따름이었다.

"내가 사람이 꼭 필요해서 쓰려는 것은 아니야. 내가 팔이 아파서 침 좀 맞으려고, 하도 일을 많이 했더니 팔이 이상해 쓸 수가 없어. 그런데 한 시도 비울 수가 없어 침 맞을 시간도 없어."

컨테이너를 청소하면서 나온 접시들은 모조리 허리가 굽은 할머니에게 주었다. 사장이 가져가라고 몇 번 이야기한 것을 이제야 가져간다고 좋아했다. 그녀는 내가 케이지를 청소하고 있을 때도 몇 번인가 내 앞으로 지나갔다. 그녀는 쇼핑카를 밀고 있었지만 아주 힘들어 보였다. 그래서 내가 몇 번인가 밀어주었다.

"내가 나이 들어서 집도 없이 사는데 참 젊은 사람이 고맙네."

간혹 집을 찾아와 물건을 건네주는 아들이 있는 것을 보았다. 소형차를 몰고 온 아들은 차에서 몇 가지 물건을 들여 주고 곧 돌아갔다. 아들도 형편이 좋지 않은가 보았다. 나도 어쩌면 저 나이에 저들처럼 살게 되는 것은 아닐까. 그럴 수도 있었지만 두려워하지 않기로 했다. 그게 두려우면 그들은 미워하게 되는 일밖에 없을 터였다.

컨테이너 안은 먼지가 많았다. 태울 것은 마당 한쪽에 있는 솥 아래서 태우면 되었다. 쓸 수 있는 물건들은 앞에 놓아두었다. 오래전에 살았던 흔적을 지금까지 치우지 못하고 있던 이유는 뭘까. 한동안 생각했지만 알아낼 도리가 없었다. 기회를 보아 영감에게 물었다.

"사장님이 전에 구청 공무원이라고 하던데 맞아요? 마을 이장이랑 다 안다고 하던데요."

"공무원은 무슨 공무원? 사장하고 안 지가 얼맨데. 사장은 농장밖에 안 했어. 그냥 하는 소리야."

"그런가요?"

"집을 치우다 보니 애들 물건도 나오던데."

"사장이 정신머리가 나갔어. 그때 여고생인가를 나이트에서 꼬셔 가지고 데리고 왔어. 사장이라고 돈 많다고 꼬셔서 결혼했는데 와 보니 영 아니거든. 지금이야 잘 살지만, 그때 막 메추리 농장 시작했는데, 뭔 돈이 있어. 애 하나 낳고 가버렸어."

오랫동안 묵혀 둔 창고는 사무실로 썼던 듯했다. 청소를 하고 창문을 다시 달면 다시 사용할 수 있었다. 조립식 패널에 문을 내고 있는 사람은 한 번도 보지 못하던 사람이었다. 한쪽 발도 온전히 쓰지 못했다. 나는 그가 자르는 동안 사다리를 잡아 주었다. 그라인더 날이 부러지자, 그는 집에 가서 연장을 가져온다고 말했다.

내가 트럭에 타라고 했지만 그는 굳이 타지 않았다. 지름길로 가면 금방이라고 했다. 절룩거리며 걸어가는 모습이 보였다. 그는 사장의 집에서 일을 봐주는 집사나 다름없었다. 그의 부인은 구십이 넘은 사장의 부친 식사와 집안 살림을 해 주고 있었다. 벤츠와 비엠더블유 2대의 차가 있는 집은 위채와 아래채로 나누어져 있었다.

"집이 참 좋습니다."

이 말에 사장은 흐뭇한 미소를 지었다.

"이 정도면 걱정 없이 살아도 되는 집이지. 참 집이 대동이라고 했나?"

"거기 누님이 사는데 거기 참 술 한잔하기 좋아. 대리 안 불러도 되고."

전에 다니던 직장 사람들에게도 내가 메추리 농장에 다니게 됐다고 말했다. 나를 내쫓았던 여 사장은 놀라워했다.

"그렇게 빨리 직장을 구해요? 잘했네요."

"여러 가지 좋은 직장 구할 필요가 있나요. 일만 할 수 있으면 되지."

농장의 냄새가 여전히 고통스러웠지만 할 수 없다는 생각은 들지 않았다. 아이엠에프로 인해 실직했을 때도 메추리 농장에서 사람을 구했다. 이곳인지는 알 수 없었지만. 내가 그곳에서 일하고 싶다고 했을 때 사장은 내게 여러 가지를 물었다. 이런 일을 할 수 있는지, 지금껏 무슨 일을 했는지, 나이가 몇인지. 그때 무조건 할 수 있다고 떼를 썼다면 그이후로 생활고를 겪지 않아도 되었을 것이다. 가족들을 고생시키지도 않고. 지금의 나는 그래도 많이 성숙해진 거야. 그때 할 수 없는 일을 지금하고 있으니 말이야.

그날 일은 뜻밖이었다. 혼자 메추리알을 작업장에 내려 준 뒤, 곧바로 초등학교 앞을 지나 다른 작업장에 갔을 때였다. 국경일이라 작업하는 여자들은 없었다. 중국인 작업반장이 혼자 있었다. 나는 평소대로 상자를 내리고 있었다. 이번에는 도와줄 사람이 없었다. 여기 일하는 젊은 남자는 아주 힘이 좋고 다부져서 사장이 늘 칭찬하는 남자였다. 한 번에 다섯 박스씩 차에서 내려 곧장 밀고 들어갔다. 나는 두 박스밖에 내리지 못하는데.

두 박스씩 여덟 개를 쌓아 밀고 들어갔다. 그런데 윗부분이 잘 물리지 않았는지 노란 박스 네 개가 그만 바닥으로 떨어지며 메추리알이 깨져 버렸다. 작업반장 눈이 둥그레지고 나는 어찌할 바를 몰랐다.

"그래도 사장에게 이야기해야지요."

그녀의 말에 나는 사장에게 전화했다.

"큰일났습니다. 메추리알을 쏟았습니다."

"큰일은 무슨 큰일? 몇 박스냐."

"네 박스요."

사장이 곧 달려왔다. 나는 죄송하다고 말했지만, 그는 들은 체도 하지 않았다. 매우 화가 나 보였다. 나는 마대를 가져다가 바닥을 닦아냈다. 사장은 곧 돌아갔다.

정리를 한 후 다시 농장으로 돌아왔다. 저울 앞에 선 영감에게 가서 말했다.

"네 박스가 깨졌어요."

"처음 하는 사람은 다 한 번씩은 깨 먹어."

"다들 그래요?"

다소 위안을 받았지만 영감과 나는 아직 불편한 사이였다. 사장이 영감을 내보내고 그 일을 대신시키고 있었기 때문이었다.

부산에 배달을 하고 난 후 트럭에 쓸 수 없는 케이지를 담았다. 버리려고 한 곳에 모아두었는데 고물상에서 나온 사람이 작업을 하다가 번거롭다며 돌아가 버렸다. 고물값이라도 받나보다 생각했던 사장은 내 일 때문에도 그렇고 매우 기분이 좋지 않아 보였다. 노인네들이 그것들을 담아 실었다. 나도 물론 거들었다. 그때 무슨 일이 있었는지 나는 보지 못했다.

"여기 인간 같은 인간이 누가 있어요?"

갑자기 사장이 소리를 질렀다. 내 일 때문인가. 아니면 영감 때문인가. 다른 영감 때문인가. 영감이 나가는 것은 어려워 보였다. 그는 영감에게 줄 월급을 정산해 주지 못했다.

사장은 나를 부르더니 내게도 퍼붓기 시작했다.

"그렇게 물건을 깨뜨렸으면 미안하다고 말을 하든지 해야지 입 꾹 다물고 있으면 어쩌는 거요. 그걸 변상해 줄 것도 아니고 뭐라고 말을 해야 할 것 아니야. 내가 해달라는 거 다해주잖아. 차가 없어 출퇴근하기 힘들다고 해서 트럭 몰고 다니게 해주었고"

나는 할 말이 없었다. 이미 죄송하다고 말했고, 조심히 하면 될 것이라고 여겼다.

"사무실에서 같이 일하던 사람은 어떻게 일하는지 알아. 내가 가르쳐 준 것도 하나 없어. 그런데 전국에 있는 거래처 배달 다니고"

한바탕 일장 연설이 이어졌다. 나는 이미 사과를 했지만 다시 또 사과할 마음이 들지 않았다. 나는 아무 말도 하지 않았다.

다음 날이었다. 저울 앞에 서 있던 영감에게 다가갔다. 보고 있다가 박스를 옮겨주었다. 팔십이 넘은 영감이 아직도 이 일을 하고 있는 것이 못내 안타까웠다.

"사장이 그래도 나한테는 함부로 할 수가 없어."

"그래요? 무슨 일이 있는데요?"

"오래됐어. 그때는 내가 몰랐지. 메추리가 곧 병이 들어 죽을 것을 몰랐어. 그렇지만 사징하고 그 매형하고는 나한테 농장을 넘길 때 알고 있었어. 나는 그때까지 번 돈 육천을 주고 농장을 산 후 참 좋아했어. 곧 어찌 될지도 모르고. 이상하게 이 새들이 조금씩 죽어가는 거야. 아무리 잘한다고 해도 안 돼. 나중에야 나는 그걸 알았어. 나한테 사장이 병든 새를 넘긴 거야."

점심 식사를 한 후 나는 사장에게 전화를 걸었다.

"저 그만두어야겠습니다."

그 말에 사장은 약간 놀란 듯했다.

"지금 어디야? 와서 이야기 하자구."

나는 사장을 만나기 위해 트럭을 몰고 사무실 겸 작업장으로 갔다.

매일 보았던 두 여자가 나를 보았다.

"사장님은요?"

"농장에 계시는데요."

나는 그들에게 요 앞 작업장에서 사장이 얼마나 화를 냈는지 말했다. 그런 후 농장에서 한 번 더 그랬다고 밝혔다. 둘 중 나이 든 여자가 말했다.

"사장이 다혈질이라 그렇지. 사람은 좋아요. 우리한테 잘한다고 해요."

그녀의 말이 맞을 수도 있었다. 상대 조직폭력배를 무참하게 죽인 조직폭력배도 자기 딸에게는 극진하니까.

"나이 든 노인네들에게 인간 같지 않은 인간이라고 했어요."

그 말에 여자는 입을 다물었다.

농장으로 차를 옮겼다. 곧 사장의 차가 농장 안으로 들어왔다.

"어제 그 일 때문에 그래요?"

"예 좀."

"일을 하다 보면 그러기도 하는 거지. 참 하우스 안에 냄새나서 안 들어가려고 한다는 데 그게 사실이요?"

"아니, 누가 그런 말을 해요?"

"아니면 말고."

"아니 일을 제대로 가르쳐 주면서 혼을 내고 하면 이해가 가요. 뭐라고 지시해 놓고 금방 가버리고 없고, 누구한테 물어봐요? 물어볼 사람도 없고 농장 일은 아예 아무것도 모르는데 가르쳐 주어야지, 뭘 하지요."

내가 소리를 지르자, 사장의 표정이 냉랭해졌다.

"알았어요. 집에까지 데려다 주지요."

그는 가는 내내 아무 말이 없었다. 중간에 내려 주라고 해도 굳이 아파트 앞까지 내려다 주었다.

"계좌번호만 보내줘요."

그걸로 끝이었다. 나는 그 뒤로 그곳을 지나쳤지만 안에 들어가 보지 못했다. 아직도 그곳에 노인네들이 살고 있을까 궁금하지만 거기까지 가볼 엄두를 내지 못한다.

신 처용가

1

해장죽(海藏竹) 푸른 잎이 바람에 흔들렸다. 그 사이로 경호는 노란 바탕에 제라늄 꽃잎이 그려진 옷을 입은 여자를 보았다. 그녀는 그보다 훨씬 나이가 많아 보였는데 처마 밑에 놓인 벌통을 유심히 들여다보고 있었다.

얼마 전부터 그녀의 뒷모습을 보고 있던 그는 차츰 주위가 밝아지는 것을 느꼈다. 어쩌면 그녀가 자신을 사랑해 줄지도 모른다는 생각과 함께 몸이 떨렸다. 그때까지 억눌러 두었던 격렬한 감정의 폭포가 쏟아져 내릴 것 같았다.

그래, 이런 감정은 아무에게나 생겼던 것은 아니야.

그는 그녀가 서라벌 학원 원장이라는 것을 알아차리고, 인문계 고등학교와는 관련도 없는 주산학원 수강증을 끊었다. 그리고 직감대로 면 소재지 북쪽에 있는 그곳에서 자신을 이해해 주는 한 사람을 만났다. 그녀는 그가 내성적이고 무뚝뚝했기 때문에 약간 어리숙하고 둔하게 보았던 사람들과 달리 특별한 감수성이나 재능을 가진 사람으로 대우해 주었다.

그는 선생님 호의에 어리둥절했다. 그래서 그는 선생님도 나를 사랑하는 걸 거야, 라고 생각하기도 하고, 아니야, 나를 놀려주고 싶은 거야, 하고 혼자 판단을 내리는 등 갈피를 잡지 못했다.

경호가 그런 판단을 한 데에는 그럴 만한 이유가 있었다. 그는 내적으로는 격렬했지만 지나치게 내성적이어서 어떻게 하면 자기의 감정을 다른 사람에게 전달해야 할지 애를 먹었고, 이런 모습 때문에 사람들에게 약간 모자라게 비쳤다. 그의 어머니나 몇 안 되는 친구들은 이런 마음을 알아차리지 못했고 그것이 분노가 뒤엉킨 버림받은 느낌을 그에게 주었다.

그것이 하나씩 차곡차곡 쌓이게 되자, 그가 감정을 표현하는 것은 더더욱 어려운 일이 되었다. 그것의 압력이 가중되어 밖으로 내놓기만 하면 폭발할 것 같았기 때문이다.

학원에 등록한 뒤 오전 10시만 되면 그는 다른 한 명의 원생과 함께 노인정 앞에서 버스를 기다렸다. 둘은 원생이나 선생님에 대해 자주 이야기를 나누었는데 그런 때의 경호는 지금까지와는 약간 달라 보였다. 축 처진 것처럼 보였던 어깨에는 힘이 들어가 있었고, 활력이라고는 없어 보이던 얼굴에는 광채가 있었다. 그리고 약간 말수가 많아져 수다스럽게 보였다.

그 전의 그는 그랬다. 부모님으로부터 사랑을 받은 적이 없다고 믿고 있었기 때문에 핏줄에게도 친밀하게 느낀 적이 없었다. 단지 할 일이나 공부를 할 따름이었고 무관심한 아버지를 존경하지도 않았다. 학교에 있을 때도 마찬가지였다. 화장실에 갈 때가 아니면 자리에서 일어나지도 않았고 친구들과 잡담을 하지도 않았다. 그저 멍하니 머리를 쥐어뜯고 있든가 비듬을 털고 있었다. 그러다가 수업이 시작되면 잠시 칠판을 보는 체하다가 창밖으로 눈을 돌려, 나는 어른이 되면 자식 같은 것은 낳지 않을 거야, 라고 생각했다.

그리고 여자 친구가 접근해 와도 거의 관심을 두지 않았는데 그런 그를 꺾어 보려는 여학생이 있었다. 그렇지만 그녀는 그에게 감히 너 같은 여자 따위가! 라는 모욕적인 말을 듣고 물러나야 했다.

이후로 그는 대부분의 학생들에게 별종으로 불렸다.

사실 그때 그는 자신이 남들과 다르다고 생각하고 있었고 자신이 천상에서 내려온 귀족쯤으로 여기고 있었다. 하지만 그의 얼굴은 한 여름 뙤약볕에 그을린 농부의 피부처럼 검게 그을려 있었고, 코는 이상하리만큼 낮아 조금도 귀족적으로 보이지 않았다.

아무튼 그는 모순되는 요소를 늘 내부에 가지고 있는 불안한 인간이었는데 선생님을 만나면서부터 약간 다른 면모를 보이기 시작했다. 언제 허물어져 또다시 우울한 상태로 빠져 들어갈지 몰랐지만 그는 나이가 비슷한 원생들에게 동료애를 가지려고 노력했고, 좀 더 어린 원생들에게는 맏형처럼 대해주려고 애썼다. 그래서 차츰 원생들은 인정 있게 보이는 그를 좋아하게 되었고, 그도 이 생활에 차츰 만족해하고 있었다.

그런데 그는 유독 한 원생과는 친하게 지낼 수 없었다. 얼굴에 수두자국이 있는 서정균이라는 원생을 보는 순간 그는 자신도 모르게 주눅이 드는 것을 느꼈고, 녀석을 보기만 해도 기가 질려 도망치고 싶은 기분을 느꼈다.

그의 느낌은 정확했다. 정균은 학원에서 갖가지 되바라진 행동으로 문제를 만들어 냈다. 한 번은 대담하게 선생님에게 대든 적이 있었다.

"도대체 여자애들이 왜 그래? 아무 데서나 시시덕거리고 꼬리를 치고, 그리고 좀이 너! 남자두 아닌 여자가, 성질이 났다고 친구에게 눈을 휙 까뒤집고 흘겨보면 되는 거야."

선생님은 한창 여자 원생들이 다툰 것을 두고 나무라는 중이었다. 좀이라고 불린 원생은 얼굴이 빨개지더니 고개를 푹 수그리고 눈물만 뚝뚝 흘렸다.

"자, 하나님께 우리의 잘못에 대해 기도하자!"

선생님이 칠판 위에 걸린 돌로 만든 십자가를 올려다보았다. 그때 갑자기 정균이 자리에서 벌떡 일어났다.

"도대체 왜 여자애들만 나무라는 겁니까? 그리고 우리가 무슨 기독교인입니까, 매일 기도를 하게."

여자애들만 나무란다고? 존경해 마지않는 선생님이었지만 그의 생각에도 선생님의 잘못은 분명해 보였다. 누가 보아도 선생님은 남자 원생들을 편애하고 여자 원생들을 엄하게 대하고 있었다. 기도를 올리려고 손을 모으던 그는 앞에서 몸을 부들부들 떨고 있는 선생님과 거대해진 정균의 뒷모습을 보았다. 그래, 기도는 원하는 사람만 하는 거지. 그렇게 인정했음에도 그는 정균의 도끼눈에 화가 치밀었다. 역신 같은 놈이! 그렇지만 그는 여전히 수줍었기 때문에 어쩌지 못하고 자리에 앉아 사태를 지켜보고 있었다. 아마 정균이가 물러설 거야. 그때까지 선생님에게 대들 자는 아무도 없다고 생각하고 있던 그는 이렇게 단정했다.

그러나 일은 그의 바람처럼 되지 않았다. 선생님은 몸을 부르르 떠는 것을 넘어 울기 시작했다. 그보다 나이 든 원생들이 달려가서 선생님을 부축하며 정균을 향해 어서 선생님께 사과하라고 부추겼다. 글쎄, 내가 뭘 잘못했다고 그러는 겁니까. 정균은 완강했다.

그 일이 있은 후 학원 분위기는 변함이 없는 것처럼 보였지만 사실은 달라진 것이 있었다. 우선 그것은 몇 사람에게 상처를 주었다. 우선은 선생님이었고 그다음은 경호였다. 그는 그전에도 그랬지만 놈과 거의 상종을 하지 않았다. 그는 이렇게 하는 것을 선생님은 바라실 거야, 라고 생각해서 어쩌다 얼굴이 마주쳐도 인사를 하지 않았다. 그러나 다른 원생들은 그렇지 않았다. 언제 무슨 일이 있었느냐는 듯 장난을 치고 시시덕거렸다.

아무튼 선생님의 작은 상처가 그에게 대단히 큰 것으로 자리 잡았다. 바닥에 깊이 박혀 좀체 움직이지 않는 바윗돌처럼 내부 깊숙이 자리 잡았고 시시때때로 수면으로 떠올라 그로 하여금, 이랬더라면 얼마나 좋았을까, 하고 중얼거리게 했다.

그러다 그에게 때가 왔다. 어느 날 그는 막 학원 내에 있는 방으로 들어가다가 시시껄렁한 잡담을 하는 한 남자를 보았고 저번 같은 일이 벌어지지 않도록 다리를 포개고 앉았다. 남자는 선생님과 같은 교회에 다니는 청년으로 선생님과 비슷한 또래로 보였다.

"선생님 말이죠. 제가 어제 장에 갔는데 우리 교인을 만났지 뭡니까? 그래서 인사를 했는데 듣는 체도 않고 가버리는 겁니다. 전 정말 황당해서 얼굴이 벌게져 한참 동안 서 있었어요. 그렇다고 제가 그 여자를 좋아한다는 것도 아닌데 왜 그러는지 모르겠어요."

정말 사소한 일에 불과했다. 그것이 어쨌다는 것인지 그로서는 알 수 없었다.

"그래요, 누가 인사를 해도 아는 체를 하지 않으면 정말 어떻게 해야 될지 모르죠."

그도 선생님이 말하는 사건에 대해 알고 있었다. 그때 그는 선생님과 문방구에 다녀오는 길이었다. 남북으로 길게 난 도로를 따라 올라오던 그들은 우연히 나이가 지긋한 남자와 마주쳤다. 선생님은 그 사람을 보자 고개를 숙여 인사를 했는데 그 남자는 한마디 대꾸도 없이 가버렸다. 남자가 멀어졌을 즈음에 그는 선생님께 물었다.

"왜 선생님은 인사를 받지 않는 사람에게 인사를 하세요?"

의외로 선생님의 대답은 궁색했다. 그것이 사람의 당연한 도리라는 것이었다. 하지만 그는 아직 선생님이 그 바닥에서 어떤 평을 받고 있는지 전혀 알지 못하고 있었다. 남편에게 맞지 않기 위해서 괴성을 지르며 거리를 달리거나 택시 운전사를 유혹했다는 파다한 소문을 몰랐다.

그는 남자의 이야기를 듣는 내내 불쾌해져 있었다. 선생님께 그런 남자 친구가 있었다는 것도 기분이 상했고, 선생님의 주의를 빼앗고 있다는 것도 견딜 수 없었다. 일이 벌어진 것은 남자가 우스갯소리를 했을 때였는데, 듣는 사람에 따라 다를 수 있지만, 조금도 우스운 내용이라고 할 수 없었다. 피바위에 놀러 갔는데 같이 간 남자가 세상에 어떤 여자가 월경을 했길래, 하고 말했다는 것이다.

"발가락에 긴 때나 벗기고 와서 이야기하시지!"

뜻하지 않은 그의 공격에 남자의 표정이 일그러졌다.

"콩만 한 자식이 죽고 싶나?"

순간 그는 그게 교인이라는 자의 입에서 나올 말이냐고 따지고 싶었지만 그럴 용기는 없었다. 선생님은 그를 편들지도 남자를 나무라지도 않고 두 사람을 지켜보았다. 겁을 집어먹은 그는 조용히 입을 다물고 남자가 나갈 때까지 기다려야 했다.

정균의 소동이 있고 난 후에도 기도는 계속되었다. 수업이 끝마치는 절차로 원생들이 기도를 올렸다. 경호는 자신의 차례가 오자, 미리 공책에 써 둔 기도문을 읽었다. 눈을 감은 채 무어라고 말한다는 것이 아직 그에게는 어려웠고, 더듬거리기라도 하면 그 창피를 어떻게 감당할까 두려워 눈을 뜬 채 그것을 읽었다.

앞부분은 다른 원생들의 것과 그다지 다르지 않았다. 이런 자리를 마련해 주셔서 고맙다는, 또 모든 원생들에게 총명을 허락하시라는 것이었다. 그렇지만 마지막 부분은 순전한 그의 창작이었고, 나중에 보면 스스로 명문이라고 감탄할 만한 내용이었다.

"…저들이 서산에 지는 해가 되었을 때는 석양의 빛처럼 아름답고 찬란한 빛을 발하게 해주옵소서!"

아마 선생님은 이런 그의 기질을 알아보고 있었던 것이 분명한데 제일 먼저 선생님의 아멘, 하는 커다란 목소리가 들렸다. 그는 감격해서 기도를 끝낸 후 몇 초 동안 깊은 물 속에 잠수했다가 막 올라 푸, 하고 하늘을 보았을 때의 기쁨을 맛보았다.

평소 그는 이런 야단스러운 아멘, 을 좋아하지 않았다. 그 말을 들으면 고지를 점령하기 위해 앞다투어 뛰어가는 사람들의 가증스러운 모습이 떠올랐기 때문이다. 그는 학교에서 늘 느껴지는 경쟁이라는 것을 좋아하지 않았고, 그런 인간들을 사랑하지도 않았다.

그가 학원에 온 지 보름이 지났다.

그러면서 원생들의 수도 차츰 늘어났는데 거진 30명 정도가 되었다. 그가 처음 학원을 방문했을 때에 비하면 상당한 숫자였다. 부기가 아니라 타자를 배우기 위한 원생도 있었다. 그가 매일 제시간에 학원에 기면 새로운 얼굴들이 기다리고 있었다. 중학교 동창이나 후배 같은 아는 얼굴도 있었고, 주산이나 부기가 몇 단이나 되는 학생도 있었다.

그런 어느 날 막 사무실을 통과하려고 했을 때 퍼뜩 스쳐 지나간 빨간빛 때문에 그는 잠시 멈추어 서서 뒤를 돌아보았다. 그 빛은 한 여학생에게서 나오고 있었다. 그녀는 검은 털옷을 입고 깃에는 밤송이 마스코트를 꽂고 소파에 앉아 신문을 뒤적이고 있었다.

'좀 색다르군. 신문을 볼 줄 아는 학생이라니.'

그러다가 그는 조금 전에 지나간 빨간빛이 자신의 머릿속을 스쳐 간 불길이라는 것을 깨달았다. 이후로 그는 성희라는 여학생의 말투와 행동에 유의하게 되었다. 그녀는 그보다 나이가 어리고 키가 작은 편이었지만 남자의 눈길을 끌 만한 용모를 지니고 있었다. 큰 눈망울에 하얀 피부, 작고 약간 도톰한 입술. 말투도 촌발이 날리는 것이 아니라 초콜릿이 입안에서 녹을 때처럼 달콤한 서울이나 경기지방의 것을 구사하고 있었다. 그러나 그보다 먼저 그는 선생님에 대한 첫인상을 굳게 가지고 있었기 때문에 그녀에게 다가가려고 애쓰지는 않았다.

하지만 그의 의도와 다르게 그 감정은 날이 갈수록 부풀어 오르기 시작했다. 그것은 그녀를 소유하고 싶다는 유치한 감정은 아니었다. 선생님의 촉발로 인해 끌어내어진 것과는 다른 정열을 그녀가 들썩이게 하고 끌어내고 있다는 그런 느낌이었다. 이 때문에 그는 한 번씩 눈에 보이지 않게 난감한 표정을 지었다. 그렇다고 그것이 심각할 정도로 표출된 것은 아니었다. 그는 보통 사람들과 달리 처음부터 내면적이었고 그이후에도 내내 내면적이었기 때문에 다른 사람들이 어떻게 그를 바라볼까 하는 것은 염두에 둔 적이 없었다. 그가 걱정하는 것은 단지 한 가지였다. 다른 사람들에게 말을 할 수는 없지만 격해질 대로 격해진 감정이어느 순간 갑자기 화산처럼 쏟아져 나오면 어쩌나 하는 것이었다.

어느 날이었다. 선생님은 원생들과 농담을 주고받으며 언젠가 학원에서 일어났던 일을 끄집어냈다.

"그때도 이번처럼 방학이었어. 우리는 각자 첫사랑에 대한 질문을 받기로 했어. 제 입으로 자기 일을 말하기란 쉬운 일이 아니니까. 그런데 막상 얘기가 시작되자, 귀가 솔깃할 정도로 매혹적인 내용을 내놓는 애는 없었어. 다들 열여섯 아니면 일곱, 그보다 더 많은 애들도 있었는데. 몇 사람의 이야기가 끝났을 때야. 내가 말하려는 바로 그 애가 질문을 받기 시작했어. 그 때 나는 첫사랑 얘기에 약간 흥미가 떨어진 상태였는데 누군가의 첫 질문에 그 애는 아주 가까운 곳에 자기가 사랑하는 사람이 있다는 거야. 그래서 다들 깜짝 놀랐어. 그 다음 우리는 어떤 대답이 그 애의 입에서 나올까 궁금해하며 질문자를 재촉했는데 대답이 나오자마자 나는 속으로 어머, 하는 소리를 질렀어. 자신보다 나이가 많다는 거였으니까. 그리고 그다음에는 첫사랑 여자가 사는 위치를 묻는 질문이 나왔는데 도로를 따라 올라오다 보면 초등학교가 있다는 거야. 거기서 나는 질문을 중단시켜야 했어. 이러다가 큰일이 나겠다 싶어 겁이 났던 거지. 그 때 약간 눈치가 빠른 애들은 아마 다 알았을 거야. 그 애는 가난한 집안의 장남으로 눈빛은 우수에 젖은 그것이었는데 정말 매력이 있었어."

여기까지 말을 한 선생님은 정열이 우글거리는 눈빛을 눈꺼풀로 감추었다.

"정말 나중에 생각해도 기분이 좋았어. 그리고 나중에 그 애가 학원을 떠나면서 내게 한 말도. 선생님처럼 사랑스러운 분은, 뭐라고 했더라? 원생들 가운데 짝사랑하는 많은 남자를 만들어 낼 것이라나."

순간 그는 지금껏 선생님을 사랑하고 흠모해 왔던 자신이 어리석고 창피하게 느껴졌다. 선생님을 사랑하다가는 나도 그 애처럼 무참하게 버려질 거야. 그래, 선생님은 날 애인으로 삼고 싶지는 않는 거야. 그래서 그런 얘기를 꺼낸 것이고.

결국 그는 선생님을 단지 선생님으로만 사랑하기로 마음먹었다.

그다음 날부터 그는 의도적으로 선생님이 어떤 매력을 가지고 있든 이제 나와는 상관없다고 자신에게 되풀이 말했다. 그러면서 성희라는 여학생에게 눈을 돌리기 시작했다. 다른 원생들이 그녀에 대해 나누는 이야기에 귀를 기울였고, 지나가는 말처럼 가장하여 질문을 던지는 일도 있었다. 그녀의 아버지는 전 지서장이었고 지금은 작은 여관을 운영하고 있었다. 농사꾼의 자식인 그에 비하면 그녀는 좋은 집안의 딸이었다.

그는 타자를 치고 있는 그녀의 뒤를 지날 때마다 자판을 두드리는 작고 귀여운 손, 그가 여자에 대해 제일 먼저 보는 것은 늘 손이었다, 부드러운 머리칼과 하얀 목덜미를 훔쳐보았다.

2

"우리 학원에 비하면 좀 옹색하지?"

선생님의 약간 거만한 말투에 경호는 마치 원주민을 만난 백인 같은 미소를 지으며 학원 내부를 둘러보았다.

"어떻게 이렇게 하고 애들을 가르치지?"

"예, 그렇네요."

서라벌 학원에 비해 황성 학원은 약간 낙후되어 보였지만 사실은 별 차이가 없었다. 차이가 있다면 털털한 총각과 이미 결혼한 여자가 만들어 낼 수 있는 환경의 차이라고도 할 수 있었다.

약 일주일 후에나 실시될 체육대회에 대한 협의를 하기 위해 그곳에 갔던 경호와 그 일행은 경기종목과 장소를 정했다. 경기종목은 달리기와 구기종목으로, 운동장과 점심식사는 체육대회 개최를 요청한 서라벌 학원에서, 그리고 우승컵은 경기에서 진 측이 부담해서 전달하기로 결정했다.

늦은 버스를 타고 학원으로 돌아오기 전까지 그는 집으로 돌아갈 수 없다는 것을 생각해 보지 못했다. 남자였기 때문에 잠은 꼭 집에서만 자야 한다는 생각이 그에게는 없었다. 다른 원생들도 마찬가지였다. 오늘 밤은 다들 학원 방에서 자야겠다, 고 선생님이 말했을 때 여섯 명 중 누구도 이의를 제기하는 사람은 없었다.

한쪽 벽면에는 검은 자개농이 있고 또 한쪽 벽에는 붙박이 옷걸이에 선생님의 옷들이 걸려 있었다. 그날 밤 그것들이 그에게는 예사롭게 보이지 않았다. 선생님의 향취가 여전히 그에게는 매력으로 남아있어서 밤이 되자 새로운 자극으로 다가왔다.

자기 전까지는 조금도 이상한 분위기가 방안을 흐르지는 않았다. 아직 체육대회에 대해 주고받을 내용이 있었고, 따로 이기기 위한 전략도 연구해야 했다. 문제는 선수들이었다. 달리기를 하거나 구기종목의 경기를 하려면 많은 선수가 필요했는데 네댓 명의 고등학생을 빼면 대부분 초등학생이었다.

"황성 학원도 우리와 사정이 마찬가질까?"

선생님은 원생들을 둘러보았다.

"제가 친구들을 좀 데리고 올까요?"

그의 말에 선생님은 그래, 하며 반가워했다. 그는 방학을 기해 시골에 내려와 무슨 건수가 없나, 하고 빈둥거리고 있을 초등학교 동창들을 떠올렸다. 이럴 때 동창들은 부담이 없었다. 친하든 친하지 않든 쉽게 불러 따라나서도록 할 수 있었다.

"그렇게 해, 그러면."

그보다 한 살이 더 많은 원생이 거들었다.

"좋아, 내일부터 연습을 좀 하자고."

체육대회에 대한 이야기가 끝나자, 선생님은 자신을 따르는 기사들을 상대로 과거를 늘어놓기 시작했다. 선생님은 아들 없는 집안의 셋째 딸이었고 아버지는 늘 벽에 걸린 딸들의 치마를 보며 한숨을 지었다. 그 말에 경호도 속으로 한숨을 지었다. 남자라는 것이 그렇게 대단한 것일까. 내가 그런 집에 태어났더라면 얼마나 좋았을까. 그랬더라면 자식을 애물단지 취급하고 제 알아서 자라리라고 믿는 우리 부모 같은 이를 만나지 않았을 텐데.

그러던 아버지가 병석에 누운 것은 선생님이 막 중학교에 들어갔을 때였다. 그때부터 생계에 대한 책임은 어머니에게 돌아갔다. 이후 선생님은 아침에 눈을 뜨면 보이지 않고, 저녁 늦게야 시장에서 돌아오는 어머니의 지친 어깨를 보았다. 그때마다 선생님은 자신이 이 집의 아들 노릇을 해내리라 작정했고 실지로 야무지게 살림을 해 나갔다.

선생님 말이 이어지는 동안 원생들은 숨을 죽이고 들었다. 그것이 자신의 일인 것처럼 심각하게 듣고 있었다. 그도 마찬가지였다. 선생님의 자리에 자신을 갖다 놓고 나라면 어떻게 했을까를 상상하고 있었다. 그는 남자를 앞지르고 싶은 여자의 욕망을 이해하고 동정할 수는 있었지만, 자신이 남자였기 때문에 절실하게 느낄 수는 없었다. 그가 할 수 있었던 것은 여자로 분한 자신의 모습을 그려보는 것이었다. 갖가지로 좌절을 안겨줄 것이 뻔한 남성 중심의 사회 속에서 여전히 그 꿈을 간직하고 살 수 있을까, 그의 생각에도 그것은 어려워 보였다. 선생님이 택한 방법은 이랬다. 희생자가 아닌 로망의 주인공이 되는 것이었고, 고난과 역경이 다가오면 잠시 머리를 숙이고 도움을 기다리는 것이었다. 여자는 동물이 아닌 인간인 덕택에 용이하게 남자들에게 자신의 감정을 불어넣을 수도 있고 움직일 수도 있으므로, 그는 선생님의 의견에 박수를 보냈다.

그가 하품하는 것을 선생님이 흘깃 한 번 보았다.

"여상에 다닐 때 내가 늘 톱이었어. 그렇지만 시험 칠 때는 얼마나 여우처럼 굴었는지."

스스로도 자신이 우스운지 선생님은 입가에 미소를 지었다.

"미리 시험공부를 다 해 놓고 공부 못하는 친구 집에 가서 빈둥거렸어. 그러니까 그 애가 뭐라고 했겠어. 넌 정말 공부도 안 하면서 늘 톱이니 정말 머리가 좋은가 봐."

다시 그가 하품을 했을 때 선생님이 말했다.

"어, 잠이 많은가 보네. 잠이 많은 애들은 공부를 못하던데."

이건 정말 망신이구나, 그는 생각했다. 그때까지 그는 어머니로부터 귀에 못이 박히도록 잠이 많다, 아버지를 닮아 코를 곤다는 잔소리를 들어왔다. 그럼에도 그는 그 버릇을 고칠 수 없었고 그런 일이 계속 반복되자 화가 나기 시작했다. 학교에서도 마찬가지였다. 그는 선생님 말을 잘 듣지 않는 게으른 학생이었다. 그는 자신을 세상의 틀에 맞추려는 사람들에게 강한 분노를 느꼈고, 그것이 생산되는 대로 수전노인 부모처럼 차곡차곡 그것을 내부에 쌓아갔다.

시내 인문계 고등학교에 진학했지만 갈수록 학교에 흥미를 잃고 있었던 그는 순간적으로 미래가 걱정이 되었다. 사실 이 사회에서 공부를 못하는 학생처럼 불행한 사람은 없었다. 그런 학생은 사람들에게 멸시를 받는, 몸을 쓰는 일밖에 할 것이 없었다. 나는 출세할 수 없고, 이름을 날릴 수도 없는 인간이 될지도 몰라.

그런 생각에도 불구하고 그는 원생들 중에서 제일 먼저 잠 속으로 걸어 들어갔다. 선생님과 원생들이 나누는 잡담 소리가 그에게 아련히 들리더니 이윽고 아무것도 들리지 않게 되었다. 얼마나 잤을까. 그는 서서히 의식이 돌아오는 것을 느꼈고 누군가가 혁대를 끄르고 있다는 알았다.

'누구일까? 내 옆에 누가 있었던가?'

그는 상대가 눈치채지 않도록 실눈을 떴다. 젖가슴이 드러난 옷을 입은 삼십 대 여자가 그에게 몸을 기울인 채 아주 조심스럽게 손가락을 움직이고 있었다.

'아니, 선생님이?'

그는 비명을 지를 뻔했지만 간신히 참았다. 그녀가 무얼 하려는지 경험은 없었지만 본능적으로 알 수 있었다. 그는 선생님의 행동을 지켜보기로 했다. 아니 선생님을 결코 놀라게 해서는 안 될 것 같아 일부러 숨소리를 크게 내고 있었다.

그러다가 그는 선생님을 볼 때마다 들뜨기는 했지만 지금껏 선생님을 성적으로 소유하거나 정복하고 싶다는 욕망을 가져보지 못했다는 것을 깨달았다. 왜 그랬을까.

순간 성희가 떠올랐지만 그의 머리에서 머물 시간은 없었다. 열린 지퍼 사이로 그의 고추가 모습을 드러냈기 때문이다. 선생님은 손에 힘을 거의 주지 않는 채 거무스름한 고추를 만지작거리기 시작했다. 부끄러워진 그는 코 고는 소리와는 약간 달라 상대가 눈치챌지 모를 큰 숨소리를 냈다. 코 고는 소리를 내는 것은 약간 힘이 들었고 몇 번 거듭하게 되자 입천장이 시큰해졌기 때문이다. 그렇지만 부끄러움은 다른 것에서 온 것이었다. 그때까지 그의 고추는 어린애의 상태를 벗어나지 못해 아주 왜소했다. 그가 목욕탕에 갈 때마다 한쪽 구석에 쪼그려 앉아 몸을 씻는 이유도 거기에 있었다. 그때까지 성적 경험은 없었지만 은연중에 들은, 고추가 작은 남자는 여자를 황홀하게 해줄 수 없다, 는 말도 떠올랐다.

한참 동안 고추를 만지작거리던 선생님은 지퍼를 올리고 혁대를 채웠다. 그런 후 아무런 일도 없었던 것처럼 제자리로 돌아가 누웠다. 남편이 군대에 가 있기 때문에 욕망에 굶주렸던 것일까. 잠결에 그에게 떠오른 생각이었다.

그런데 다음 날 아침 그가 눈을 떴을 때 예상치 못한 일이 기다리고 있었다. 눈을 뜨고 자리에서 일어나려다 그는 갑자기 중심을 잃고, 꽝하고 머리부터 바닥에 넘어지고 말았다. 어찌 된 일일까. 그는 자신에게 물어보았지만 여태 한 번도 이런 경험이 없었기 때문에 그의 두뇌는 해답을 얘기해 주지 못했다. 하룻밤 사이에 지구의 중력이 사라진 것일까. 나와 선생님이 저지른 불륜에 대한 벌로, 그렇다면 난 당연히 그 벌을 받아야 할 거야. 순진한 그는 선생님에게 잘못이 있다고는 생각지 않았다. 다시 그는 쇳덩어리처럼 무거워진 머리를 쳐들고 일어서려고 시도했지만 그것은 여전히 바닥을 향해 곤두박질치려고 해서 일어서는데 몇 분이나 걸렸다.

선생님, 선생님은 어디에 계실까. 내가 사모하는 선생님! 그는 빙빙 돌아가는 방안을 간신히 둘러보았다. 선생님은 생각보다 가까운 곳에 있었다. 다른 원생과 무어라 얘기를 나누며 빨갛게 입술을 그리다가 하룻밤 사이에 이상해진 그를 보고 있는 것 같았다. 뻔뻔하고 태연자약함이라니, 그는 화가 치밀었다.

"연탄가스를 마셨어!"

누군가의 목소리가 그에게 들려왔다. 아, 그렇구나. 그는 그때까지 한 번도 가공할 위력을 지닌 가스를 마셔본 경험이 없었다. 그는 방을 나가기 위해 걸어가다가 역시 연탄가스를 마신 원생과 머리를 부딪혔다.

"이거, 몸이 마음대로 안 움직이네. 땅이 자꾸 나를 끌어당기네."

그보다 한 살 위에다 그만큼 체구도 큰 원생이었다. 지구의 중력이 없어진 것도 천벌이 내린 것도 아님을 알자, 한결 가벼워진 기분으로 그는 걸어갔다. 간신히 문턱을 넘고 신발을 신자, 빙글빙글 도는 거대한 갈색 문짝이 나타났다. 만약 이런 문이 있을 수 있다면 감옥의 죄수들은 탈옥의 꿈을 절대 꾸지 못할 거야. 강의실 책상 사이를 비집고 걸어가는 동안에도 그는 몇 번이나 책상 모서리에 옆구리를 부딪쳤다. 그러나 아프다거나 고통스러운 느낌은 전혀 들지 않았다.

학원 밖으로 나와 화장실까지 걸어가는 동안에 그는 한 번 더 넘어졌고 또 다른 원생과 부딪쳤다. 그러나 상대의 얼굴을 알아채지는 못했다. 누구일까, 그는 상대가 계면쩍은 미소를 짓고만 있다고 느꼈다.

세수를 하는 동안에 다시 저주, 라는 말이 떠올랐지만 그는 신경 쓰지 않기로 했다. 버림받은 자식에게 저주 따위가 무서울 필요가 없다는 생각이 들었기 때문이다. 그는 흐릿한 거울을 통해 빙빙 도는 자신의 모습을 보았는데 작은 고추 하나가 같이 돌고 있었다. 이제부터 선생님을 어떻게 대한다지?

얼마 후 학원 문을 열고 사무실로 사용하는 공간에 들어섰다가 그는 일시에 정신이 확 깨는 것을 느꼈다. 성희였다. 그녀는 등을 돌린 채 타자기를 두드리고 있었다. 그는 화끈거리는 얼굴을 손으로 가리며 서둘러 안으로 들어갔다.

다시 선생님과 원생들이 그의 눈에 들어왔다. 식사를 하는 내내 그는 선생님을 곁눈질했다. 좀 전에는 빨갛게 보았지만 입술은 빨간색이 아니라 약간 자줏빛을 띠고 있었다. 얼굴 화장도 다른 날보다 공을 들인 흔적이 역력했다. 그는 그것이 자신을 위한 것인가, 하고 의문을 제기했지만 확실히 알 수는 없었다.

"어젯밤 몇 골이나 넣었어?"

무슨 말인지 몰라 그가 한 살 위인 원생을 쳐다보자마자 젓가락을 들고 상 앞에 앉아 있던 원생들이 와르르 웃었다. 생각만 해도 우습다는 표정들에 그는 되묻지 않을 수 없었다.

"골이라니?"

"어제 꿈속에서 아주 열심히 공을 차던데. 너무 열심히 뛰어서 배가 고픈지 배를 득득 긁기도 하고."

그는 선생님을 곁눈질하던 것을 그만두고 눈을 내리깔았다. 이제는 정말 홀딱 벗겨진 느낌이었다.

3

다음 날 오후부터 초등학교 운동장에서 체육대회 연습이 시작되었다. 선수들은 이제부터 적응이다, 라고 말하려는 듯이 몸을 풀고 배턴을 주고받았고, 축구공을 가지고 놀았다.

그는 그다지 운동에 소질은 없었다. 자신이 어떤 인간이라는 것을 의식하기 전까지는 그래도 천진하게 아이들과 축구를 즐겼다. 그렇지만 자신을 둘러싼 가족과 세상이 눈에 띄게 되자, 혼자 있는 시간이 많아졌고 자연 운동 같은 것은 등한시하게 되었다. 그러면서도 여전히 난, 격렬한 운동이 좋다, 라고 말하곤 했는데 그런 운동을 할 때마다 가슴속에 맺힌 응어리들이 사라지는 느낌을 받았기 때문이다.

선생님께 말한 대로 그는 두 명의 동창들을 데리고 왔다. 두 친구는 그와 마찬가지로 인문계 고등학교에 다니고 있었지만, 그보다 키가 크고 덩치도 컸다. 두 사람은 선생님과 인사를 나눈 후 연습을 구경했다.

그는 운동장 한쪽에서 멀리뛰기 연습을 하는 성희를 가리켰다.

"어때, 예쁘지?"

사실 그가 두 친구를 데려온 것은 성희의 미모를 그들에게 자랑하고 싶어서였다.

"예쁘기는 한데 좀 뚱뚱하다야?"

뜻밖의 말에 그는 고개를 갸웃거렸다. 그때까지 그는 성희가 뚱뚱하다고 생각해 본 적이 없었다. 그는 성희의 얼굴을 바라보기만 해도 가슴이 이글이글 끓어올랐고 감당 못 할 파문이 일어 옆구리가 찢겨나갈 것 같았다.

"너도 여자 사귀는 재주가 있다니 놀랍다!"

또 한 친구의 말에 그는 성희를 둘에게 보이기 전에 기대했던 흐뭇한 미소를 지었다. 나도 이런 여자를 사귈 수 있다고, 그는 뻐기고 있었다.

그런데 그날 오후에 좀 이상한 일이 있었다. 여자 원생들 사이에 선생님과 성희의 눈 중에 누구의 눈이 더 큰지 논쟁이 벌어졌다.

"성희의 눈이 더 커!"

"아니라니까 선생님 눈이 더 크다니까!!"

그것을 본 선생님이 여자 원생들 사이에 끼어들었다. 그리고 어른답게 누구의 눈이 더 큰 것인지 그것이 무어 중요하냐고 말하는 대신,

"내 눈이 더 크단 말이야!"

하고 목소리를 높였다. 눈이 휘둥그레진 원생들은 서로의 얼굴을 쳐다보며 의미 있는 시선을 교환했다. 그리고 그것을 보고 있던 그는 선생님이

자신과 성희가 가까워지는 것에 질투를 느끼고 있는 것이 아닌가 싶어 난처했다. 그날 밤의 사건 이후로 그는 선생님과 성적으로는 더욱 가까워진 느낌이었지만 성희보다 더 사랑하게 될지는 자신할 수 없게 되었다. 선생님을 좋아했다는 우수에 찬 남자 원생을 떠올리게 되면 더욱 그랬다.

기다리던 수요일이 되었다. 선생님의 지시가 떨어지자, 원생들은 미리 만들어 둔 플래카드, 물 주전자, 구기 경기에 쓰일 공, 배턴 등을 가지고 학원에서 얼마 떨어지지 않은 중학교로 몰려갔다.

체육대회는 아홉 시 삼십 분에 시작되었다. 국민의례 같은 격식을 차리지도 않고 곧바로 축구 경기가 시작되었다. 주심의 호루라기 소리가 들리자, 축구공이 이리저리 오가기 시작했다. 그리고 그에 따라 선수들이 몰려다녔고 한쪽이 수세에 몰릴 때마다 와, 하는 함성들이 들렸다.

십 분쯤 지나자 상대편 공격수가 공을 몰고 골문 가까이 쳐들어왔다. 수비를 맡고 있던 그는 자신의 역할대로 공격수를 막아섰다가 그 선수가 공을 살짝 빼자, 옷이라도 잡고 늘어지려고 했지만 상대는 너무 빨랐다. 그리고 있는 힘을 다해 상대 선수에게 몸을 던져 태클을 걸었을 때는 너무 늦어 있었다. 그가 일어나 보니 골은 이미 들어갔고, 그의 주위에는 그가 다쳤을까 싶어 걱정하는 시선들이 있었다. 그들은 저마다 괜찮냐고 물었다. 성희까지 달려왔기 때문에 그는 감격했다. 여태까지 그런 사랑과 관심을 받아본 적이 없다고 느꼈던 그는 내심 눈물을 흘렸다.

그래서 성희가 릴레이를 하다가 운동장에 넘어졌을 때 그는 자신이 받은 사랑에 대한 보답을 하려고 했다. 아니 그 기회를 이용해 그녀와 좀 더 가까워지려고 했다. 그런데 그가 손에 들고 있던 주전자까지 팽개

치고 달려갔을 때 성희는 이미 다른 원생들에 둘러싸여 있었고, 그가 은근히 두려워하고 있었던 정균의 손을 잡고 일어서고 있었다. 하필이면 그놈의 손이라니! 이후 경기가 끝날 때까지 그는 우울한 상태에 있었다. 정균이 성희를 마음에 두고 있었다는 것을 알게 되었기 때문은 아니었다. 성희가 기꺼이 정균의 손을 잡고 일어났을 것이 틀림없다는 생각 때문이었다.

그러다 그런 자신을 들여다본 그는 적잖이 당황했다. 그때까지 그는 어느 누구를 상대로 질투해 본 적이 없었다. 이건 정말 나와는 어울리지 않아. 이렇게 마음을 정리해도 우울함은 남았고, 다시 자신감 없는 자신으로 돌아가고 있었다. 누가 날 좋아하리라고 난 생각해 본 적이 없지. 버림받은 자식이 어찌 그런 꿈을 꾸겠어.

겨울 방학이 얼마 남지 않았다는 원생들의 아쉬움섞인 소리가 몇 번 들리고 나서, 선생님은 겨울 산행을 계획하고 있다고 공포했다. 처음에는 몇몇 여자 원생이 겨울 등산이라 어렵지 않겠느냐고 말했지만 지리산 자락에 살고 있는 원생들이 자신들만 믿으라고 큰소리를 쳤다.

그래도 겨울 산행이니만큼 경험 있는 인솔자는 있어야 했다. 버스를 타고 달궁까지는 어려움 없이 갈 수 있다지만 노고단까지 가는 도중에 길을 잃거나 눈사태를 만날 수 있었다. 게다가 산에서 야영을 하게 된다면 어려움이 더 커질 게 분명했다. 선생님은 원생들을 끌고 갈 인솔자를 물색하다가 아주 가까운 곳, 학원 뒤편의 교회에서 한 남자를 찾아냈다. 남자는 다름 아닌, 머리가 곱슬곱슬하고 목젖이 두드러진 젊은 목사로 그도 설교를 들은 적이 있었다.

드디어 등산을 가는 날이었다. 그는 선생님의 요구대로 학원에 일찍 나가서 그보다 나이 많은 원생들과 준비물을 챙겼다. 그리고 원생들이 도착하자, 각자 필요한 물건들을 나누어주고, 부피가 큰짐을 낑낑거리며 터미널까지 들고 갔다.

버스에 타자, 흰 눈이 덮인 작은 봉오리들이 지나갔고 손을 대기만 해도 얼 것 같은 냇물이 오른쪽으로 흘렀다. 그는 시간이 흐를수록 높아지는 산에서 눈을 떼지 않고, 그 위에 덮인 눈을 보며 상상에 젖었다. 어쩌면 이번 산행에서 갖게 될 그녀와의 멋진 로맨스, 그로서는 한 번도 가져본 적이 없는 황홀한 순간을 맞이할 것을 꿈꾸고 있었다. 그는 두 사람이 손을 잡고 눈길을 걷는 그림을 그리기도 하고, 그녀가 눈길에 미끄러져 낭떠러지에 걸린 것을 자신이 용감하게 구해주는 장면도 떠올렸다.

이윽고 달궁에 도착하자, 일행은 버스에서 내려 각자 짐을 지거나 들고 걷기 시작했다. 인솔자인 전도사가 제일 앞에 섰다. 전도사는 몇 발자국 걸어가다가 어린양을 보는 듯한 눈길로 원생들을 한 번씩 뒤돌아보고, 행렬 끝에 있는 선생님과 손짓을 주고받았다. 대열의 중간쯤에 서서 걷던 그는 두껍거나 얇은 얼음 위에 덮인 하얀 눈을 보았다. 늘 보아온 풍경이기 때문에 놀랍거나 소중하게 느껴진 적은 없었지만 이번은 아니었다. 그것들이 새롭고 풍성한 의미를 가지고 그에게 다가오고 있었다. 자갈길을 따라 한참을 걸어가다가 왼쪽으로 방향을 틀자 계곡이 나타났다. 매년 여름이면 꼭 한 사람의 희생자를 내고야 만다는 마의 계곡이었다.

"자, 앞으로!"

철제다리 건너편에 도착한 전도사의 말이 계곡을 울렸다. 다리를 건너자, 소나무 숲이 나타났고 그곳을 통과하자 잠깐 한눈을 팔기라도 하면 계곡으로 곤두박질 칠 것 같은 통나무 다리가 나타났다.

"여기가 쟁반쏩니다."

소가 아니라 쏘, 라는 발음을 듣자, 그는 고향의 음침한 소를 떠올리고는 물고기 가시에 찔리거나, 물속으로 빨려 들어갈 것 같아 몸을 움츠렸다. 그렇지만 가까이 가보니 혼탁한 물웅덩이 대신 하얀 눈이 덮인 작은 호수가 거기에 있었다. 야호, 남자 원생들은 바닥에 배낭을 내려놓고 미끄럼을 타기 시작했다. 그도 한바탕 얼음을 타고 난 후 여자 원생들 사이에 앙증맞고 사랑스럽게 서 있는 성희를 보았다. 순간 그는 오직 그녀를 위해 이곳에 왔다는 생각을 했다.

그다음 나타난 것은 쟁기소였다. 그는 이번에는 두려움을 가지지 않고 원생들과 얼음을 지쳤다. 그러는 동안 주위가 어두워지고 있었다. 인솔자는 선생님에게 다가가 오늘 밤을 어떻게 보낼지 상의했다. 몇 발치 떨어진 곳에서 그가 듣기에 선생님은 원래 민박을 계획하지 않았다고 말하고 있었다.

"아무래도 날씨가 너무 추워요."

전도사의 말은 선생님의 목소리보다 커서 그에게까지 들렸다. 그가 생각하기에도 그랬다. 장난을 치고 미끄럼을 탈 때는 추운 줄 몰랐지만 기온이 떨어지는 것이 피부에 느껴졌다. 선생님은 고개를 끄덕거렸다. 괜히 사람들 고생시킬 필요가 있겠느냐는 표정이 그녀에게 떠올랐다.

"그래요, 민박집으로 가요!"

"그런데 민박집이 어디 있죠?"

그때 인솔자와 가까이에 있던 정균이 나섰다. 정균은 늘 같은 버스를 타고 학원을 오가는 다른 원생들(지리산 부락에 사는)과 마찬가지로 자신들만 믿으라고 큰소리를 쳤다.

이번에는 정균이 맨 앞에 서고, 그다음으로 인솔자와 남자 원생들, 여자 원생들 몇몇이 뒤따랐다. 그를 포함해 몇몇 남자들이 약간 뒤처져 따라오는 여자 원생들을 향해 몇 번 뒤돌아보았다.

"걱정 말고 가세요."

그때마다 누군가 소리쳤다. 약 이십 분 후 선발대는 과거 빨치산들에게 고구마나 옥수수를 내주었다고 토벌대에게 추궁당하거나 동류로 몰렸을 농가, 오랫동안 연좌제에 걸려 자식들의 출셋길로 내보내지 못했으리라는 느낌을 갖게 하는 농가를 향해 걸어갔다. 정균은 여러 채의 집들 중 제법 커 보이는 슬레이트집으로 들어갔다. 그들이 마당에 들어서자, 정균이 그 집 아들의 이름을 불렀는데 중년 아낙이 나왔다. 전도사는 아낙과 몇 마디를 주고받은 후 분명 민박을 위해 준비해 놓은 커다란 방을 가리키며 걸어갔다. 그는 일행과 함께 방안에 들어갔다가 배낭을 내려놓은 후 뒤처진 일행을 마중하기 위해 자발적으로 밖으로 나왔다. 그는 그 때까지 선생님을 돌보아야 할 일종의 의무감을 느끼고 있었다.

"오빠, 이거 하고 가요."

그가 신발 끈을 매고 막 농가를 나서려고 했을 때 성희가 방에서 나왔다. 그녀는 마당으로 달려 나와 아직 체온이 남아있는 갈색 목도리를 그의 목에 걸어 주었다. 그녀가 목도리를 매주는 동안 그는 하얀 손의 부드러운 놀림을 보고 있었다. 이 일은 내가 해야 할 의무 같은 거라고 생각해 줘. 그것을 보며 그는 중얼거렸다.

삽짝을 지나자, 어둠이 그에게 몰려왔다. 깊이를 알 수 없는 어둠 속에서 한 번씩 컹컹, 개 짖는 소리가 들렸다. 그 속을 걷는 동안 그는 감정에 의해 채색된 과거를 떠올리고 있었다. 지금껏 그에게 아주 작은 따뜻함이나 부드러움을 느끼게 해준 것은 부모가 아니라 아주 우연히 만난 몇몇 사람들이었다. 그중에는 선생님도 있었고, 성희도 있었다. 그들만이 그로 하여금 세상에서 거부당하고 있다는 느낌을 갖지 않게 해주었다.

그런데 그가 채 몇백 미터도 걷지 않았을 때, 동물이나 사람의 소리라는 착각을 불러일으켜 무서움을 자아내는 시냇물 소리와 함께 여럿이 함께 말할 때의 웅성거림이 들려왔다. 뒤처진 일행이 틀림없다고 생각한 그는 선생님, 하고 불렀다. 그러자 어둠 속에서 그를 알아본 여자 원생들의 오빠, 라는 그로서는 어색한 단어가 들려왔다. 그는 오빠라는 말을 우연히 들을 때마다 복슬복슬한 털이 나 있는 장갑이나 털 양말 같은 것을 떠올렸지만 그것이 단순한 호칭 이상은 아니라고 생각될 때마다 화가 났다. 오빠라는 말에는 그가 혐오하고, 한편으로는 갈구하는 가족의 의미가 내포되어 있었다.

잠시 후 어둠 속에서 그는 둥글어서 편안한 선생님의 얼굴을 알아보았다. 짧은 상봉의 순간이 끝나고, 민박집까지 가는 동안 그는 몇 번이나 선생님을 부축해 주고 싶은 것을 간신히 억제했다. 다른 원생들의 눈이 있었고, 성희를 의식하는 자신의 눈이 있었다. 그들은 농가 처마 밑에 달린 백열전구가 환한 빛을 비추는 곳까지 오자, 처음 이 집에 발을 들여놓았던 사람들처럼 계십니까, 하고 소리를 질렀다. 그러자 닫혀 있던 방문이 열리고 몇 사람이 모습을 드러냈다.

"무섭지 않았어요?"

전도사의 말에 선생님이 고개를 흔들었다.

"산에서는 그렇게 큰 소리를 내서는 안 돼요. 산이 놀라면 큰일입니다."

그 말에 다들 웃음을 터트렸다. 일행은 한 사람씩 댓돌 위에 신발을 벗어 놓고 방으로 들어갔다. 그도 방에 들어서서 바닥에 펴진 몇 개의 이불 밑에 발을 넣고 앉은 원생들을 둘러보았다. 그러다가 성희 옆에 바짝 앉은 정균을 본 순간 그는 그 자리에서 돌기둥이 될 뻔했다. 그는 그녀의 또 다른 옆을 보았다. 역시 다른 녀석이 차지하고 있었다. 그는 정균이 아닌 다른 녀석의 옆을 비집고 들어가 앉을까도 생각했지만 그럴 용기가 나지 않았다. 그리고 성희가 그것을 원할지도 의심스러웠다.

할 수 없이 그는 구석 자리를 차지하고 앉았다. 잠들기 전까지 그는 몇 번이나 그녀와 정균을 흘겨보았고 그때마다 부모나 다른 사람에게서 맛보았던 버림받은 기분을 맛보았다. 그러다가 그는 깜빡 잠이 들었다.

그가 다시 눈을 떴을 때는 아직 아침이 다가오지 않았다. 환한 백열전등이 그때까지 켜져 있었다. 그의 눈은 다시 그녀에게 향했다. 그녀의 머리가 뉘어져 있으리라 짐작되는 곳에서부터 이불의 불룩한 곳을 서서히 훑어 내려왔다. 그런 연후에 그는 이불 끝자락을 벗어난 네 개의 양말을 보았다. 두 개는 여자의 것이었고, 나머지 두 개는 남자의 것이었다. 그는 어떻게 된 사정인지 따져보지 않았다. 당연히 그녀와 놈의 것이라고 생각했다.

밖으로 나오자 그의 격해질 대로 격해진 감정이 화산처럼 터져 나오기 시작했다. 날 배신하다니, 날 배신하다니! 도대체 왜 이런 일이 일어났을까. 정말 놈에게 마음이 있었을까. 역신(疫神) 같은 놈에게.

그는 짐승처럼 괴성을 지르기도 하고 팔다리를 허우적거리며 미친 듯 달려가고 있었다. 그리고 그 앞에는 천 길 낭떠러지 같은 어둠이 있었다.

데자뷔 O실이

처음 그녀의 이름을 들었을 때 어쩌면 아는 사람일지 모른다 싶었다. 이름이 실로 끝나서 그랬나. 촌스럽다는 느낌과 함께. 이십 대에 만났던 여자 이름이 은실이었다. 성을 붙이면 최은실. 그 이름이 사람들을 격노하게 하는 이름과 무슨 상관이 있을까. 꼭 개 이름처럼 ○실이가 뭔가. 꼭 복실이라고 부르는 것 같지 않은가 말이다. 아, 본인이 듣는다면 나는 명예훼손으로 고소를 당하게 될지도 모른다. 왠지 그녀는 그러고도 남을 사람이라는 생각이 들지 않은가. 매스컴의 영향 때문에 그럴 수도 있다고? 그럴 수도 있지만 검찰에서 발표된 사실관계만 생각해 보아도 그녀는 분명히 그럴 만하다는 생각이 든다.

요즘 팩트라고 하는 말도 유행이지 않은가. 아직 일어나지 않은 일에 대해 말하는 것이 아니지 않은가. 그러나 그녀는 내게 고소하기 힘들 것이다. 많은 국민들을 모조리 잡아넣을 힘이 이제 그녀에게는 없다. 아니, 그 ○실이가 아니고, 은실이라는 여자와는 어떻게 됐냐고요? 이렇게 묻는 독자가 있을지 모른다.

천천히 생각해 본다. 벌써 삼십 년 전에 만난 여자를 어떻게 쉽사리 기억해 낼 수 있을 것인가. 자신이 저지른 일도 모르는 체 시치미를 떼거나 전혀 기억나지 않는다고 모르쇠로 일관하는 피의자도 있는데 말이다. 어쩌면 그들은 사이코패스일지 모른다고 누가 말했다. 여기서 누가, 라는 말이 중요하다. 나는 그 사람의 명예를 지켜주어야 할 것 같아서이다. 내가 좀 이상해지기는 했다. 전 국민이 그렇게 되었는지 어쨌는지 모르지만 법률용어가 서슴없이 흘러나오다니.

은실이는 키가 좀 작고 귀여운 여자였다. 그때 막 스물을 넘긴 충청도 서산의 여자. 그녀를 알게 된 곳은 사진관이었다. 나는 어쩌다 한 번씩 사진 현상을 맡기기 위해 경찰서 옆 지하의 아케이드 사진관에 다녔다. 신병이 올 때마다 사진을 찍어 중대장실에 붙여 두었고, 행사 사진이 있을 때마다 찍어서 본부에 보고했다. 언제부터 필름 봉투 속에 편지를 넣게 되었는지는 모른다. 어느 날부터인가 나는 노란색과 붉은색이 섞인 봉투 안에 필름과 편지를 넣었다. 그녀에게 사랑을 고백하는 편지였다. 무어라고 썼는지는 기억이 나지 않는다. 물론 증거가 남아있을 리 없다. 우리는 얼마 뒤 헤어졌고 다시 만난 일이 없으니까. 처음에는 그녀도 호감이 있는 듯했다. 그러지 않았다면 함께 경찰서 주변을 걷다가 다방으로 들어가지는 않았을 것이다.

내가 6층 행정실을 나와 계단을 내려오는 장면이 떠오른다. 우리 중대는 늘 그 계단으로 이동했으니까. 봉투를 들고 내려오며 얼마나 가슴이 뛰었던가. 어떤 시인의 말처럼 그때 나는 가슴이 뛰는 일을 하고 있었다. 앞으로 어떻게 될지 모르고, 상처를 받을지도 모르지만 나는 속에서 원하는 일을 하고 있는 중이었다. 사랑을 아니, 연애를 해 본 사람은 알겠지만 내부에 불이 붙으면 그것은 쉽사리 꺼지지 않는다. 그녀가 주는 느낌이나 분위기, 말투, 어떤 식으론가 다가오는 부드러운 연료들이 불을 꺼지지 않게 한다. 그것들이 계속 주어지는 동안에는 불이 꺼지지 않는다. 그러나 연료가 들쑥날쑥하면서 불은 위태로워지고, 날카로운 말이나 차가운 태도에도 금세 꺼져버린다. 내 속에 쌓인 재들은 딱딱하게 굳고 내 속에 온갖 상처들을 그린다. 나는 어찌할 줄 모르고 그것들이 요동치는 것을 괴롭게 느낄 따름이고 시간이 얼마나 필요한지는 앞에서 말한 것처럼 타올랐던 불 만큼이다. 그 시간만큼 지나면 진물이 흐르던 상처에 딱지가 앉기 시작하고 나는 제정신으로 돌아와 언제 그런 시절이 있었던가 떠올리게 된다. 그러나 자신도 모르게 상처를 건드리는 곳에 가게 되거나, 영화나 텔레비전에서 꼭 나를 찌르는 장면이나 대사를 만나 소스라치게 놀란다.

나는 그녀의 어떤 점이 마음에 들었는지 기억나지 않는다. 어떻게 생겼는지도 기억나지 않는다. 했던 말도 어떤 옷을 입었는지도 기억나지 않는다. 단지 우리를 둘러싸고 있던 배치물들이 떠오를 따름이다. 이미지만 남았다고 해도 맞을 것 같다. 그러나 법정에 가서 그것을 증언하라고 한다면 기억나지 않는다고 말할 수밖에 없다. 그러나 내가 최순실을 비롯한 싸이코패스들을 옹호한다고 생각지는 말아주시기를 빈다. 내가 그들을 옹호해야 할 하등 이유가 없기 때문이다. 그들은 내게 행복감을 주었던 것도 아니고, 손을 잡아 주며 위로의 말을 해준 적이 없다. 오히려 그들은 내게 공포감을 준다. 내가 맘에 들지 않는다고 말이라도 할라고 치면 꼭 무슨 해코지를 당할 것 같은 공포

아무튼 난 기억이 나지 않는다. 그녀가 아케이드 사진관에서 일했다는

것밖에 알지 못한다. 단지 커피를 한 잔 마셨을 뿐이고, 두 번도 만나지 않았다. 함께 술을 마시거나 밤을 보내지도 않았다. 우리는 돈을 빌리거나 주고받은 적도 없다. 우리는 그냥 지나가는 연인이었을 따름이다. 아, 그녀와 헤어질 때가 생각난다. 그녀는 아마 내게 관심이 없었던 것 같다. 첫 만남 이후로 그녀는 내게 더욱 무관심해졌다. 봉투 안에 몰래 편지를 넣어 가지고 가도 표정의 변화를 읽지 못했다. 어쩌면 주인의 눈치 때문이 아닐까 생각도 해보았지만 그녀는 내게 관심이 없었다. 이때 만약 저는 당신에게 관심이 없어요, 라고 말해주었다면 나는 사진관을 찾아가지 않았을 것이다. 그랬다면 그렇게 창피한 일은 일어나지 않았을 것이다. 전화나 편지라도 좋았을 것이다. 제 스타일이 아니에요. 이 정도는 아니라도 좋다. 사람의 만남이란 억지로 되는 것이 아니지 않나요. 또 인연이 있거든 만나겠지요. 이렇게 메시지를 전달했다면 나는 사진관에 찾아가 행패를 부리지 않았을 것이다. 그녀도 어쩌면 할 말이 있을 것이다. 꼭 말로 해야 하나요. 전화를 해도 받지 않거나, 편지 연락이 없으면 그건 끝난 거예요. 꼭 말로 해야 하는 것은 아니에요. 당신은 쿨하지 못하군요. 난 화끈한 사람이 좋아요.

그날 사진관에 찾아가서 나는 하지 않아도 좋을 말을 했다. 우리는 어떤 의무감도 없고, 그냥 헤어지면 그만이었지만 이 말은 꼭 하기로 했다. 그 말을 하는 내 모습이 떠오른다. 그렇게 욱하는 모습에 사람들은 다들 놀랐다. 평소의 내 모습과는 너무 달랐기에.

왜 이렇게 사람을 힘들게 합니까? 싫으면 싫다고 말해요. 왜 그런 말을 못해요.

아마 큰소리였을 것이다. 그녀는 겁에 질렸고, 나는 무슨 짓을 내가 하고 있는지 몰랐다. 주인 여자의 얼굴이 슬쩍 보였다. 그녀가 그쪽 눈치를 보았기에.

그 이상은 행패를 부리지 않았다. 그 길로 나는 문을 열고 나왔다. 그리고 그 뒤로 그녀를 다시는 생각지 않았다. 그런데 텔레비전에 등장한 O실이라는 이름이 그녀를 떠오르게 한다. 복실이가 아닌 O실이. 은실이가 아닌 O실이. 처음에는 죽을 죄를 지었다고 말했지만 나중에는 안면을 바꾼 뻔뻔스런 여자. 우짜라고? 내가 뭘 했다고 그러는데? 그래도 이렇게 글을 쓰는 것이 겁이 난다. 난 공포에 길들여 있나 보다. 그녀가 무슨 짓을 해서 나 같은 소시민을 쥐도 새도 모르게 없앨 수도 있지 않은가 말이다. 하지만 대통령도 아니고 O실이인데.

가만, 아니다! 은실이가 아니라 대학병원에서 일할 때 만난 여자. 병실을 청소하던 그 여자의 모습과 많이 닮지 않았는가. 그다지 키가 크지 않고, 하얀 피부에 검은 테 안경을 쓴 삼백안의 오십 대 여자. 맞다. 그녀와 어쩌면 그렇게 닮았을까.

기억을 더듬어 보자. 하지만 그 기억이 과연 그대로 존재하고 있을까. 흐릿하고 몽롱한 것은 둘째 치고 나는 어쩌면 내 입맛에 맞게 과거를 조작하지는 않았을까. 이미 그때의 내 세포는 이미 새로운 세포로 바뀌었을 터이고, 과거의 나는 내가 아닐 수도 있으니 말이다.

그녀의 모습이 먼저 떠오르고 지나간 일들이 길가의 전봇대처럼 쑥 지나갔다. 아주 빠르게. 그런 후 그때 일을 상기하기 위해 공책을 꺼냈다. 메모지가 아니라 습작 삼아 써 놓은 글이었다. 겉장에는 긴 막대에 봇짐을 둘러멘 아이가 서 있었다. 모자를 쓰고 원피스를 입은 여덟 살 정도의 아이. 커 보이는 하늘색 운동화. pack up and leave. 언제부터 공책에 영어를 쓰기 시작했을까. 우리는 이것을 읽거나 가요 속에 영어 가사를 넣기 위해 영어를 배운 것일까. 아래의 글은 그때 써 놓은 것이다.

육 개월 전에 만난 그 사람이 문득 문자를 보냈다. 보험 청구를 위해 자료가 필요하다고. 간병인 신분증을 복사해서 보내달라고. 에이, 정말 귀찮다. 이미 한 번 복사해 주었는데 분실한 것 같다고. 에이, 투덜거리면서 이제 그 일을 하지 않는다고 말한 후 전화를 끊었다.

처음부터 얄밉다는 생각은 하지 않았다. 그럴 필요는 없지 않은가. 우리는 생면부지 상태에서 간병인과 환자로 만났다. 병실 문을 두드리고 안으로 들어갔을 때 그는 한 남자와 같이 있었다. 치아를 새로 해 넣은 남자는 보조 침대에 앉아 있다가 자리에서 일어났다. 나는 간병인임을 밝히고 인사를 했다. 그때 침대에 앉은 남자가 눈에 들어왔다. 그가 바로 내가 담당할 환자였다.

"골프장에 갔었어요. 거래업체 사장님들하고 골프도 한 번씩 쳐야 하니까. 내가 하는 일이 그렇다 보니까."

말하는 중간 그는 한 번씩 인상을 쓰며 통증을 호소했다. 나는 환자를 선택할 권리가 거의 없었다. 그가 잘생겼든 못생겼든, 돈이 있든 없든 특별한 사정이 생길 때까지 그 환자를 돌보아야 했다. 여기서 특별한 사정에는 여러 가지가 있다. 환자가 나를 거부하던가, 아니면 갑작스럽게 중환자실로 가든가 하는 것들이다.

"공이 바위가 있는 곳 쪽으로 날아가 버렸거든요. 어떻게 해요. 공을 주우러 가는 것을 쳐다만 보고 있을 수도 없고 나도 같이 가야지. 원래 골프장을 이렇게 만들면 안 되거든요. 골프장에서 보험 처리를 해주기로 했으니까 걱정은 안 하지만. 아, 그리고 내가 들어 놓은 보험에서 간병비도 나오니까 아무 걱정하지 말고요."

그는 나와 비슷한 또래였다. 환자 이름표와 나이를 보았다. 나보다 한 살이 많았다. 나와 같은 또래 사람이니까. 친구라고 생각하고 간병할 수도 있었다. 뭐, 내가 하는 일이 이런 것이니까.

"거기 올라갔다가 발을 잘못 디뎌 밑으로 떨어졌는데 엉덩이뼈가 산산조각이 나버렸어요. 119구급차 타고 병원으로 온 거지요."

잠시 후 한 여자가 다가왔다. 키 크고 마른 여자였다. 어딘지 모르게 시대에 뒤떨어진 옷을 입은 여자는 내게 다가오더니 인사를 한 후 말했다.

"잘 좀 부탁드립니다. 제가 직장에 다녀서 간병할 수가 없어요. 양치질도 잘해주시고 여기 물병이 있으니까 물도 잘 갖다주시고요."

그녀의 얼굴을 보았다. 낯선 사람이 하는 말이라 쉽게 받아들여지지 않는다. 그녀가 어떤 마음인지 짐작도 되지 않는다. 그 직후 그녀는 미덥지 않은 표정으로 내게 말했다.

"움직이지 못하니까 여러 가지 해줄 게 많아요. 부탁 좀 잘 드립니다."

곧 두 사람은 사라졌고, 나는 그와 2인실에서 살게 되었다.

그는 어디선가 보았던 사람의 모습이었다. 안경을 쓰고 얼굴이 넓고, 눈동자는 갈색이었다. 누구의 모습과 닮았지. 알 수 없었지만 친숙한 느낌을 주었다.

나는 간병인이었다. 그런데 어떻게 그녀를 만나게 되었을까. 가만히 기억을 더듬어 보았다. 환자는 조각난 엉덩이뼈를 맞추는 수술을 받았다. 그동안 보호자인 여자와 나는 환자가 나오기를 기다리며 오전을 보냈다. 환자가 나온 것은 두 시 무렵이었다. 수술실에서 나온 환자는 병실을 옮겼다. 2인실이 아니라 6인실이었다. 대부분이 인공관절 수술을 받은 정형외과 교수가 집도한 환자들이었다. 회복까지 걸리는 시간은 대략 3주 동안이었지만 간병할 사람이 옆에 있어야 했다. 24시간 환자 옆에 붙어서 간호하고, 하루에 8만 원. 환자에게는 부담되는 일이라고 생각할 수도 있었지만 내게는 적은 돈이었다. 내 돈으로 밥 사 먹고, 잠은 보조 침대에서 자야 하니 보통 고역이 아니었다. 햇반으로 밥을 대신하고 김치나 먹을 뿐, 국이나 찌개를 먹을 수도 없고. 그러나 환자 보호자들은 그런 것에는 아랑곳하지 않는다. 환자를 잘 부탁드린다고만 할 뿐 그런 것에 신경을 써주지 않는다. 그들은 생돈을 들여 간병을 붙였다고만 생각할 뿐이다. 그들의 생각에 그럴 만도 하다고 생각하다가도 내가 혹시 병원에 입원해도 간병인을 붙일 수 없다는 것은 누가 봐도 서글픈 일이 아닐 수 없었다. 뭐 무슨 상관이 있겠어. 나는 좋은 일하고 돈을 벌기만 하면 된다. 나나 가족이 병에 걸리거나, 이런 대학병원에 입원하는 것은 아직 일어나지 않는 일. 그러니 굳이 걱정할 일이 아니었다.

진심으로 걱정이 되기도 했지만 환자를 기다리는 동안은 지루했다. 환자의 아내는 나와 비슷한 나이였지만 키가 크고 수수한 여자였다. 아니 신차는 가지고 있었지만 꾸미거나 화장하는 데는 관심이 없어 보였다. 그녀는 자리에 앉아 수술 과정을 알리는 안내를 전광판으로 보고 있었다. 아무 말이 없었다. 나는 대기실에 있다가 밖으로 나와 거대한 병원

건물을 보았다. 100억 원을 기부한 사람부터 소액을 기부한 사람까지 많은 사람의 기부로 이루어진 병원이었다. 대학병원 안에 어린이병원, 한방병원까지 통로로 연결된 현대의학이 자리 잡고 있었다. 부산히 현관문을 들락거리는 사람들을 보다가 문득 이 거대한 건물을 어떻게 유지할 수 있을까 하는 걱정이 들었다. 흡사 괴물, 아니 불가사리처럼 많은 것을 먹어 치워야만 생존이 가능한 건물이 아닐까. 애초부터 나는 걱정이 많은 인간인가. 아니야, 생각을 많이 하는 인간이다. 그래서 활동적이지 못하고, 현실에 어두워 여유롭게 살기는 틀렸다.

오후쯤에야 환자가 나왔다. 환자는 곧 정신이 든 모습을 보여주었다. 나는 환자 침대를 따라 육 층으로 올라갔다. 누구의 입에서 나왔는지 모르지만 환자는 수술이 잘 되었다고 했다. 보호자인 환자의 아내 입에서 나왔을까. 수술이 잘 되었지만 결과가 나빠 죽는 환자는 무엇인가.

얼마 후 의사가 와서 조각난 뼈는 잘 붙여놓았으니 당분간 아주 조심해야 한다고 말했다. 그는 키가 크고 목소리에 힘이 있었다. 같이 온 의사들도 모두 그에게 복종하는 것으로 보아 그가 정형외과 분야의 권위자였다.

"아, 간병인은 붙였습니까?"

"아, 예 그렇습니다."

의사는 내가 입은 하늘색 간병인 티를 보았다.

"서면에 있는 간병협회지요?"

"네."

"간병인 역할이 아주 중요합니다."

"네."

생각해 보면 나는 그의 부하가 아니었다. 나는 환자에게 고용되어 일을 할 뿐이며, 병원과는 아무 상관이 없었다. 간병협회 회장은 우리들이 병원의 의사나 환자의 명령을 따를 의무가 있다고 했지만 아무리 생각해도 이해가 가지 않는 대목이었다. 아 협약인가 뭔가 있다고 하긴 했다. 그러나 그는 내게 아무 명령할 권한이 없었다. 내가 어리석은가. 간병인협회에서 교육받을 때 잘못 받았나. 겨우 일주일 공부하고 그게 무슨 교육이야, 교육이. 우린 노동자일 뿐이야.

환자의 아내가 가고 난 후 나와 환자가 단둘이 있는 시간이 늘어났다. 다른 환자들에 비하면 그리 할 일이 많은 것이 아니었다. 환자의 변을 처리해야 하는 것도 아니었고, 야간에도 일어나 소변 체크를 해야 하는 것도 아니었다. 그가 움직일 수 없으니 소변을 받아내고, 세숫물과 양칫물을 떠 오면 되는 것이었다. 배식차가 오면 식사를 챙겨주고, 같이 환자 식탁에 앉아 반찬을 얻어먹었다. 이건 아무 환자나 그런 것은 아니었다. 그런 점에서 환자는 나보다 두어 살 많았지만 친구처럼 친하게 지냈다.

그는 머리에 가르마를 타고 안경을 썼지만 멋지게 보이는 남자였다. 말하는 것도 유창했다. 그가 전화를 통해 자신이 골프장에서 떨어져 사고가 났음을 알렸고 사람들이 하나씩 둘씩 나타났다. 알고 보니 그는 발이 아주 넓은 사람이었고, 수출포장 하는 회사의 이사였다. 매일 보고서나 견적서를 들고 직원들이 찾아왔다. 그는 매우 능력 있는 사람으로 보였다. 주위에 있는 사람들도 우리 쪽을 늘 보고 있었다. 사람들이 찾아오면 늘 환자에게 좋을 것 같은 먹을 것을 들고 왔고, 먹다가 남으면 환자는 주위에 나누어 주었다. 덕분에 우리가 호강하네요, 다들 그렇게 말했다.

우리 맞은편에는 밀양에서 면장을 하다가 퇴직한 영감이 관절 수술을 받고 누워 있었다. 머리가 하얗게 세었지만 체구가 크고 목소리도 칼칼한 것이 대하기 어렵다는 느낌이 드는 환자였다. 그는 자신이 면장이었을 때 일어난 일을 곧잘 말했다.

그에게 붙은 간병인은 작고 귀여워 보이지만 환자를 자기 뜻대로 움직이려 드는 여자였다. 그럴 만하기도 했다. 그녀는 오로지 6층 병동에서 많은 환자를 간병해 왔다. 인공 무릎 수술을 담당하는 교수도 그런 간병인들이 특히 필요했다. 까다로운 지식은 아니었지만 몇 가지 조심해야 할 것이나 회복 운동을 알고 있어야 인공관절이 빠져 재수술하는 사고를 막을 수 있었기 때문이다.

창가에 누운 환자는 제지공장에서 퇴직한 후 농사를 짓던 농부였다. 그는 대학병원 의사들이 환자의 뜻과 상관없이 각종 검사를 하는 것으로 시간을 보낸다고 진료를 거부하기도 했다. 그래서 몇 번이나 의사나 간호사들이 가져온 기계들을 밀어내기도 했다.

'이런 것들이 뭔 소용이 있어요. 나는 기운이 없어 쓰러져 온 건데 치료는 안 해주고 자꾸 쓸데없는 검사만 하고 있어요. 내가 돈이 많은 것도 아니고 시키는 대로 어찌 검사를 다 하고 있어요.'

그는 의사에게 고분고분한 정형외과 환자들과 달라 보였다. 옆에 간병하는 사람은 부인이었다. 그녀는 체구가 크고 복스러웠다. 그녀는 자신이 얼마나 일을 잘하는지 자랑했다.

'내가 다른 사람들하고 같이 일하면 두 배는 더 해요. 이건 내 자랑이어서가 아닙니다.'

그들은 곧 병원을 떠났다. 수술할 필요도 없었고, 환자가 반대한 이상 검사할 게 없었다.

그들 위에 그 침상에 눕게 된 남자는 역시 인공관절 수술을 받게 된 남자였고, 간병인은 그녀의 부인이었다. 그녀는 수술을 앞두고 매우 걱정했다. 하늘이 노랗게 될 만큼 그랬다. 수술 과정에 대해서도 몰랐고, 그 이후의 간병이나 조심할 것도 몰랐다.

이때 내가 가만히 있었다면 면장의 간병인과 다투게 되지 않았을 것이다. 처음에는 무엇이 그녀의 심기를 거스르게 했는지 몰랐다. 그녀의 협회 동료들이 6층에 포진해 있으며 의사의 신뢰가 두터워 다른 협회에서 파고들기 힘들다는 것을 몰랐다.

어찌 보면 나는 적진에 들어온 셈이었다. 나는 그들과는 다른 협회에 소속되어 있었고, 게다가 초짜였다. 간병하는 그녀에게 배울 것도 많았다. 그들끼리는 환자를 위한 교육을 자체적으로 하기도 했다.

'침대에서 내려올 때는 특히 조심해야 해요. 다리를 모아서 방향을 돌려야 합니다. 그런 다음 휠체어에 앉고, 한 번 관리를 잘못해 관절이 빠지면 큰일 납니다. 저번에도 그런 환자가 있었는데 교수님은 교수님대로 환자는 환자대로, 우리 간병인은 간병인대로 서로 힘들었지요.'

그녀는 때때로 휴게소에서 텔레비전을 보기 위해 자리를 비웠다. 영감이 소변을 누고 싶다고 말하는 것을 도와주었다가 한 번은 그녀에게 좋지 못한 말을 듣기도 했다. 이해할 수 없는 노릇이지만 도와줄 수도 있는 일 아닌가. 그녀는 반드시 자신을 불러달라고 말했다. 침대를 세워 달라고 했을 때도 그랬다. 그거 뭐 어려운 일이라고, 거절할 까닭이 없었지만 나와 영감은 둘 다 그녀에게 안 좋은 말을 들어야 했다.

'왜 저쪽 간병인을 불러요? 저를 불러야지요.'라고 영감에게 말했고, 나에게도 그랬다. '앞으로는 해달라고 해도 해주지 마세요, 제가 하는 일이니까 급하면 저를 불러 주세요.' 기가 막혔지만 하는 수 없었다.

내 환자는 그리 돌봐줄 것이 없었다. 나중에 운동 기계를 통한 재활이 기다리고 있었지만 얼마 동안은 누워 있기만 하면 되었다. 잠시 앉아 있는 것도 허용되었다. 회사 직원들이 거의 매일 찾아오면 그는 일을 지시하고, 찾아오는 거래처 손님들을 맞았다. 나는 그 옆에서 시중을 들거나 부조금을 받아 열쇠가 달린 캐비닛에 넣어 주었다. 그는 곳곳에 전화한 후, 병원에 입원하게 된 사정을 늘어놓았고, 마지막에는 안 와도 된다는 말을 꼭 덧붙였다. 거래처에는 당분간 일을 하지 못하게 되었다고, 알고만 있으라고 은근히 알렸다. 굳이 먹고 싶은 것이 있냐고 물으면 솔직하게 뭐가 먹고 싶은 것을 말하기도 했다. 내가 할 일은 그들이 사 온 음식을 같이 먹기도 하고, 다른 환자들에게 나누어주는 것이었다. 환자 보호자가 올 때마다 남는 음식을 모아 집으로 보내기도 했다.

어쩌다 한 번씩 젊은 여자, 이십 대로 보이는 아가씨가 찾아왔는데 한눈에도 부유해 보였다. 거래처 직원인가 생각했는데 그건 아니었다. 친척이나 친구가 아닐까?

아무튼 그녀가 오면 나로서도 반가웠다. 그녀는 아직 예쁘고 젊어 보였다. 애교스럽기도 하고 어쩌면 나하고도 친하게 지낼 수 있어 보였다. 내 나이 반밖에 보이지 않지만, 왜 어디에 보면 이상한 로맨스도 있지 않은가. 그러나 내 환상은 엉뚱한 것이었다. 둘은 커튼을 치고 한 번씩 나에게 잠시 밖에 나갔다 와 달라고 주문했다. 나는 이의 없이 그녀가 사 온 전복을 손에 든 채 자리를 비워주었다. 이럴 때 알 수 없이 이상한 감정이 나를 스치고 지나갔지만 잠시뿐이었다. 나는 그녀의 야릇한 향수에 홀렸을 따름이었다.

'간혹 우리는 잘 얻어먹어서 좋은데 저걸 어째. 마누라가 한 번씩 오는 키 큰 여자 맞제?'

맞은편 환자 보호자가 내게 말을 건네 오면 내 가슴이 울렁거렸다. 5인실 병실 안에서 비밀이 있을 리 없었다. 둘이 커튼 안에서 무엇을 했는지, 무슨 말을 주고받았는지도 그들은 알고 있었다. 아마 옆 침상에 새로 들어온 젊은 남녀는 모를 수도 있었다. 그들은 친밀한 젊은 부부였다.

"나이도 얼마 되지 않으신 것 같은데 무릎 연골이 다 닳을 수도 있어요?" 내 말에 환자는 말했다.

"제가 일을 워낙 좋아합니다. 일도 많이 하지만 잠시도 쉴 때가 없어요, 이 사람도 알아요." 그의 아내는 아담했지만 귀여웠고 말하는 것이 다소곳했다. 자세히 보지 않아도 둘은 알콩달콩 행복해 보였다. 옆에서 내 환자가 무슨 일을 벌여도 신경 쓰지 않을 것처럼 보였다.

"김 여사, 김 여사!"

맞은편에 있는 영감이 내가 코 고는 것을 말하면 어쩌나 걱정했지만 그는 다른 것에 신경 쓸 겨를이 없었다. 영감은 수시로 간병인을 불렀지만 간혹 그녀는 가까운 곳에 있지 않았다. 영감은 늘 애타게 간병인을 부르는 영감이 마음에 쓰였지만 대신해 줄 처지가 아니었다. 그랬다가 김 여사에게 어떤 지청구를 먹을지 몰랐다.

그녀는 여러 면에서 고수였다. 나는 환자가 오줌을 누고 싶다고 말하면 병을 찾아다 주고, 잠시 기다렸다가 그것을 받아 비우고 잤지만 그녀는 아니었다. 그녀는 아예 환자 오른손 밑에 병을 걸어두고 아침까지 잤다. 그것이 부러웠지만 내가 따라 하기는 좀 그랬다. 아니 그 정도는 내가 해야 할 부분이라고 생각했다.

"간병인을 써야할지 어쩔지 모르겠어요." 창가 환자의 보호자가 내게 물었을 때 나는 이렇게 말해주었다.

"몇 가지 조심해야 할 점이 있기는 해요. 하지만 그다지 어렵지는 않아요. 관절 수술하고 조금만 잘못해도 빠지고 어찌할 줄 모르게 경황이 없겠지만 굳이 쓸 필요는 없습니다."

내가 왜 그렇게 말했는지 모른다. 옆 침상 보호자가 물었을 때도 그렇게 말했으니 맞은편 김 여사가 나를 어떻게 생각했을까. 생각만 해도 아찔하다. 아무튼 나는 그들에게 그 말을 하지 않았어야 했다. 김 여사는 성깔이 있는 여자였다. 아침에 커튼을 마음대로 열어젖히기도 하는 카리스마 있는 여자였다. 그때 등장한 것이 최O실을 닮은 청소하는 여자였다. 그다지 키가 크지 않고, 하얀 피부에 검은 테 안경을 쓴 삼백안의 오십 대 여자. 맞다. 그녀와 어쩌면 그렇게 닮았을까. 나는 처음에 그녀와 잘 지내려고 했다. 음료수를 건네기도 하고, 대신 걸레질을 해주기도 했다. 내가 다른 이들에 비해 나이 어리고, 건강한 남자라는 이유도 있지만 우리는 같은 처지였다.

그런 어느 날 그녀가 나를 공격해 들어왔다.

"누가 화장실에서 샤워를 했어요?"

그 말에 나는 멍하니 그녀의 입을 보았다. 다른 사람들도 마찬가지로 청소하다 말고 나와서 떠드는 그녀의 거센 몸짓을 보았다. 하얀 얼굴에 검은 테 안경, 연한 붉은 입술. 가만 생각해 보니 거기에서 수건을 빨고

샤워를 할 사람은 나밖에 없었다. 다들 환자 아니면 여자들이었다. 여자들은 대부분 샤워실을 사용했다.

"벽에 곰팡이가 앉았는데 청소를 해야지요."

나는 그녀가 왜 나를 걸고넘어지는지 그때는 몰랐다. 뭔가 이상하다고 생각했을 뿐 김 여사가 그녀를 꼬드겼다는 것도 몰랐다. 창가의 보호자가 말해주기 전까지는 말이다.

내가 아무 말이 없자, 그녀는 밖으로 나갔다.

"병실에 딸린 화장실 청소하는 것은 자기 일인데 왜 그러지?"

보고 있던 내 환자도 고개를 갸우뚱했다.

"제 말이 그 말입니다."

그렇게 말하면서도 나는 그녀에게 미운 생각이 들지 않았다. 서운함이 들었을 따름이다.

회복기에 있던 내 환자를 찾아온 여자 친구와 식사를 하기 위해 나간 후였다. 창가에 있던 환자 보호자가 나를 불러냈다.

"어쩌면 좋지? 돈도 많고 잘생긴 환자가 왜 저러는지 모르겠네."

그녀의 말에 나도 고개를 끄덕였다.

"마누라가 알면 어쩐다지?"

"글쎄 말입니다. 제가 말할 수도 없고."

"그러면 큰일 납니다. 큰일 나. 근데 그게 아니고 저 김 여사가 못된 여자야. 청소하는 여자한테 시키는 것을 내가 봤어. 그래서 내가 김 여사한테 그러지 말라고 심하게 했어."

"그래서요?"

"안 그런다고 하더라고. 그러더니 지 맘대로 하네."

얼마 전에 탄핵이 결정된 후 O실이는 대성통곡을 했다고 들었다. 나는 그녀가 어떤 일을 했는지 뉴스를 통해 알고 있다. 그녀가 일반 사람들과 무엇이 다르랴. 정도는 다를 뿐 다른 사람들처럼 탐욕 속에서 살아왔을 뿐이다. 그녀와 함께 행동했던 전 대통령은 여전히 자신의 잘못에 대해 인정하지 않고 있다. 자신으로 인해 얼마나 국민이 고통을 받았는지에 대해서도 말하지 않고, 탄핵 반대 시위 중에 죽은 세 사람에 대해 미안함도 표명하지 않고 있다. 이제 O실이는 어떤 삶을 살아야 할까.

마지막으로 병원을 떠나오면서 김 여사를 벌주자고 한 건 면장이었다. 그는 간병인이 제 마음대로 행동해서 많은 고통을 받았다고 말했다.

"수간호사나 의사 선생님한테 이야기해서 다시는 이런 일을 하지 못하게 해야 해요. 나는 이런 사람 첨입니다."

"그럴 필요까지 있어요?"

내 환자가 그렇게 말했다. 어딜 가나 이렇게 말하는 사람이 있기 마련이다. 제 맘대로 하는 사람을 보고도.

"한 번씩은 그래야 합니다."

내 말에 내 환자가 놀란 눈으로 나를 보았다.

야광시계

운동장이 떠나갈 듯한 아이들 함성. 시작종이 울릴 때까지 아이들은 놀이와 장난을 멈추지 않는다. 땅에서 아지랑이가 피어오르는 봄에도 그렇고 강렬하게 태양 빛이 내리쬐는 여름에도 그렇다. 아이들은 언제까지나 운동장에서 살 것이다.

우영은 잘 알지도 못하는 다른 반 아이를 유심히 지켜보았다. 그 아이는 키가 작지는 않았지만 허약하고 겁이 많아 아이들 놀이에 끼어들지 못했다. 교실에만 들어가면 아이들이 부러워하고 떠받드는 수재인데.

우영아, 거기서 뭐 하니? 빨리 안 오고.

그 아이를 부러움과 시샘으로 지켜보던 우영은 오징어 놀이를 하는 아이들 속으로 뛰어갔다. 벌써 한 판이 끝나고 새로운 판이 시작되었다. 우영은 단 한 번 그 아이를 이겨 그달에 최우수 성적을 올린 학생에게 주는 야광 사발시계를 뺏어온 적이 있었다. 두 개의 바늘과 숫자판에 푸르스름한 형광물질이 입혀져 밤에도 시각을 알 수 있는, 딸깍거리는 소리가 또렷하게 들리는 태엽 시계. 게다가 거기에는 영애의 이름이 새겨

져 있었다.

　우영의 앞에는 하급 기수인 김 일경이 긴 다리를 키 높이 앵글 선반에 올리고 있다. 두 손은 자연히 아래에서 바닥을 짚고 있는네 후늘거렸다. 곤욕스러운 표정을 짓고 있을 뿐 아니라 숨을 헐떡였다. 짧은 말총 머리카락이 붙은 머리에서는 땀이 바닥으로 흘러내리고.

　우영은 김 일경이 그 아이를 생각나게 하는지 알 수 없다. 김 일경 첫인상에서 그 아이 얼굴을 겹쳐 본 순간의 섬뜩함을 잊을 수 없다. 거만한 눈초리, 남을 쉽게 깔아뭉개려는 성질, 허약하지만 큰 키, 이런 것 때문일까.

　그가 김 일경을 처음 만난 곳은 중대원들이 휴게소로 사용하는 비닐 소파 앞에서였다. 그때 김 일경은 다리에 깁스하고, 옆에는 두 개의 목발이 놓였다. 아마 그는 자신의 아버지를 기다리고 있었을 것이다. 소문대로라면 그의 아버지는 신도일보 본부장이어서 중대장 정도는 쉽게 요리할 수 있는 처지였다. 김 일경이 외박 나갔다가 제시간에 들어오지 않은 것 정도는 쉽게 해결해 줄 수 있었다.

　김 일경이 소파에 앉아 있는 것을 흘낏 본 중대원들은 뒤돌아서서 치를 떠는 표정을 지으면서도 비웃었다. 그들이 치를 떤 것은 김 일경 미귀로 인해 중대 전체에 공포 분위기가 조성되고, 상급 기수에게 죽지 않을 만큼 얻어맞았기 때문이고 그들이 웃은 것은 깁스를 까볼 수는 없지만 분명 그것이 가짜임을 간파해서였다.

　그때 누군가 닫혀 있던 창고 문을 열고 안을 들여다본다. 우영의 직속 고참인 노 상경이다. 그는 어찌 보면 남자답고 화끈했지만 주변의 여자들과 난잡한 관계를 맺고 있는 술주정뱅이기도 했다. 그는 우영과 김 일경을 한 번씩 보더니 씩 웃고는 문을 닫고 가버렸다. 그는 웃을 때마다 윗입술이 뒤집힌다. 이것은 노상경도 우영에게 바라던 바였을 것이다. 그간 노 상경도 김 일경에게서 한시도 눈을 떼지 못하고 있었다. 노상경이 가버리고 나자 우영은 부끄러운 생각이 들었다. 이런 것은 우영이 바라던 바가 아니었다. 이 사회에서 통용되고 권장되는 행동이었지만 이곳을 나가면 누구도 이해할 수 없는 폭력이었다. 좀 떳떳하지 못해. 구타를 하지는 않았지만. 김 일경에게 그만 일어나라고 할까 우영은 망설였다. 이 정도면 자신이 한 짓에 대한 대가를 충분히 치렀어. 더 이상 '오징어 말리기'를 한다는 것은 그의 체력상으로도 무리야. 그러다가 엉겨붙을 수도 있지. 둘밖에 없으니까 더 쉬울 거고. 그때 문득 노 상경이 한 말이 떠오른다.

사람이 나처럼 할 짓도 안 하면서 부하들을 쥐 잡듯이 잡아도 안 되지만, 너처럼 할 일 다 하면서 무르게 졸병을 대하면 넌, 고참 돼서 고생한다. 사람이라는 게 얼마나 간사한 동물인지 김 일경을 보면 알 거다. 만약에 네가 이대로 애들을 감싸고돌기만 하면 너는 분명히 그렇게 된다. 나중에 나 제대하면 봐 봐라. 그렇게 안 되면 내가 손에 장이라도 지질 거다.

마침내 김 일경 다리가 바닥으로 후두두 떨어진다. 체력이 한계에 다다른 것이다. 우영은 노상경이 곧잘 쓰는 말처럼 '남자 자식이 그것도 못 해?'라고 말하려다 그만둔다. 남자이기 때문에 모든 것이 가능하다는 말은 지나친 억지에다가 허세일 뿐이다. 다리를 다시 올리라고 할까 어쩔까 망설이고 있을 때 김 일경의 흐느끼는 소리가 들려온다. 형광등 불빛 아래 보이는 그는 눈만 퀭한 마른 모습으로 땀과 눈물이 한데 섞여 범벅이 된 얼굴이다.

다리 올려!

군에서 명령만큼 강력한 것은 없다. 김 일경이 겨우겨우 다리를 다시 앵글 선반에 걸친다. 문득 우영은 한 아이가 손을 휘저으며 허우적대는 모습을 떠올린다. 이 생각 때문이었을까. 우영은 잠시 후 다시 다리를 내린 김 일경을 가만 내버려 둔다.

그때, 한여름 태양이 강렬하게 내리쬐고 있을 때 다섯 명의 아이들이 미역을 감으러 갔다. 아이들이 간 곳은 논 가운데 새로 만들어진 보(洑)였다. 물이 유리알처럼 투명해서 바닥에 막 자라기 시작한 연푸른 이끼도 보이는 곳이었다. 누굴까, 이런 논 한가운데 이처럼 맑고 차디찬 물을 가두려고 생각한 사람. 그 사람은 당연히 농부일 것이고 매년 물 때문에 농사짓는 데 애로를 느낀 사람일 것이다. 농부는 아이들이 이곳에서 놀게 되리라 생각했을까. 그래도 할 수 없다고 생각했을지도 모른다.

한 아이가 물속에 텀벙 뛰어들며 비명을 지른다.

아이 차가.

제일 먼저 물속으로 뛰어든 아이는 밑으로 가라앉았다가 갑자기 물위로 치솟아 올랐다. 요란한 소리를 내던 아이는 머리를 흔들고 개헤엄으로 서서히 나아가기 시작했다. 다른 아이들도 하나씩 개구리처럼 물속으로 뛰어들었다. 아이들은 자신의 몸을 물에 내던질 때마다 비명을 내질렀다. 우영도 뛰어들었다. 물이 너무 차가워 곧 심장이 멎을 것 같다는 것을 느끼면서도 물 위로 치솟아 오름으로서 여전히 심장이 뛰고 있음을 보여주었다.

그런데 바로 그 아이는 물에 뛰어들지 않고 동무들이 노는 것을 보고만 있었다. 물속에서 다른 동무들이 어서 들어오라고 손짓했다. 아이는 내키지는 않은 표정이었다. 한참을 머뭇거리던 아이가 한 발 두 발 물속으로 걸어 들어갔다. 우영은 아이가 겁이 많은 아이라는 것을 눈치채고 미소를 지으며 즐겁게 보고 있었다. 다른 아이들도 마찬가지였는데 아이가 '엄마야!' 하는 비명만 질렀더라도 환호성을 올렸을 것이다. 학년에서 가장 뛰어난 수재, 부러움과 선망의 대상인 아이의 겁에 질린 목소리는 아이들을 흥분시키기에 충분했다.

물이 아이 가슴께까지 올라왔다. 그때였다.

엄마야!

아이는 깊은 웅덩이 속으로 빨려 들어갔다. 두 손은 나비 날개처럼 파닥거렸다. 우영은 아이 모습이 보이지 않게 되었을 때 다시는 그 아이를 만나지 않게 되기를 빌었다. 다른 아이도 마찬가지였는데, 그 아이가 없어진다면 어른들로부터 누구처럼 공부를 잘하지 못하냐는 말을 듣지 않아도 될 터였다.

얼마 후였다. 물속에 처박혔던 아이가 모습을 드러냈다. 입에서 물거품을 내뿜으며 보(洑) 가장자리에서 물을 뱉어댔다. 웅덩이에서 벗어난 거야. 우영은 아이의 새파래진 얼굴이나 몸뚱이를 보았다. 저 녀석을 다시는 물 밖으로 나오지 못하도록 밀어버릴까.

지친 김 일경이 더 이상 '오징어 말리기'를 할 수 없게 되었을 때 우영은 옆으로 다가갔다. 군홧발로 정강이를 차기 위해서도, 주먹으로 가슴을 가격하기 위해서도 아니었다. 옆에 쪼그리고 앉아, 참다운 고참의 자세로 김 일경을 달래주기 위해서였다. 그러면서 자신의 모습과 어울리지 않다고 여겼다. 사람을 다스리고 움직이는 방법, 또 달리 조종하는 기술, 즉 용병술이나 리더십 같은 것. 이런 것은 누가 만들었을까. 누구긴? 사람이 만들었지. 왕이나 독재자나 민주주의자나 모두 인간 모습이지. 아무튼 진정으로 졸병이 따르도록 하려면 이렇게 하는 거야. 김 일경은 한참 숨을 몰아쉰 끝에 조금 전 눈앞에서 벌어진 일과 하등 상관도 없는 이야기를 끄집어낸다.

얼마 전 제게 동생이 생겼다면 믿지 못하겠지만 그건 사실이랍니다. 오십이 넘은 아버지가 낳은 자식이거든요. 어머니는 누구냐고요? 친어머니는 제가 아주 어릴 적에 돌아가셨습니다. 제가 듣기로는 병으로 돌아가셨다고 하더군요. 그 이상은 저도 잘 모릅니다. 어머니가 돌아가시자, 새엄마가 우리 집에 와서 살기 시작했어요. 말하자면 저는 계모 손에서 자랐던 셈입니다. 계모를 증오하냐구요? 아닙니다. 계모이기 때문에 나쁜 여자는 이 세상에 없습니다. 나쁘기로 말하면 제가 더 나빴다고 할 수 있습니다. 저는 본성이 착한 놈이 아니거든요. 거짓말도 곧잘 하고 친구 물건도 몇 차례나 훔치고. 왜 그렇게 됐냐구요? 저도 잘 모르지만, 저라는 인간은 원하는 것을 꼭 가져야만 직성이 풀리는데 정상적인 방법으로는 해결할 수가 없었거든요. 그리고 살기도 너무 힘들었어요. 지금도 마찬가지지만. 주위를 둘러보면 나를 바라다 봐 줄 사람이란 없고, 나를 편들어 주는 사람도 없었거든요. 그러다가 맛을 들이게 된 게 도둑질입니다. …이상한 일이지만 도둑질은 마약 같아요. 일감이 눈에 들어오고 기회를 노리는 과정도 그렇지만 성공했을 때 쾌감은 말로 할 수 없지요. 도둑질을 하고부터는 좀 사람이 달라졌다고 할 수 있습니다. 얼굴에 웃음기가 살아났다고 할까요, 아니면 제정신을 차렸다고 할까요. 사는 게 즐거워지기 시작했어요. 다른 사람들과 잘 지내게 되고 이후 도둑질은 제 행운과 직결되었죠. 아니 행운을 시험해 본 거지요. 결과가 어땠냐고요? 그리 나쁘지 않았어요. 딱 한 번 걸린 거 말고는 완벽했어요. 누구도 내 짓이라고 생각을 못했지요. …그렇다고 뭐 본질적인 것이 달라졌다는 것은 아닙니다. 제 인간성이 변한 것이 아니라는 거죠. …새엄마는 나쁜 여자는 아니었지만 저를 사랑하지는 못했습니다. 새엄마가 낳은 아이만 사랑하고 바라봐 주었습니다. 그것 때문에 저는 새엄마하고 싸우고, 어느 날인가 저를 때리던 새엄마가 그러더군요. 잘못했다는 말 한마디만 하면 그동안 일은 모두 용서하고 친아들처럼 사랑해 주겠다는 겁니다. 웬 뚱딴지같은 소리지? 왠지 겁이 나고 갈피를 못 잡겠더군요. '이대로가 좋다'는 말 아시죠. 저는 그때 그랬던 것입니다. 지금은 후회하지요. 그때 잘못했다고 했더라면 세 번째 새엄마가 오지 않을 수도 있었습니다. 왜 그렇게 됐는지 저는 잘 모릅니다. 아버지한테 위자료는 많이 받았겠지만 집에서 나갈 때 보니 그래도 안돼 보이더군요.

이제 세 번째 엄마, 아버지 세 번째 여자에 대해 말해야 할 차례군요. 바로 나보다 두 살이 어린 새엄마에 대해서 말이죠. 나랑 싸우던 그 여자요? 잘 지냈다면 좋았겠지요. 그랬더라면 제 인생이 달라질 수도 있었겠지요. 그러나 그뿐이지요. 과거로 돌아갈 수는 없지요. 무슨 이유로 그렇게 됐냐구요? 모릅니다, 저는. 아버지 강요 때문인지 아니면 제가 모르는 다른 약점 때문인지. 뭐 제가 안다고 해도 달라질 것은 없어요. …

아, 그런 말씀은 그만하고, 제 말 좀 들어보세요. 그 여자, 아니 나이 어린 새엄마가 낳은 아이가 얼마나 귀여운지 아십니까. 그 애가 내 동생이라니 믿을 수 없었어요. 동생이라니. 그런 기쁨은 상상도 하지 못하실 겁니다 ……

들는 내내 우영은 감탄했다. 김 일경 말투는 세련되었고 게다가 유창했다. 들는 내내 김 일경이 소설 낭송을 하고 있는 듯한 착각이 들었다. 그게 어쨌다는 말인가. 몇 번이나 이런 생각을 했다. 그러다가 자신도 모르게 또다시 귀를 기울였다.

윗니 양쪽 송곳니 자리에, 덧니가 있는 구강 구조는 어쩐지 상대를 비웃는 듯한 느낌을 준다. 왠지 기분 나쁜 그런 웃음. 하긴 그런 것은 아무래도 좋은 것인지 모른다. 그것은 자신의 선택에 의해 만들어진 구조물이 아니니. 모르겠다. 선택에 의해서만 우리는 책임을 지는가. 아무튼 그 아이는 그런 구강 구조였다. 아픈 기억이 떠오른다. 그 아이가 영어를 처음 접할 무렵 알게 된 단어는 pig였는데, 이 단어를 모르는 아이들을 꼲릴 목적으로 자주 사용했다.

이게 무슨 뜻이게?

뭐?

pig.

상대 아이가 어리둥절해하거나 다른 뜻을 대면 녀석은 배를 잡고 깔깔거리고 웃어댔고, 옆에 있던 다른 아이에게 귓속말로 단어의 뜻을 알려주었다. 그 아이는 웃음을 터뜨리고 상대 아이는 불안한 표정을 지었다. 그러면 녀석은 더욱 큰 소리로 웃어댔다.

그만 나가자!

우영이 이렇게 말하자, 김 일경은 자리에서 일어나 세면장으로 달려갔다. 우영은 그의 뒷모습을 보면서 문득 과거 어느 땐가 이와 똑같은 일이 일어났었던 것 같은 착각을 느꼈다. 이 착각은 뭐지? 불안한 느낌과 함께 김 일경에게 눌려 이러지도 저러지도 못하고 끌려다니는 가냘픈 모습이 머릿속에 그려졌다. 난 고참의 이런 역할에 맞지 않아. 리더가 되겠다고 생각한 적도 없고, 피할 수 없으니 할 따름이지. 난 뭐든 누구에게 명령하는 것보다 내 손으로 하는 게 좋아. 그래서 졸병에게는 지나칠 정도로 관대하고 고참에게는 줄기차게 반항할 수 있었던 것일까. 아, 이것들이 무슨 상관이 있겠어, 인과관계도 없고.

군대 내 구타. 그는 필요악처럼 존재하는 구타에 대해 상대에게 치명적인 고통을 안겨줄 수 있다는 이유에서 반대했다. 사람은 누구든 얻어 맞음과 동시에 본능적으로 상대에게 주먹을 날리고 싶어 하니까. 다시 말해서 군대에서는 반격이 허용되지 않기 때문에 치명적인 병이 된다는 것이었다. 폭력 중에서 일방적인 폭력이야.

사람들은 여러 가지 방법과 기준에 의해서 자신들을 분류한다. 이 중에서 군에서 사용하는 가장 전통적인 분류법은 상급자 기질과 하급의 기질로 나누는 이분법이다. 졸병 때 요령 피우고 말썽 피우던 자가 고참이 되면 의젓하고 통솔력 있게 변하며, 졸병 때 고참에게 칭찬받던 자는 고참이 되어서는 제 역할을 못 한다는 것. 본래 자신의 타고난 기질이 있다는 셈이다. 그것은 우영이나 노 상경, 염 이경이나 김 일경을 놓고 볼 때 지나칠 정도로 맞아떨어졌다. 일단 우영을 놓고 보면 고참인 노 상경과 반장의 신뢰를 받고 있었지만, 직속 부하인 김 일경은 갈수록 우영이 감당하기 힘들게 바뀌어 갔다. 이제 곧 이놈이 기어오르겠지. 나는 졸병 같은 고참이 되고, 그때마다 우영은 만약에 내가 노 상경이라면 어떻게 했을까 생각해 보았지만 곧바로 고개를 저었다. 그는 도저히 노 상경이 사용하는 구타나 폭력, 협박 같은 것을 사용할 수 없었다. 그는 천성적으로 남이 싫어하는 일은 할 수 없는 기질이었다.

그럼에도 불구하고 그는 늘 그 문제에서 벗어나지 못했다. 자신에게 지도력이 없는지, 없다면 어찌해야 되는지 골똘히 생각했다. 졸병이 하나씩 더 들어올 때는 더 깊이 생각했다. 나는 성실한 편이지만 리더십이 모자라. 어떻게 하면 좋은 고참이 될 수 있을까. 그러나 오랫동안 깊이 해서 생각해서 자신의 문제점을 찾아내고 실행으로 옮기는 것만으로 해결될 수 없었다. 그가 자신에 대해 아는 것에는 한도가 있었고, 설사 안다고 해서 뭐가 달라질 수 있을까, 군 생활을 하는 동물적인 인간에 대해 탐구하는 것 역시 그의 역량을 벗어났다. 에이, 모르겠다. 될 대로 되라. 결국 그는 왕복 달리기 할 때처럼 한 지점에서 다른 지점 사이를 오락거리다가 포기했다. 좋아, 이런 노력은 부질없어. 그는 졸병들이 노 상경을 욕할 때 비교할 수 있는 좋은 고참, 민주적 사고를 가진 고참으로 자신을 입에 올리는 것에 만족하기로 했다.

그 아이는 어땠나. 그 아이는 늘 명령하기를 좋아했다. 공부 못하는 아이들을 개처럼 순종하고 따르게 했다. 뽀빠이를 사 오도록 했고 준비물도 사오도록 시켰다. 뭐라도 얻어먹을까 빌빌거리던 아이들에게는 먹고 난 부스러기를 던져주었다. 이런 것을 본 우영은 화가 났지만 아이들 중에 시비를 걸고 대든 아이는 없었다. 뭐 옆에 가지 않으면 그만이지 뭐, 라고 하는 애들도 있었으리라.

언제부터였을까. 그 아이가 우영에게 아양을 떨기 시작한 것은? 그때는 아마 그들이 같은 반이 된 지 얼마 지나지 않아 일어난 모종의 사건 이후였는데 그때부터 그 아이는 우영에게 손수 과자를 가져와서 먹으라고 부탁하기도 하고, 삶은 계란을 집에서 가져다주기도 했다. 그럴 때 그 아이의 모습, 아무리 생각해도 지나칠 정도로 비굴한 자세여서 우영을 당황스럽게만 했다. 그러나 그보다 놀라운 일이 그를 기다리고 있었다. 그 아이는 우영의 부모만큼이나 우영을 잘 이해하고 있었다. 그리고 그간 몰랐던 사실이지만, 우영도 그 아이를 아주 잘 알고 있었다. 어찌된 일인지 설명하기란 어렵지 않다. 둘은 서로 반대편에 서서 서로를 쉽게 볼 수 있었다. 반대 항에 있으니 서로를 이해하기도 쉬웠고, 움직임도 잘 보였다. 섣불리 다가가지 못했던 것뿐이었다.

그 후로 그들은 친구가 되었다. 어깨동무를 한 채 노래를 부르며 동네를 휘젓고 다니기도 하고, 전쟁놀이 할 때는 한편이 되어 용감하게 싸우기도 했다. 우영이 그 아이에게 자주 역사 만화책을 빌린 것도 그즈음이었는데 그것은 학교 도서관에도 없는 책이었다. 그 아이만이 가지고 있는 책으로 우영이 이젠 됐다고 해도 억지로 빌려주었다.

그렇게 몇 달이 지났을 때였다. 그 아이 태도는 우영에게 허리를 숙이고 있음에도 불구하고 우영은 조바심이 생겼다. 아니 기분이 나빠진 것일까. 무어라 대꾸할 수 없이 수긍해야 하는 상황. 자신을 마음을 너무잘 아는 그 아이에게 이용당하는 것이 아닐까 은근히 두려워졌다.

김 일경도 비슷한 면이 있었다. 이따금 한 번씩 김 일경은 다른 사람의 비위를 맞추는 일은 자신을 빼놓고 말해서는 안 된다고 떠들었다. 하룻밤 내내 누군가의 상대가 되어 같이 술을 마셔주며 이야기를 들어주고, 기분에 따라 비위를 맞추어 주는 것처럼 쉬운 일은 없다는 것이다.

제가 열여덟인가, 법적으로 성인이 될 나이였죠. 그해 겨울 아버지와 저는 시골의 한 별장(초가집)으로 내려갔어요. 내려가자마자 아궁이에 불부터 지폈는데, 묵혀둔 방이라 방안에 냉기가 꽉 찼었거든요. 본격적인 행사가 시작된 것은 아랫목이 지글지글 끓을 때쯤이었는데 그때부터 아버지와 저는 술을 마시기 시작했죠. 지글지글 끓는 온돌 위에서 밤새도록 말술을 마시는 기분이란…… 처음 먹어보는 술이라 몇 번이나 토하면서도 또 마셔댔는데, 그때 저는 술이란, 인생이란 어떤 것인가 다 깨달았다고 해도 과언이 아니죠. 그리고 밖에는 하얀 눈이 쌓이고, 또 쌓였는데 한 번씩 산짐승 우는 소리가 들리고 머잖아 눈의 무게를 이기지 못한 고목들이 쿵 하는 소리를 내며 넘어지더군요. 생각해 보십시오, 얼마나 기막히게 멋진지.

우영도 김 일경 아버지를 본 적이 있다. 카키색 양복을 입고 아들 문제로 중대에 나타났었다. 희끗희끗한 머리에 눈가 주름이 많아 심술기가 있어 보이던 중늙은이. 그는 반장을 만나자마자 쾌활한 체하면서 유들유들하게 굴었다. 우영은 그를 떠올릴 때마다 어쩌면 김 일경과 그리 닮았을까 뇌까리지 않을 수 없었는데 그가 김 일경과 다른 점이 있다면 그의 태도는 조금도 저속한 티를 내지 않는 세련됨을 갖추고 있다는 정도일 것이다.

그들이 같이 근무하게 된 지 두세 달이 지났을 즈음 김 일경은 우영에게 몇 차례에 걸쳐 어떤 종류의 책을 좋아하느냐고 물었다. 그때 그는 대충 얼버무렸다. 응, 그냥 그렇지 뭐. 그랬음에도 불구하고 그는 두 권의 책을 가져다주었다. 한 권은 불꽃처럼 살다 간 여자 이사도라 던컨 평전이었고, 한 권은 마종기 시집이었다. 우영은 그에게 고맙다는 말도, 또 다른 책이 있느냐는 말도 없이 단지 책만 받았다. 무언가 미심쩍어서 그랬을까. 혹시 그에게 약점이라도 잡힐까 봐 아니면 이용이라도 당할까 봐 두려웠을까.

이런 우영과 달리 노 수경은 데모군중을 상대하던 80년대 후반의 노장 전경처럼 유연히 대처했다. 주저 없이 김 일경의 호의를 받아들이고, 별다른 이유 없이 사 주는 술을 마시고, 소개해 주는 여자를 만났다. 뭐 그래 어쨌단 말인가. 우영이 보기에 노 수경 표정은 그랬다. 어쩌면 아무것도 무서운 것 없는 왕고참이라 그런가. 아니 노 수경이 좀 더 김 일경 머리 꼭대기에 앉아 더 잘 읽고 있었던 탓일까.

하여튼 둘은 날이 갈수록 어울리는 횟수가 늘어났다.

어느 날의 일이다. 점호를 앞두고 본부 소대에서는 귀대하지 않고 있는 노 수경과 김 일경 때문에 애를 태웠다. 서 이경 말에 의하면 오후쯤에 잠시 나갔다 온다고만 했다는 것. 그런데 그 사람들이 귀대하지 않고 있는 것이 아닌가. 우영은 행정반과 내무반 사이를 오가기도 하고, 비상계단에 서서 후문 쪽을 보기도 하며 잠시도 가만 있지 못했다.

그때 소대에서 번호, 하는 구령 소리가 들려왔다. 소대에서 시작된 점호였다. 대체 무슨 일이야. 이건 보통 일이 아니야. 에이 모르겠다, 빌어먹을 놈들. 우영이 막 행정 반을 나서려고 할 그 때였다. 비상계단 쪽에서 고함 소리가 들렸다. 우어이, 우어이! 우영은 서둘러 그곳으로 뛰어갔다. 이게 어찌 된 일인가. 우영은 자신의 눈을 의심했다. 노 수경과 김 일경이 어깨동무를 한 채 비틀거리며 계단을 올라오고 있었다. 그러니까 방금 전 고함은 노 수경이 질러댄 소리였다. 너 이 자식! 우영은 김 일 경을 잠시 보았지만 김 일경은 모른 체 했다. 우영은 서둘러 노 수경 한 쪽 어깨를 거들었다.

괜찮으십니까?

응, 나는 괜찮아. 김 일경 너무 마음에 들어 응!

노 수경을 내무반으로 옮기며 우영은 몇 차례나 김 일경을 보았다. 그 래, 나중에 보자. 나중에 보자는 놈 무서운 놈 없다지만. 김 일경도 무언 가 말하고 있었다. 제가 노 수경하고 술 마셨는데요. 누가 건드릴 사람 있나요? 후에도 이런 일은 몇 차례나 더 있었다.

김 일경, 이놈 애쓰네요. 애써.

노 수경에게 말하면 피식 웃었다.

다 좋은 게 아니겠어. 군대 끝나면 그만인데 말이지.

김 일경 기세가 올랐지만 우영은 풀이 죽었다. 졸병들에게 면이 서지 않는다고 해야 하나. 이건 뭔가 잘못된 거야, 분명. 옳지 못한 거고 말이 야. 그러다가 그는 나중에는 에이, 될 대로 되라고 내버려 두었다. 파도 의 흐름에 몸을 맡기는 거야. 나 혼자 까불어 봤자야, 안 그래.

어느 날 저녁 김 일경이 우영을 끌며 말했다. 나이트클럽에 가서 한바 탕 흔들고 오자는 것이다.

그래도 군대인데, 이렇게 나가서 놀다 와도 되는가.

우영은 노 수경을 찾았다. 왕고참인 그는 누구도 건드릴 사람이 없었 다. 행정반에 나오지 않아도, 술에 취해 점호에 늦어도 말할 사람이 없 었다.

저 김 일경하고 같이….

수경은 이미 알고 있었다.

잘 놀고 오라고.

괜찮겠습니까?

그래, 잘 놀고 와.

예, 알겠습니다.

우영이 어리둥절한 채 서 있는데 어느 샌가 다가온 김 일경이 말했다.

거 봐요, 제가 이야기 다 해 놨다니까요.

꺼림칙했지만 우영은 김 일경을 따라 나서기로 작정했다. 우영을 포함해서 네 명이었다. 그들은 경찰서 옆 골목에서 택시를 타고 리버사이드 호텔 나이트로 향했다.

택시! 택시!

자가용 택시가 선다. 김 일경이 문을 연다.

저 녀석이 불렀나. 이런 택시가 있었나.

나이트에 도착했을 때 우영은 나이트로 향하는 문을 밀고 들어서려다 뒤를 보았다. 졸병들이 들 떠 있었다. 우영은 꺼림칙한 기분을 떨치자고 다짐했다.

호텔 나이트에는 자극적인 불빛들이 춤을 추고 있다. 사람들은 다만 그 불빛들을 따르고 있을 따름이었다. 졸병들이 하나씩 둘씩 무대로 걸어 나갔다. 우영은 자리에 앉아 머뭇거리고 있다가 김 일경 손에 이끌려 사람들 속으로 들어갔다. 우영은 춤을 출지 모르지만 다른 사람들이 하는 것을 그대로 흉내 낸다. 몸을 흔들어 댄다. 뭔가 부자연스러워 멈추었다가 다시 흔들었다.

나이트클럽에서는 시간을 느낄 수 없다. 우영이 테이블을 바라보았을 때 김 일경이 세 명의 낯선 여자와 이야기를 나누는 것이 보였다. 김 일경은 어느 모로 보나 조금도 어색해 보이지 않았다. 아마도 그는 이런 곳에 수도 없이 들락거렸으리라. 그래서 나이트 비용을 전부 자신의 카드로 결제하겠다고 할 수 있었던 것일까. 그때 검은 옷을 입은 키 작은 여자가 우영의 주변을 맴돌며 춤을 추었다. 우영은 그녀를 흘깃 보았다. 그녀에게 무어라고 해야 할까. 이럴 때는 같이 춤을 추자고 해야 하는 걸까. 키 작은 여자가 몇 번이나 우영의 눈을 쳐다보았다. 어찌 보면 호소하는 듯한 애처로운 눈이었다. 그녀에게 끌리는 걸까, 아닐까. 그가 망설이고 있을 때, 키 작은 여자의 친구가 우영을 경멸하는 눈으로 쳐다보았다. 그녀는 김 일병처럼 키가 컸다. 그녀를 데리고 무대에서 내려갔다. 미안했지만 우영은 여전히 그 자리에서 흔드는 체했다.

자 들어와요, 들어와!

그때 김 일경이 객석에서 일행을 불렀다. 일행이 객석으로 돌아갔을 때 그가 세 여자를 소개했다.

이 아가씨는 d대 체육과, 이 아가씨는 g대 가정과, 이 아가씨는 w대 무용과 다니는 아가씨인데, 자, 앉아서 이야기나 해 보십시다.

김 일경이 이끄는 대로 그들은 세 여자 반대편에 앉았다.

여기 물이 아주 좋지요.

셋은 숙맥처럼 김 일경이 하는 것을 멍청히 보고만 있을 따름이었다. 여자들은 김 일경하고만 얘기할 뿐이고 이쪽에는 별반 관심이 없는 눈치였다.

잠시 후 셋은 디스코 타임이 다시 시작되었을 때 누가 먼저랄 것도 없이 무대로 나갔다. 이들은 애초부터 그런 것까지 바라지는 않았다. 나이트클럽이라는 말만 들어도 가슴이 설레었고, 막상 나이트에 들어왔을 때는 거의 숨이 막힐 지경이었다.

잠시 후 김 일경이 그들을 다시 불렀다.

바보들같이 말 한마디도 못 하고, …염 이경은 학생 같고 서 이경은 너무 키가 작다는데, 어쨌든 더 기다려보슈.

셋은 다시 무대로 돌아가 서로 얼굴을 마주 보며 킥킥대기도 하고 어깨동무를 하고 돌기도 했다. 쉬지 않고 춤을 추다가 더 이상 몸을 흔들기 거북해졌을 때야 그들은 객석으로 돌아왔다.

얼마간 시끄러운 음악 속에서 맥주를 한 잔씩 마시고 있다가 문득 생각난 듯이 우영이 '이제 돌아가야 하지 않을까'라고 말하자 다들 별 이의 없이 일어섰다. 우영은 서 이경을 김 일경에게 보내 나오도록 하고, 염 이경과 같이 밖으로 나온다.

염 이경이 시계를 보더니 11시 30분이라고 말했다.

잠시 후 둘이 나이트클럽에서 걸어 나왔다.

저, 다 되어 가는 데 나오면 어찌합니까.

김 일경 말에 우영이 그러자 김 일경이 감정 없이 말했다.

늦었어.

네. 그럼 저는 여자들 바래다주고 가겠습니다.

이제 일이 다 끝났다고 우영은 생각했지만, 그게 아니었다. 간밤에 늦게 서야 돌아왔던 김 일경이 오후에 우영에게 말했다.

어제 말이죠. 여자 측에서 나이트 비용을 대신 냈었거든요.

그래서?

일이 성사도 안 되고 미안해 제가 그냥 돌려줬습니다.

그래?

각자 부담을 해야겠습니다.

....

그럼, 처음부터 여자를 꼬셔 나이트 비용을 충당할 작정이었던가 하고 우영은 물으려다 그만두었다.

어떤 장면이 떠올랐다. 바랜 회색 사진처럼 흐릿하더니 조금씩 선명해지고 있었다. 옷차림이 말끔하고 그것이 비싼 옷이어서, 그곳 아이들과는 다른 세련된 언어를 구사해서 촌아이들은 그 여자아이에게 정신을 빼앗겼다. 그녀는 피부도 우윳빛이었다. 바로 그 여자아이가 시골 아이로서는 생각할 수도 없는, 큰일이 나는 것으로만 여길 남학생과 여학생 회합을 주선한 것은 모두를 놀랠 만한 대담한 행동이었다.

모임은 일요일 오후에 있었다. 그날은 비마저 내렸는데 그녀를 비롯한 네 명의 여자아이들은 자신들에게 합당할 남자아이 다섯을 초대했다.

혼자서 그런 자리에 가기란 여간 쑥스러운 일이 아니었다. 마침 한 녀석이 우영을 데리러 왔다. 누가 부탁을 했던 것일까. 우영은 다른 아이와 함께 초대된 집으로 갔다.

그 집으로 가는 동안 둘은 레지스탕스처럼 은밀하게 움직였다. 누가 시키지도 않았는데 그랬다. 자신들을 눈여겨보는 사람이 없는지 주의하면서 걸어갔다. 누군가라도 알게 되는 날에는 온 동네에 금방 소문이 날 게 틀림없었다. 골목을 따라 동쪽을 향해 걷다가 빨래터에서 고샅으로 접어들었다. 다행히 누구도 보이지 않았다.

접선 장소는 파란 대문 집이었다. 그곳을 통과하기 전에 둘은 세 명의 아이가 귀퉁이에 서 있는 것을 발견했다. 너도? 말없이 서로 얼굴을 보았다. 그 아이들도 부름을 받은 게 틀림없었다.

잠시 후 그들 일행은 여자아이들이 문을 열어줌으로써 겨우 방에 들어갔다. 얼굴을 들지 못하고 겨우 문 옆에 쭈그리고 앉았다. 우영도 수줍음에 제대로 얼굴을 들지 못했다. 그러다 문득 고개를 들었다. 좁은 방안, 아주 가까운 거리에서 여자아이를 보는 것은 처음이었다. 우영은 금세 온몸에 전류가 흐를 것 같아 몸을 떨었다.

그때 회합을 주선한 그 여자아이가 놀이를 시작했다.

실수를 한 사람이 노래를 불러야 해요. 아니면 벌칙을 따라야 해요.

박수 소리와 함께 그 놀이가 진행되었다. 한 명 두 명 실수하는 아이가 생겨나고.

자, 일어나요.

아이들은 그 여자아이 말에 고분고분 따랐다. 벌칙으로 노래를 부르기도 하고 엉덩이로 자신의 이름을 쓰기도 했다.

자, 이번에는 사회자도 해야 해요.

누군가 말했을 때 그 여자아이는 우영을 비롯한 아이들을 둘러보았다. 남자아이들이 그녀에게서 눈을 떼지 못했다.

춤을 추어요. 우리는 그걸 한번 보고 싶어요.

수재였던 남자아이 주문에 여자아이는 주저하지 않고 춤을 추었다. 우영은 한 번도 본 적이 없는 세련된 몸놀림이었다. 누군가 창피한 듯 웃으며 박수를 쳤다. 또다시 누군가 큰소리로 웃었다.

놀이가 한참 무르익어 가고 있을 때였다. 어머니가 불쑥 문을 열고 고개를 내밀었다. 남자아이들은 숨느라 정신이 없었는데 그녀는 웃으며 말했다.

국수나 한 그릇 삶아줄까?

네

아이들이 일제히 대답했다.

왜 지금 그때 일이 떠오를까. 우영은 그때 일을 생각할 때마다 나이가 들어서도 여전히 가슴이 뛰는 것을 느꼈다. 뒤이어 일어난 일도 그랬다.

다음 날 등교했을 때, 그 집에 초대되었던 아이들은 얼굴을 들고 다닐 수 없게 되었다. 보는 학생들마다 수군거렸다. 글쎄 말이야. 남자 여자 모여서 그렇고 그렇고 그랬대. 전교생 사이에 퍼진 소문들. 모임에 참가 했던 다섯 명 아이들은 동요했다. 급기야 더 이상 얼굴을 붉히면서 살 수 없다는 측과 과연 그럴 필요까지야 있느냐는 측으로 나뉘어졌다.

여자아이들은 어땠던가. 동요하지 않았다. 남자아이들이 양편으로 나 뉜 후에 남은 아이들과 만났다. 그때부터였을 것이다. 더 이상 얼굴을 붉히며 살 수 없다던 아이들을 비롯한 수십 명의 방해 음모가 시작되었 다.

우영은 모임을 계속하려는 측에 남았다. 여자아이들과 마음 놓고 말을 할 수 있는 것이나 어울려서 놀 수 있다는 것은 다른 어떤 일보다 새롭 고 신비한 일이었다. 그때부터였을까. 우영이 건방지기만 했던 수재 아 이와 친하게 된 것은. 아마 그 모임 분위기가 자연스럽게 그들을 연결해 주었을 것이다.

여자아이들과 했던 꼬마 신랑 놀이는 무척 즐겁고 행복했다. 막 결혼 한 것처럼 아이들은 낄낄거리며 장난을 주고받았다. 숨바꼭질도 마찬가 지였다. 여자아이들과 서로 부딪히기도 하고, 그 모습을 보며 우영과 수

재 아이는 한참을 웃었다. 그 아이와 친해지자, 둘은 자주 만나서 놀게 되었다. 우영는 그 아이 집을 수시로 드나들었다.

그러는 사이 우영이 알게 된 것이지만 둘만 있을 때 그 아이는 오만하지도, 이기주의자도 아니었다. 어찌 보면 비굴할 정도로 친절해서 우영이 오만하게 명령을 내리고 싶을 정도였다. 이것은 그때까지 그 아이에게 친구라고 할 만한 아이가 없었기 때문이고 친구를 만들기 위해서는 지금까지 다른 아이들에게 취하던 자세와는 다른 태도를 보여주어야 한다는 것을 어느 틈엔가 느꼈기 때문이기도 했다.

하지만 그들 사이는 한 가지 사건으로 인해 다시 예전으로 돌아가 버리고 말았다. 그리고 우영은 반대파에 가담하게 되었던 것이다.

앞에서도 말했다시피 그 여자아이는 모든 촌놈들 선망의 대상이었다. 말하자면 우영과 그 아이는 둘 다 그 여자아이를 좋아하고 있었다. 이것을 서로가 알게 된 것은 어느 날 발동된 그 아이 장난기 때문이었다. 우영에게 다섯 명의 여자아이 중에서 가장 좋아하는 여자아이 이름을 쪽지에 써서 서로 공평하게 교환하자고 제안했다. 우영은 그 아이 제안이 미심쩍기는 했지만 쪽지에 그 여자아이 성인 '강'을 썼다. 하지만 그것은 실수였다. 다섯 아이 중 강씨 성을 가진 아이는 그 애밖에 없었다. 서로 쪽지를 맞바꾸었을 때 그 아이는 덧니를 드러내고 웃었고, 우영은 울상을 지었다. 그 아이가 건네준 쪽지에는 아무것도 쓰여있지 않았다.

김 일경이 수첩에 있던 사진을 꺼내 염 이경에게 보여주었다. 우영도 그가 내민 사진을 무심결에 보았다. 하얀 민소매 옷을 입은 긴 머리 여자가 파라솔 아래서 옆에 앉은 김 일경을 보고 있었다.

내 마누라지, 디자이넌데 얼굴은 영 아닐 거야.

여자는 검은 뿔테 안경을 쓴, 그래서 지적으로 보이는 여자였다. 그런데 그녀는 김 일경이 다른 여자들을 만나 드라이브를 하고 호텔까지 가는 것을 알고 있을까. 우영은 그것이 궁금했다.

참, 염 이경! 우리가 처음 만났을 때 그녀가 나한테 무슨 꽃을 좋아한다고 말했는지 알아? 할미꽃이야, 할미꽃. 정말이라니까.

잠시 후 김 일경이 외출을 나간다며 일어났다. 그가 나가는 것을 보며 다들 인상이 일그러졌다. 그가 복도를 빠져나가기도 전에 노 수경이 말한다.

저놈이 반장한테 돈을 얼마나 처발랐길래 저러고 다녀도 무사한 거야.

이제 그는 노 수경도 마음대로 어쩌지 못하는 인물이 되어 있었다.

그런데 저녁에 돌아온 김 일경은 나가기 전의 생글거리는 모습과 달리 '씹쭈그레한' 모습이다. 노 수경이 잘 쓰는 표현처럼.

도대체 무슨 일인데 그래? 인마!

노 수경이 묻자 김 일경이 검은 눈을 굴렸다.

처갓집에 나이를 속인 게 들통났어요.

스물 둘임에도 불구하고 김 일경은 스물여덟으로 행세했던 셈이다. 그렇다면 그는 연상의 여자와 동거하고 있었던 건데. 우영은 몇 번이나 그를 다시 보았다.

그 아이는 여자아이들과 어울려 놀았던 일을 스스럼없이 까발리고 다녔다. 그것이 화근이었을까? 그 아이는 토요일 방과 후, 집으로 가던 길에 윗마을 아이들 셋에게 붙들렸다. 셋은 그 아이를 끌고 사람들 눈에 띄지 않는, 논 가운데 쌓아둔 두 개의 커다란 짚 더미 사이로 끌고 들어가 우선 아이를 새끼줄로 꽁꽁 묶었다. 아니 그 전에 그 아이는 그가 멸시하던 아이에게 주먹으로 얻어맞았다. 그 아이도 가만있지 않았다. 오만한 눈으로 상대를 노려보더니 뺨을 후려갈겼다. 이런 시발 멍청한 새끼가. 그 아이에게 다시 거센 주먹이 날아들었다. 그날 오후 내내 그 아이는 새끼줄에 꽁꽁 묶인 채 모욕을 받아들여야 했다. 풀려나기 전에 그들에게 몇 가지 약속을 했다. 그날 일을 누구에게도 발설하지 말 것이며, 윗동네 여자아이와는 절대로 말을 건네지 않는다. 공부를 잘하든 못하든 어떤 친구에게도 건방지게 굴지 않겠다고.

어느 해 여름방학이 끝났을 때 그 아이는 처음으로 등교하지 않았다. 아침에 그를 보았다는 한 아이가 선생님께 말했다.

약국에서 오는 것 같았어요. 손에 박카스 한 병을 들고 있었거든요. 그런데 그 애는 좀 이상했어요. 눈물을 흘리며 소리 내서 울고. 저는 그 애가 우는 것을 처음 봤어요. 참 이상했어요.

반 아이 말이 사실로 드러난 것은 며칠 후였다. 그 아이는 읍내 한 병원에 입원했다. 뭐 때문에 입원을 했는데. 뇌염이라는데. 그게 뭐여. 그 병은 낫기도 힘들지만 나아도 병을 앓기 전의 정신으로는 돌아올 수 없다는데. 아이들이 주고받는 말에서 우영은 소식을 들었다. 마을에도 그 병을 앓았다는 반병신의 처녀가 있었다. 마비된 한쪽 팔을 곧게 늘어뜨리고 뒤뚱뒤뚱 걸었는데 철모르는 어린아이들이 미친년이라고 놀려대면 그녀는 윙윙거리는 소리를 내며 아이들에게 돌을 던졌다.

동네 처녀처럼 반병신이 된 그 아이. 이제 더 이상 나를 골탕 먹일 수도 없게 되었네. 경쟁자가 될 수도 없고. 처음에 우영은 천벌이 아닐까 생각했다. 그 순간 그 아이에게 일부러 돌려주지 않은 사발시계가 떠올랐다. 아니야. 내 탓이 아니야. 나와 아무 상관이 없어. 고통스러워진 우영은 고개를 흔들었다.

그 녀석 사람 피 말리는 데 뭐가 있다니까.

서 상경 말에 우영은 고개를 끄덕였다. 둘은 병원으로 발길을 옮겼다. 그저께 밤에 교통사고를 낸 김 상경이 마리아 병원 중환자실에 있었다. 그가 왜 렌터카를 타고 부산까지, 그것도 술에 취해서 달렸는가는 정확하게 알려지지 않았다.

미국으로 이민 간 누나에게 가기 위해서 그랬다네요. 미친놈!

어떻게 미국까지 간다고? 서 상경!

부산에서 밀항선을 타고 가려고 했답니다.

진짜, 정신이 나갔군.

제 말이 그 말입니다. 그런데 어이없는 것은 말입니다.

우영은 서 상경 말에 귀를 기울였다. 김 상경이 미국으로 밀항하기 위해서 외박을 미귀한 것은 이제 더 이상 중요하지 않았다. 우영의 머릿속은 차츰 하얗게 변했다. 지금까지 그가 풍기고 다녔던 냄새들은 모두 가짜였다. 그토록 든든한 배경으로 여기고 있었던 그의 아버지는 신도일보 본부장이 아니라 신문보급소 지국장이었을 뿐이었다. 그가 자랑삼아 보여준 기자 신분증은 가짜였고, 여러 여자를 태우고 다녔던 고급 차는 친구에게서 잠시 빌린 것일 뿐이고.

동기였지만 좀 냄새가 나는 놈이었어요.

그래, 그렇기는 했지.

만약 검문을 피해 달아나지 않았더라면, 도로 옆에 세워진 차를 들이받는 사고를 내지 않았더라면 비밀은 얼마간 은폐될 수 있었을지 모른다. 그랬더라면 사람들을 혼란의 도가니로 만들지는 못했을 것이다.

병원에 도착하자 둘은 곧장 4층 병실로 올라갔다.

김 상경은 머리와 몸 곳곳에 붕대를 감고 있었다.

김 상경! 좀 어떤가?

그는 두 팔과 다리에 깁스를 한 채 누워 있었는데 살아있는 사람으로 믿기 어려울 정도로 처참한 모습이었다.

김 상경, 우리가 왔다.

서 상경이 귀에 대고 몇 차례나 속삭였지만 그는 알아채지 못했다.

우영은 그런 그를 보지 않으려고 고개를 돌렸는데 우연히 출입문 위에 걸린 시계가 눈에 들어왔다. 딸깍, 딸깍하는 소리가 유난히 커서 귀에 거슬리는 벽시계였다.

삼례역을 지나며

A: 옷깃만 스쳐도 인연이라는 말은 하지 마십시오. 그리고 그 인연이 전생과 관련이 있다고 상기시키지도 마십시오. 저는 침례를 받은 신자입니다. 그러니까 이런 만남은 오로지 주님의 뜻일 뿐 아니라 예비하신 길일뿐입니다.

B: 그러지, 그럼. 그것은 그렇다고 쳐두세. 어쨌든 나는 자네에게 고맙다는 인사를 해두지 않으면 도저히 견딜 수 없을 것 같으니 말일세. 생각해보게, 거지 같은 남루한 차림에 게다가 목발까지 짚은 나 같은 늙은이를 누가 자기 좌석 옆에 앉히려 들겠는가. 자네는 나를 피해서 창문으로 고개를 돌리지 않은 것만으로도 존경받을 소지가 있는 사람이네. 물론 자네는 다른 사람들이 그렇게 하지 않았기 때문에 그렇게 할 용기가 났다고 할지도 모르고 독실한 침례교인으로서 '네 이웃을 네 몸같이 사랑하라'는 계명을 지켰다고 할 수도 있겠지. 하지만 다른 사람을 들먹이지 않더라도 젊은 시절의 나 같았으면 거지란 동정 받을 가치라고는 없는 인간 말종이라고 멸시하고 자리를 양보하기는커녕 침이라도 퉤! 하

고 받았을 것 같은 생각이 드는군. 그렇지만 자네는 아직 젊은 나이에도 불구하고 거만하게 굴지도 않았고 나를 멸시하지도 않았거든. 나를 자네 옆자리에 앉으라고 말했고 이렇게 나와 대화의 상대까지 되어 주고 있지 않은가. 더 이상 겸손해지려고 들지 말게. 고래로부터 그린 말이 있지 않은가. 예가 지나치면 그것은 더 이상 예가 아니라고 말일세.

A: 예, 그러면 그것에 대해서는 더 말하지 않으셨으면 합니다. 그런데 영감님은 어디로 가십니까?

B: 음, 나는 특별히 정해놓고 다니는 데는 없다네. 부모님이 계셨었지만 돌아가신 지 오래고 결혼은 하지 않았으니까 마누라나 자식은 있을 턱이 없는 것이고 그러다 보니 집이라는 것도 없다네. 6. 25동란 후에 혈혈단신으로 월남한 사람도 나 같지는 않을 거야. 나는 마치 부초처럼 누구에게도 구애받지 않고 어느 것에도 얽매이지 않고 자유롭게 떠돌아다닌다네. 참, 그것을 말해야 할 것 같군. 내 왼 다리에 대한 사연 말일세. 아니 사연이라고 할 것까지는 없을지 모르겠네. 그것은 순전히 우연한 사고였을 뿐이니까 말일세. 그러니까 그 우연한 사고가 현재의 나를 있게 한 셈이라네. 그 사고를 당한 후 몇 해 동안 난 거의 제정신이라고는 할 수 없는 비참하고 고통스러운 세월을 보내야 했는데 이제야 물론 그렇지 않네. 이젠 절망하지도 않고 비관하지도 않는다네… 그때는 어땠냐고? 물론 좋았지. 그때까지 나는 고생이라고는 해본 일이 없는 부잣집 장남으로 안정된 직장도 있었고 한 번씩 아가씨들과 데이트도 하러 다녔다네. 한마디로 말해서 내 앞에 준비된 미래는 어둡거나 슬픈 기색은 거의 없었다고 해도 좋았네. 이 세상에 태어난 것을 다행으로 여기고 있었고 제한적이기는 하지만 삶의 기쁨을 그런대로 누리며 살고 있었다네.

음, 지금 자네 나이만 하거나 아니면 몇 살 더 먹은 나이였을 거야… 내가 이렇게 말하는 것은 자네 나이를 모르기 때문이네. 그 날 나는 여느 때처럼 집을 나와 회사에 출근하던 길이었어. 어느 것도 다른 날과 다른 점이라고는 없었다네. 나쁜 꿈을 꾸지도 않았고 불쾌하지도 않았다네. 아, 그렇지 다른 점이 하나 있기는 있었지. 새로 산 신발을 그 날 아침에 신었었다네. 비록 지금 시절처럼 세련되고 날렵해 보이거나 재질이 좋은 구두는 아니었지만. 보통 사람들은 고무신이나 신고 다니는 것만으로도 감사했으니까 그런대로 어깨를 으쓱거릴 정도이기는 했어. 그것은 군화 모양으로 생겼는데 아마 군에서 흘러나온 것을 고쳐서 판 물건일 거네. 하지만 그 신발이 앞에서도 말했다시피 볼품없었다거나 촌스러운 것이었다고는 상상하지 말게. 우리가 사용하는 대부분의 물건은 본래적인 가치보다는 상대적인 가치가 더 비중을 차지하니까 말일세. 서론이 너무 길다고? 아, 미안하구먼. 늘 이 이야기를 꺼낼 때면 본론에 접어들기가 두려워지는 것이 몸이 으슬으슬해지기까지 하는 것 같아서 말일세. 나는 그때 직장까지 일 킬로미터 정도를 걸어 다녔는데 중간쯤에 철길 건널목이 하나 있었다네. 그런데 난 그 건널목을 건널 때마다 이상하게도 거기가 이승과 저승 사이에 흐르고 있는 강 같은 생각이 늘 들더군. 음, 자네도 알겠군. 요단강 같은 것 말일세. 그래서 철길을 건널 때마다 마음이 조마조마하고 들떴던 것인지는 모르지만 아무튼 그런 기분은 꼭 나쁘달 것은 없는 것이었다네. 그날 나는 양복을 걸치고 또 구두를 신고 오백여 미터를 걸은 후에 오르막 끝에 있는 그 건널목을 건너기 위해 발을 내디디고 있었어. 그때 멀리서 기차가 오고 있는 소리가 들려왔는데 서두르거나 할 필요까지는 없었지. 양반의 자손이기 때문에 뛸 필요가 없기도 했지만 여유도 있었거든. 그런데 막 건널목을 건넜을 때 나는 서 있는 지점에서 채 십 미터도 떨어지지 않은 지점에 노란 모자를 쓴 아이가 철길 위에서 놀고 있는 것을 발견했다네. 그 순간 나는 무작정 아이를 향해서 뛰기 시작했는데 새로 산 신발이 걸리적거리더군. 자네도 알겠지만 철길 위에는 자갈이 깔려있고 침목들이 가로질러 있어서 사람이 걷거나 뛰기에는 아주 나쁜 곳이지. 차라리 그때 신발을 벗었더라면 좋았을지 모르지. 그랬더라면 그런 일은 일어나지 않았을 테지. 그런데 사고란 우리의 맥박이 뛰는 간격 같은 짧은 시간에 일을 해치우고 말거든… 그래 말하겠네. 정확하게 이야기해서 나는 아이 곁에 가보지도 못하고 선로 사이에 발이 끼고 말았다네. 기차는 차츰 앞으로 다가오고 주위 사람들은 악다구니만 써대고…… 잠시 후 뿡 하는 소리, 마찰음 소리, 비명이 들리더군. 눈을 떠보니 내 왼 다리는 잘려 나가고 아이는 죽고 말았다네… 그런 눈으로 나를 보지 말게. 나는 그 사고로 인해 모든 것을 잃고 절망한 나머지 몇 번이나 죽으려고도 했지만 이제는 아니네. 그 절망 속으로, 더 깊은 절망 속으로 들어가 희망을 건져내 왔으니까 말일세… 무슨 뜻인지 알아들을 수 없다고? 그럼 일단 듣기만 하게. 그러다가 보면 자연 자네 속으로 들어가서 꿈틀거리게 될 테니까. 자, 내 손을 보게. 이 손바닥 안에 구가 하나 놓여 있고 그 구의 표면에는 무수히 많은 구멍, 다시 말하면 중심을 통과하는 선들이 있다고 생각해 보세. 그것을 천천히 들여다보고 있노라면 무엇인가 그럴듯한 것이 떠오를 테니까, 콜록! 콜록!

A: 기침이 심하시군요. 하긴 일정한 거처도 없이 돌아다니시는 분이 건강을 돌볼 새가 있었겠습니까마는. 목과 복근의 통증, 몸의 열기가 가라

앉는 동안 제 이야기를 해보도록 하겠습니다. 저는 학교를 졸업하고 입대를 위해 영장을 받아놓은 상태입니다… 제가 왜 서울에 왔냐구요? 서울이라는 도시는 아까 영감님께서 말씀하시던 구의, 중앙의 핵과도 같은 곳이니까요. 모든 잡다한 물건들이 그곳에서 만들어지고 모든 문화가 그곳에서부터 시작됩니다. 그리고 그것들이 전국 각지로 퍼져나가는 곳이죠. 설혹 지방끼리 교통을 하려고 해도 그곳을 통과하지 않으면 안 되는 그곳, 그곳이 바로 서울인 셈입니다. 아, 금방 좋은 비유가 생각났습니다. 바로 온몸에 피를 공급하고 또 더러워진 피가 되돌아가는 심장입니다. 그러니까 저는 심장 가까이 가보고 싶었던 것입니다. 대개의 사람에게 다시는 돌아올 수 없다고 곧잘 인식되는 군대라는 감옥에 갇히기 전에 목숨까지 걸고 애걸복걸했던 애인의 얼굴을 마지막으로 볼 의도도 없지 않았구요. 다른 사람이 들으면 웃을지 모르지만, 그런 처지에 빠져 본 사람이라면 아마도 저를 쉽게 이해할 수 있으리라 생각합니다. 단적으로 말한다면, 제 상태는 하나하나 정리해 가는 그런 과정이라고나 할까요. 사랑했던 사람의 이야기요? 예, 그러지요. 저도 실은 영감님이 물어주기를 은근히 기다리고 있었습니다. 일생 동안 남자다운 의리와 우정을 존중한 나머지 이성 간의 사랑을 부차적으로 생각하는 사람도 있기는 있습니다마는 저는 이성 간의 사랑을 사랑의 전부라고 생각할 정도로 사랑을 가치 있게 생각했던 사람입니다. 혹 나이 든 분들이 보기에는 아직 철이 덜 든 아이의 멋모르는, 또는 풋내 나는 사랑이라고 비웃을지도 모르겠지만 꼭 그렇지만은 않답니다. 젊음이란 다시는 되돌아오지 않기도 하지만 얼마나 순수한 혈기가 넘치며 진실한 감정이 여과 없이 솟아오르는 시기입니까. 아, 그 전에 제가 교회에 나가게 된 일부터 이야기해야겠군요. 그녀와 저는 맨 처음 교회의 형제님과 자매님이라는 호칭을 쓰며 만났으니까요. 제가 먼저 꼬리를 쳤냐고요? 아, 아니 절대로 그렇지는 않을 겁니다. 저는 여태껏 먼저 여자에게 말을 걸어본 적도 먼저 손을 내밀어 잡으려 한 적도 없는 숙맥이니까요. 그리고 또 저는 독실하지는 못하지만 늘 충심으로 주님을 섬기려고 노력하는 신자였습니다. 어느 때는 지나치게 말씀대로 살려고 해서 주위 사람들의 우려를 살 정도였으니까요. 그래서 저에게 성직자의 길을 권유한 사람도 있었답니다. 어쨌든 저는 그때까지만 해도 경건한 삶을 살려고 노력하는 사람이었습니다. 마음이 늘 잔잔하고 어떤 유혹에도 흔들리지 않는 그런 상태 속에서 주를 우러르는 그 내밀한 기쁨을 맛본 것도 그때였을 것입니다. 매일 새벽 제가 무슨 기도를 올렸는지 아십니까? 다른 신자들이 그렇듯이 무엇을 주십사고 바라는 것을 들어주십사고 하는 그런 기도는 결코 아니었습니다. 저는 늘 경건한 삶을 살기를 원하오니 제 마음속에 있는 탐욕스러운 것들, 이를테면 오욕칠정 같은 것들을 모조리 없애달라고 했습니다. …달라는 거였다구요? 정말 생각해 보니 그렇군요. 하, 하! 좀 우습기는 하지만 그때 저는 이 나라와 이 민족을 위해서도 기도를 했답니다. 정말 이상하지요. 그때는 조금도 우습지 않았던 것이 이제 우습게 생각이 들다니…… 그렇지만 녹색의 십자가가 멀리서 빛나는 것만 보아도 저는 주님께 머리 숙이고 기도할 자세가 되었답니다. 그런데 영감님께만 털어놓는 이야기입니다만, 저는 그간 몇 번이나 주님을 버린 적이 있는 사람입니다. 하긴 지금도 그와 다를 바는 없지만 말입니다. 마치 제가 가룟유다 같다는 생각이 영감님도 드시죠? 하지만 저는… 아까 영감님도 구를 가지고 비유를 했지만, 저는 몰랐지만 실 달린 추처럼 늘 주님

곁을 맴돌고만 있었던지 항상 중앙의 핵으로, 즉 주님에게로 돌아오게 되더군요. 어쩌면 그것이 제 숙명인지도 모르겠습니다. 숙명이라는 단어는 제게 어울리지 않는다구요? 예 그렇군요. 하여튼 저는 주님으로부터 도망쳤다가 다시 되돌아오고 도망쳤다가 다시 되돌아오기를 되풀이하며 살았다고 할 수 있습니다… 그 교회에서 그녀를 알게 되었을 때 정말이지 사귀어 보고 싶다거나 마음에 들어서 어찌해 보려는 생각은 없었습니다. 그녀가 몇 번이나 바래다 달라고 했을 때도 저는 거절했으니까요. 그런데 몇 달이 지나는 동안 감정의 자극을 받지 않으려고 버둥거리던 제가 달라졌습니다. 갈수록 그녀에게 이끌려 가고 있어서 저도 모르게 그리워하게 되었던 것입니다. 인간이라면 가지고 있어야 할 애욕 같은 것을 없애 달라고 그렇게나 기도했던 제가 말이죠. 그러면서 저는 저도 모르게 그녀의 청을 하나씩 둘씩 들어주게 되었습니다. 손을 잡고 가로수 길을 걷기도 하고 대학가를 어슬렁거리기도 하고 밤늦게까지 공원 벤치에 앉아 있기도 했습니다… 그래도 제게는 좋은 시절이었다고요? 예, 그것은 사실입니다. 이때까지 살아오는 동안 가장 행복하고 달콤한 때가, 그때가 아니었나 싶습니다. 하지만 이제는 그 시절로 되돌아갈 수는 없답니다… 헤어졌냐구요? 이왕 말하기로 했으니 다 말씀드리지요. 하지만 그 이상야릇한 일을, 저로서도 도저히 이해할 수 없는 일을 어찌 설명해야 할지 모르겠군요. 저도 지금까지 왜 우리가 이렇게 되어버렸는지 전혀 모르고 있으니 말입니다. 하긴 그때 그 일이 실수였는지도 모르겠습니다. 그날 저는 한 극장에서 그녀와 함께 '아마데우스'라는 영화를 보다가 그만 그녀에게 사랑한다고 고백을 해버리고 말았던 것입니다. 저는 제 가슴속에 든 것을 반드시 말로 표현하지 못하면 병이 나거든요.

꼭 상대를 속이거나 하는 그런 기분도 들고요. 그런데 그 날 이후로 어찌 되었는지 아십니까. 그렇게 적극적으로 공세를 퍼붓던 그녀가 달아나기 시작했습니다. 아니, 달아난 정도가 아니라 아예 절교를 선언했던 것입니다. 우리가 그렇게 된 것은 어쩌면 교회 내부의 분위기 때문인지도 모릅니다. 같이 붙어 다니는 저희가 무슨 큰 죄를 짓기나 한 것처럼 단죄하려는 분위기였거든요. 아니면 아이들의 불장난을 제지하려고 했었을 수도 있겠지요. 그리고 또 어쩌면 남녀 간의 사랑이란 외설스럽고 비밀스러운 것이 아니라 주님의 뜻에 의한 신성한 결합이 되어야 한다고 생각하고 그렇게 좋지 않은 눈길을 보낸 것이겠지요.

B: 음, 내가 이런 말을 해도 좋을지 모르겠지만 모든 여자가, 또 모든 교회가 그렇다고는 생각지 말게. 그리고 그녀는 자네의 고백을 듣자마자 자네를 정복했다고 생각해서 흥미가 없어졌을 수도 있고, 또 자네가 느낀 그런 분위기는 교회 사람들이 실지로 그래서가 아니라 자네가 마음속에 그려내고 모양을 만들어 낸 것인지도 모르니까 말일세. 그러니까 한 가지 시선만으로 보아서는 곤란하다는 이야기지. 우리는 십일면 관음보살처럼 11개의 눈을 가지지는 못해도… 아, 미안하네. 그렇게 눈살을 찌푸리지는 말게. 갈수록 참견하기 좋아하고 잔소리가 늘어서… 이래서야 주책바가지가 아니고 뭐겠는가… 그 이후로 나는 개처럼 살았다네. 처음에는 세상으로부터 독립하는 법을 배우기 위해서 그랬지만 나중에도 그런 것은 아니었어. 나중에는 희망 없는 자로서 세상을 받아들이는 법을 배우기 위해서였지… 믿을 수 없다고? 하긴, 사고를 당한 얼마 동안은 나도 생각할 수조차 없는 그런 비참한 상태에까지 이르게 될지는 몰랐지. 비록 그 아이가 죽기는 했어도 나는 의로운 일을 하다가 다리를

잃은 것이니까 다른 사람들도 그것에 대해서 따로 배려해 줄지 알았지. 무한정 말이야. 그리고 사람들도 처음엔 나를 의인으로 떠받들고 칭송했지. 하지만 나중에는 언제 그런 일이 있었냐는 듯이 무관심해져 버렸어. 그들은 그들 나름대로 할 일이 있고 관심거리가 필요하니까. 내가 집에서 나오게 된 것은 꼭 그것만이라고는 할 수 없네. 갈수록 가족들에게 짐만 되는 나 자신이 견딜 수 없이 미워져서이기도 했지만, 다른 이유가 하나 있네. 나는 우리 집안의 4대 독자였는데 그 사고로 인해 대를 잇고 씨앗을 퍼뜨릴 내 본연의 일을 할 수 없게 되어버렸던 걸세. 천장이 무너질 것 같은 양친의 한숨, 그것은 바로 그것 때문이었네. 그래서 어느 날인가 나는 가족들에게 찾지 말라는 쪽지를 남기고 집을 나와 버렸는데 그때부터 이런 생활이 시작된 셈이지. 사람들에게 구걸해서 입에 풀칠하고 밤에는 이슬을 피할 수 있는 곳이라면 어디에고 몸을 뉘었지. 나무 아래에서 낙엽을 깔고 덮고 잔 적도 있고 농가의 굴뚝 옆에서 고양이나 개처럼 잔 적도 있다네. 그렇게 나는 차츰 서울에서 멀리, 충청도, 전라도 경상도 하는 식으로 전국을 떠돌아다니게 되었는데 갈수록 인가보다는 절로 향하게 되더군. 그것은 아마도 스님들이 나 같은 부랑자를 박대하지 않고 식사와 잠자리를 제공해 주었기 때문일 수도 있지. 그리고 사람들이 사는 곳들을 피해가고 싶어서였을 수도 있지. 어쨌거나 스님들과 보내는 생활은 즐겁더군. 스님들이 들려주는 이야기를 듣기도 하고 심심해서 못 견디면 장작을 패주고 군불을 때주기도 하고 법당 앞을 쓸기도 하고 말이야. 그런데 그들과 이야기하다가 알게 된 사실이지만 자네나 보통 다른 사람들이 생각하는 것처럼 숭고한 뜻을 지니고 출가한 사람들은 생각보다 적다는 걸세. 그들의 사연들을 하나하나 듣다가 보니 자연스레 알게 된 것이지만 별별 사람이 다 있다네. 실연의 아픔을 견디지 못하고 출가한 사람, 집안이 파산한 후의 충격으로 도저히 세상에서의 삶을 더 이상 할 수 없었던 사람, 먹고 살길이 없어 어릴 때 부모에 의해서 절에 보내어진 사람. 그렇다고 내가 스님들을 깎아내리고 그들의 불심이란 아주 보잘것없는 것이라고 이야기하려는 것은 아니니 오해하지 말게. 그리고 그들이 나중에 하게 될 고행에 비하면 불자가 되기로 한 요인 같은 것은 사실 아무것도 아니니까… 어찌 되었든지 간에 세월은 잘 가더구만, 그래. 그런데 서당 개 삼 년이면 풍월을 읊는다고 하지만 나는 굳이 스님들이 하는 양을 따라 하고 본받을 생각은 추호도 없었다네. 하려고만 했다면 할 수 있었을 일을 왜 하지 않았느냐고? 스님들이 공부하고 염불하는 경전들. 이를테면 금강경이나 법화경이나 화엄경이나 하는 어려운 한문 경전을 공부할 엄두가 나지 않기도 했지만 왠지 얽매이고 싶지가 않더군. 그리고 문자를 모르거나 한자를 해독할 능력이 없는 사람이기 때문에 부처가 되는 데 장애가 된다면 그런 것은 있을 수도 없다는 생각이 들기도 하고 말일세. 그런데 스님들이 한 토막씩 해주는 이야기는 어쩐지 재미가 쏠쏠하더군… 그중에서 말인가? 그럼 내게 가장 의미 있게 다가왔던 이야기를 하나 해보겠네. 원효대사가 당나라 유학 가던 중에 마셨다는 해골 이야기 말일세. 참, 그런 이야기는 자네도 알고 있겠군. 그 이야기는 초등학교 아이들도 알고 있으니까. 그런데 참 이상하단 말일세. 해골 물을 마셨을 때의 달콤함이나 시원함과 해골 물이라는 것을 알았을 때의 불쾌감과 토할 것 같은 기분의 대조란 쉽게 이해할 수 없을 것 같으면서도 쉽게 이해될 수 있는 것이 아니겠는가. 그래서 사람들은 세상사는 마음먹기 나름이라는 말을 만들어

냈는지는 모르지만 내가 보기에 요새 사람들은 그 말을 이상하게도 마음만 다져 먹으면 뭐든 할 수 있다는 식으로 해석을 내린단 말일세. 사람은 해서 이룰 수 있는 일도 없는 일도 있는데 말일세. 하여튼 달콤함이나 시원함은 불쾌감이나 토할 것 같은 기분과 전혀 다르지 않다는 걸세. 어차피 그것은 같은 물을 마시고 난 후에 알게 된 제각각의 기분이니까. 달리 말하면 그것은 우리가 구의 중앙에 있는 핵의 문을 열고 반대편으로 나갈 수 있느냐, 없느냐 그 차이거든. 어떻게 나갈 수 있느냐고? 그건 간단한 일이 아니라고? 하긴 내 생각은 얼토당토않은 것일지도 모르겠네. 단지 내 생각에 지나지 않는 것이니까 말일세. 자네도 바둑에서 말하는 입신의 경지에 대해서 들어본 적이 있을 걸세. 그곳에서는 9단을 '입신의 경지'라고 말한다네. 그만큼 힘들고 어려운 과정이라는 말이겠지. 하지만 도에 이르는 데는 도대체 그럴 필요란 없거든. 수양만으로 부처가 될 수 있다면 누구든 부처가 되지, 안 그런가. 요컨대 중요한 것은 생각을 바꾸는 일이 중요하다네. 지금까지 다른 사람들이 하는 방식으로 말고 아주 간단하고도 초월적인 방법 말일세. 도저히 무슨 말인지 모르겠다고? 사실은 나도 잘 모른다네. 자, 다시 한번 생각을 전환해 보세, 라는 말밖에는 할 수 없다네. 허! 허! 허! 여보게 참, 한 가지 더, 하고 싶은 이야기가 있네. 여기 차창을 보게, 밖의 어두운 풍경 대신에 반대편에 앉은 사람의 모습이 보인다네. 낮에는 밖의 풍경이 보이는데 밤에는 거울이 된다는 말일세. 아, 또 진부한 이야기를 하고 말았네. 이러다가는 사기꾼 소리 듣기 알맞겠군. 그런데 말일세. 나는 기차만 타면 꼭 그것을 확인해 보고 또 확인해 보고 한다네. 이상한 버릇이지, 그것은. 참, 여기 쪽지에 적힌 것을 내가 한 가지 읽어주겠네. 내 독

창적인 생각을 뒷받침 해줄 테니까 말일세.

法從分別生 (온갖 법은 분별에서 생기고)
還從分別滅 (또한 거꾸로 분별을 따라 사라지니)
滅諸分別法 (온갖 분별하는 법을 꺼버리면)
是法非生滅 (이 법은 생멸이 아니로세)
　어떤가? 화엄경에 있다는 이 글귀는

　A: 그런 글귀를 품속에 지니고 다닌다니 정말 놀랐습니다. 이런 영감님께 제 이야기를 한다는 것은 어찌 보면 부끄럽기도 하고… 사실 저는 그랬거든요. 다시 원점에 되돌아갈 줄 알면서도 또다시 헛된 시도를 되풀이하는 것입니다. 아마도 주님께서 꼭 필요한 때에 저를 쓰시기 위해, 굳건한 전사로 쓰시기 위해 저에게 갖가지 시험을 내리는가 봅니다. 그리고 그럴 때마다 느끼는 것이지만, 집 나간 자식을 기다리고 있는 아버지가 계시다는 것은 그래서 다시 주님의 품으로 되돌아올 수 있다는 것은 얼마나 다행스러운 일인지 모릅니다. 사실 이것은 누구에게도 말하지 않은 사실이지만(아직 그럴 기회도 없었지만), 저는 서울에 있는 연예인 양성학원에 시험을 보러왔답니다. 젊은이들이라면 꿈꾸는 이른바 스타가 되고 싶었던 것이죠. 저를 이상한 눈으로 보시지는 않겠죠… 아니시라면 다행이지만 만약에 저를 아는 누군가가 이 사실을 알게 된다면 분명 저는 무수히 놀림을 받을 겁니다… 부끄러울 게 뭐가 있냐고요? 아닙니다. 그것은 그렇지 않습니다. 우선 연예인이 되려고 했

다는 그 자체도 그렇지만 수많은 경쟁자가 있는 그런 시험이 아니었음에도 저는 시험에 떨어졌거든요. 얼굴이 미남도 아니고 억지로 표정을 짓는 재주도 없었던 것이죠. 그런데 시험 보기 전까지 제 표정이나 마음이 어땠는지 아십니까. 유명한 연예인이 되어 대중들에게 왕처럼 군림하는 것을 상상하고 오만하게 거들먹거리는 것을 생각하고 들떠 있었답니다…… 하지만 저는 실망하지는 않았습니다. 도대체 실망하거나 낙담할 필요가 어디에 있습니까. 그 길은 제 길이 아니었습니다. 주님이 예비한 길이 아니었던 것입니다. 그리고 한 가지 더 말씀드리자면, 부끄럽고 창피스러운 일이지만, 저는 그 학원에 시험을 보러 가기 전날 밤에 생전 처음으로 야릇한 기분을 맛보았습니다. 영감님도 아시겠지만 그 기분이란 언젠가 제가 느꼈던 내밀한 기쁨에 버금가는 그런 희열이었습니다. 아직도 조금 꺼림칙한 기분이 남아있기는 하지만 오 촉짜리 빨간 전구가 켜진 쪽 방에서 맛본 짜릿한 쾌감. 그것은 하루 종일, 아니 지금까지 저를 지배하고 있습니다. 그래서 시험에도 떨어진 것이겠지만 말이죠… 그런 곳에 대해 잘 아신다구요? 그럼 잘 됐군요. 짐작은 하시겠지만 저는 그 전날 밤 역 앞을 서성거리다가 불룩한 가슴으로 제 팔꿈치를 툭 치고 지나가는 여자에게 걸려든 셈인데 그 여자에게 손목을 잡혀 끌려갈 때의 저는 손에 땀이 흥건하고 얼굴이 벌겋게 달아올라 제대로 숨조차 쉴 수 없는 상태였습니다. 그런데 그 일은 알고 보니 제가 그렇게 흥분할 일도 가슴이 다듬이 방망이질을 칠 정도로 놀랄 일도 아니었습니다. 그러니까 순식간에 끝나버린 그 일은 아주 간단한 일이었습니다. 하지만 다음 날 아침

눈을 떴을 때 지난밤의 쾌감이 살아났습니다. 그리고 씻을 수 없는 죄를 주님께 지었다는 죄책감에 저는 미친 듯이 기도를 올리며 회개하지 않을 수 없었습니다. 도대체 무어라고 지껄이는지 모르는 그런 혼란스러운 상태에서 말이죠. 그러니 그 시험에 붙지 않은 것은 누가 뭐래도 당연한 것이죠. 이제 그런 여자들은 떠올리기만 해도 혐오스러운 감정이 먼저 떠오릅니다. 망할 * … 죄송합니다. 지금 생각해 보면 아마도 저는 고이 간직해 오던 동정을 내내 참고 기다렸다가 그녀에게 바치려 했던 것인데 그 꿈이 이루어질 수 없게 되자, 될 대로 되라는 심정으로 화풀이를 하려고 했던 것이겠지요. 그녀를 만나기 위해 서울로 온 것은 아니냐고요? 예 정말 그런지도 모르겠습니다. 머리가 어지러운 상태였지만 실지로 그녀를 찾아 불광동 일대를 헤맸으니까요. 그런데 그녀는 마지막 편지에 쓴 대로 저와 헤어지겠다고 말한 것을 약속처럼 지키려 했던가 봅니다. 지금 어디로 가냐고요? 저도 모르겠습니다. 고향으로 돌아갈지 아니면 이 열차에 내내 타고 있을지.

B: 아마 자넨 유혹이나 쾌락을 좋지 않게 생각하는 경향이 있는 것 같군, 그래. 하지만 그것은 여간 잘못된 생각이 아닌 것 같네. 자네는 어쩌면 삶을 무조건 무의미하고 헛된 것으로 생각하고 있지는 않은가. 또 지금 자네의 인생은 중세 사람들이 그랬듯이 천국에 가기 위한 예비 과정 정도로나 생각하고 있는 것은 아닌가. 안 된다네. 정말 그래서는 안 된다네. 그런 것은 지나치게 구식이라네. 즐거움, 달콤함, 쾌락. 이것들이 언제부터 하찮고 빌어먹을 것이 되었는지는 모르지만 우리의 삶을 힘차고 강하게 만드는 이런 것들

을 한쪽으로 제쳐버리고 나면 우리에게는 도대체 무엇이 남겠는가. 아마도 허접쓰레기 같은 알맹이 없는 쭉정이만 남고 말 것이네. 아, 미안하네. 이렇게 흥분할 일은 결코 아닌데. 아까 전에 말했던 것이나 계속해 보겠네. 절망이란 희망이 없는 상태라고 상정되는데 어차피 둘은 같은 뿌리에서 나온 두 개의 가지일 뿐이네. 그리고 쾌와 불쾌도 마찬가지라고 할 수 있네. 원래 하나였던 이것들을 우리는 각기 다른 이름으로 부르고 서로 반대 극점에 서 있는 것이어서 결코 같아질 수 없는 것으로 생각한다네. 그것은 어쩌면 인간이 언어를 사용하기 때문에 생긴 일인지도 모르지. 하지만 그 둘의 관계가 영영 끊어지는 그런 관계가 아니라는 것은 자네도 경험해 본 바가 있을 걸세. 절망적인 상황에 부닥쳐 있다가 어느 순간 어떤 요인으로 인해서 갑자기 희망적인 상태로 바뀌어 버리는 것 같은 경험 말일세. 그리고 불행이라고 생각했던 일이 갑작스럽게 행운으로 바뀌는 것 말이야. 자네도 새옹지마라는 말을 들은 적이 있을 거야. 그래서 말인데 우리가 상반되어 있다고 여기고 있는 것들은 혹 철사 같은 것으로 연결된 것은 아닐까. 그래서 전류 같은 것이 흐를 때마다 이쪽이나 저쪽으로 갈 수 있는 것이 아닐까. 아까도 이야기했지만, 여기 구(球) 하나가 있다고 생각해 보세. 그 구의 표면에는 작은 구멍들이 수백, 수천 개가 뚫려 중심의 핵까지 연결되어 있네. 이를테면 선이라고 써진 구멍의 반대편에는 정확하게 악이 자리 잡고 있고, 쾌락의 반대편에는 불쾌가, 절망의 반대편에는 희망이 자리 잡고 있다고 생각해 보세. 음, 그리고 그 구(球)의 중앙, 즉 핵에는 표면에서 시작된 통로가 그곳까지 닿아 있고 각 통로의 끝에는 빗장이 걸려 있다고 생각해 보세. 자, 이제 핵이라는 곳에는 자네가 말하는 천국이나 하나님 말씀이나 진리 같은 이름이 아니면 부처라는 이름이 씌어 있다고 생각해 보세. 그러면 어째 그런대로 이빨이 맞아 들어가는 것 같지 않은가. 그런데 왜 나는 애써 이런 모형을 생각해 내려는지 모르겠네. 이런 것은 하나의 비유에 불과한 것인데 말일세. 하지만 이미 시작했으니 멈추기에는 이미 늦은 것 같군. 자, 이것들이 완성되었으니 우리는 두 개로 나눠진 세계를 연결해 놓은 셈이 되었네. 그런데 한 가지 문제가 있네. 철사에 전류를 흐르게 하는 일, 즉 핵의 빗장을 여는 일인데… 아, 생각이 났네. 그것은 단 하나의 주문이면 족하네. 바로 열려라 참깨 같은 주문 말일세. 그런 주문이라면 아멘도 있고 나무아미타불도 있지. 이렇게 되면 우리는 누구든 도(道)에 이를 수 있게 된다네. 죽음과 삶도 같은 것이 되어버릴 테고 말이야… 나도 무슨 말을 하는지 모르겠지만 어쨌든 들어주니 고맙네. 아무리 좋은 것들이 있어도 그 사람의 마음이 없으면 보지도 듣지도 느끼지도 못하니 말일세. 그리고 자네가 원한다면 내가 말한 것 중에 모자라거나 미욱한 부분을 자네가 채워 넣어도 좋네. 아무튼 우리의 삶이란 그 자체가 도가 아니겠는가.

A: 전 도통 무슨 말인지 알아들을 수가 없군요. 조금 전에는 이 세상을 사랑해야 한다고 말씀하시더니 이제는 우리들이 좋지 못하다고 여기는 것, 즉 더럽고 추잡한 것까지 끌어들여 그것으로 진리나 덕이나 도에 이를 수 있다고 말씀하시니 전 도통 모르겠습니다. 모든 선과 악의 기준이 하나님의 말씀인 성경 속에 이미 계시 되

어 있고 주님의 발자취를 따라 살려고만 노력하는 사람에게, 주님에게 불려 올라갈 영광의 날을 기다리는 저 같은 인간에게 그것은 너무 이상한 학문이고 논리입니다. 전 이미 제가 지은 죄에 대해서 주님께 회개했고 주님은 그 죄를 사하여 주셨습니다. 그런데 제가 어찌 그런 불경스러운 생각을…….

B: 미안하네. 내게 조금만 더 말할 기회를 주게. 난 다음 역에 내려야 한다네. 그러니 제발 부탁이지만 마무리할 기회를 주게… 응 정말 고맙네. 사실 난 자네에게 이런 말을 할 수 있다는 것이 얼마나 기쁜지 모르겠네. 왜냐하면 내가 보기에 자네도 나처럼 고뇌하는 사람이라는 느낌이 들기 때문이네. 그럼 조금 전에 말했던 곳부터 다시 이야기하겠네. 얼렁뚱땅 넘어가려고 하는 것은 내 기질과도 어울리지 않으니까 말일세. 어떻게든 둘러 붙여야 할 게 아니겠는가. 나는 종교라는 것을 가지고 있지 않지만, 어느 것이 좋다고도 어느 것이 나쁘다고도 말하고 싶지는 않네. 그리고 이성적이니 비이성적이니 하는 것에도 관심이 없네. 그리고 인간적이니 비인간적이니 하는 것도 도대체 신경이 가지 않는다네. 왜냐하면 나는 선하기도 하고 악하기도 하며, 이성적이기도 하고 비이성적이기도 하기 때문이라네. 사실 이 세상을 구성하고 있는, 이 거대한 우주와 천체를 구성하고 있는 부속품들 ― 이를테면 선과 악, 희망과 절망 중에서 어느 것만을 가리켜 이것은 좋고 이것은 버려야 할 것이라고 멸시하고 죄악시하는 것은 너무 우스운 일이기 때문이네. 자네도 혹시 이런 말을 들어 본 적이 있겠지. 인간의 신체는 소우주(小宇宙)라고 말일세. 그리고 또 우리의 손가락과 발가락들에는

각기 우리의 심장, 두뇌, 콩팥 같은 신경들이 고스란히 있다는 것 말일세. 그런 맥락에서 사소하기만 한 내 감정이나 사고 같은 것들도 나를 이루는 일부분이면서도 우주를 이루는 일부분이지. 이해할 수 없다고? 그럼, 자네는 머리가 아플 때 가운뎃손가락의 손톱 밑부분을 지그시 몇 번 눌러보게. 그러면 곧 두통이 사라질 테니까 말일세.

A: 영감님의 이론은 몹시 어려운 것 같으면서도 정말 쉬운, 특이한 점이 있습니다. 지금까지 알려진 어느 학설이나 경전보다도 명쾌한 점이 있다는 것을 부정할 수 없을 것 같군요. 하지만 저에게 그 학설을 강요하실 생각이라면 포기하시는 것이 나을 것 같군요. 저는 제 나름대로 길을 갈 것이 뻔하거든요. 오랜 세월에 걸쳐 시행착오를 거듭해 오며 발전해 온 문명처럼 몇천 년 동안 수많은 사람에 의해서 탐색 된, 주님에 이르는 명확한 길을 모른 체할 수는 없습니다. 정말 죄송합니다. 아까 다음 역이라고 말씀하셨죠. 다음 역이 삼례역이라는 안내 방송이 흘러나오고 있습니다.

B: 자네가 내 엉터리 학설에 싫증이 나는가 보구먼 그래. 하지만 이 말은 자네를 기어코 놀라게 할 것 같군. 자네와 나는 출발점이 다르고 방향도 다르지만 언젠가는 같은 곳에서 만나게 될 것 같군. 단지 느낌에 불과한 것이지만. 그리고 다음에 또 만나게 되면 더욱 고뇌하는 자로서의 면모를 보여주겠네. 이제 일어나야 할 것 같군. 그럼 또 인연이 있으면 보세.

A: 어디로 가시는 겁니까?

B: 아무 데나 가고 아무 사람이나 만나지.

A: 어쨌거나 섭섭하군요.

B: 참, 들어주어도 되고 안 들어주어도 되는 부탁이지만 나 같은 부랑아를 보거든 오늘 그랬던 것처럼 하게. 나를 보아서 알겠지만 그들도 고뇌하는 자들이 틀림없을 테니까 말일세.

A: …….

재 촉

△ 9월 2일

록 허드슨이 출연했던 '자이언트'의 간판이 내려진 것은 우연이 아니었다. 얼마 전 텔레비전에 나타난 록 허드슨은 예전 모습과는 전혀 달랐다. 뭇 여성들의 가슴을 설레게 했던 잘생긴 모습은 어디론가 가고 없었다. 퀭한 눈은 고통을 호소하고 있었고 몸은 가뭄으로 타들어 가는 고춧모와 다름이 없었다. 그는 세계를 주무르는 선진국의 이름있는 배우가 아니라 에티오피아나 소말리아의 난민이었다. 시리아의 난민이라고 해야 하나.

"정말 안됐군. 록 허드슨이 동성연애자였다니."

범수는 나와 초등학교, 중학교 동창이었지만 중학교 졸업 이후에는 만나지 못했다. 각자 다른 도시에서 고등학교를 졸업하고 군 역시 서로 다른 부대에서 복무하다 제대했다. 그동안 편지나 전화를 한 적도 마주친 적도 없었다. 그러다가 공업도시 울산에서 다시 만나게 되었다. 우연한 일이지만 우리는 같은 아파트에 살고 있었다.

"야, 너 누구 아니야?"

"맞다, 너 범수구만."

나는 파출소에 근무하는 경찰관이 되었고, 그는 대기업 자동차 회사에 다니고 있었다. 이후 우리는 한 번씩 만나 고향 이야기를 하며 술잔을 기울이게 되었다. 한 번씩 고향에 가기도 했지만 지리산 부근까지 가려면 결코 가까운 거리가 아니었다. 전두환이 동서 화합의 차원으로 88고속도로를 만들었지만 산 위에 난 이차선도로는 위험하기 그지없었다. 자칫하면 맞은편 차량과 부딪치거나 산 아래 계곡으로 굴러떨어지기 십상이었다. 다른 친구들 소식도 주고받았다. 대부분 어찌 사는지 모를 정도로 바삐 살며 아이들을 키우고 있었다. 화살보다 더 빠른 30대를 보내는 중이었다. 제기랄 어서 어른이 되고 싶었던 10대는 죽어라 안 가더니.

"그럼, 동성연애자는 에이즈에 걸리기 쉽다는 건가?"

"모르제. 그렇지만 나처럼 열심히 일해 봐. 무엇을 생각할 틈도 없으니까."

8년 만에 만난 범수는 갖가지 문제를 피웠던 예전의 사고뭉치가 아니었다. 자동차 회사 작업복을 입었지만, 머리는 단정하고, 온몸에서 건강미가 흘렀다. 교복 단추를 풀고 껌을 씹으며 같이 가출하자던 아이가 아니었다.

자이언트 간판 대신 가게 앞에 붙은 것은 박암과 김정림이 출연한 자유부인이었다. 영화를 본 적은 없지만 책으로는 읽은 적이 있었다. 채털리 부인인가? 느낌은 비슷했다. 산딸기와 비슷한가. 아무튼 그녀는 유한마담이었다. 그래, 나 한가해. 그녀의 목소리를 생각하려고 했을 때 죽음의 사자가 내게 나타났다. 그가 여자 목소리로 말했다.　　살 만하니?

그 말에 나는 머뭇거렸다. 또 나타났어? 하긴 그전에는 내가 먼저 너를 불렀지. 하지만 지금은 좀… 하긴 뭐 요즘 사람들은 죽는 것을 아주 터부시하고 멀리 쫓고 싶어 하지만 우리 조상들은 그러지 않았다. 어느 집이고 송장을 치르지 않은 집은 없었다. 미리 장지와 수의를 마련해 두기도 했다.

요즘은 왜 사니? 그 말에 나는 좀 뜸을 들였다. 사자가 다가올 때마다 나는 잘못을 저지르기라도 하는 것처럼 변명해 댔다. 사춘기 때 하도 죽고 싶다고 말한 것이 이유라면 이유일 수 있었다. 그때 처음으로 그놈이 나타났고 몇 마디를 주고받았다. 그러다가 나중에는 내가 죽음이라는 단어만 생각해도 놈은 나타났다.

담배를 끊어야 할 이유를 발견하지 못해 피우는 것처럼, 아직 죽을 이유를 뚜렷이 발견하지 못했어.

그는 실망하는 표정을 지었다. 나는 몇 마디 덧붙였다. 내겐 삶에 대한 집착이 니코틴처럼 강하게 남아 있어요. 흐흐 멋지지 않은가. 나는 미소를 지었다. 그 말에 그는 흔적도 없이 사라졌다. 그런데 내가 죽음의 유혹을 물리칠 때마다 사자는 미소를 지었다. 물론 이건 나의 착각에 지날지도 모른다. 그러니까 이건 망상에 지나지 않지만 내가 죽음을 물리친 대신 누군가가 나를 대신해 죽었다. 안면이 있는 초등학생 여자아이가 교통사고로 죽었고, 여중생이 아파트 옥상에서 몸을 날렸다. 물론 이것은 망상에 지나지 않는다. 난 다른 사람과 약간 좀 다른지 모른다. 이들이 나 대신 죽었다는 증거는 어디에도 없다. 그럼에도 그런 생각이 드는 것이다. 이번에는 누구일까? 알 수 없었다. 그는 내게 아무 말도 하지 않고 사라졌다.

범수는 막걸리를 시켰다.

"소주 마실 건 아니지?"

나는 인상을 찌푸리며 고개를 끄덕였다.

△9월 9일

자유부인은 복고풍 막걸릿집이었다. 전깃줄이 그대로 드러난 천장, 백열전구, 우아한 벽지 대신 벽면을 장식한 지나간 신문들, 검은색 계통의 탁자와 의자들. 스피커에서 흘러나오는 음악도 사람들이 왜색이라고 말하면서도 그것의 영향에서 벗어나지 못하는 트로트였다. 트로트가 우리 음악이라고 하는 사람들도 있기는 있다. 나는 그들의 말에 동의한다. 그 가락에 우리들 삶을 실어 노래하고 있으니까 말이다.

분위기는 그리 나쁘지 않았다. 살기 힘들었던 과거에 살짝 덧칠해 놓은 것이었다. 된장국에 보리밥 먹던 과거가 그리운지 부산 가는 길에 보릿고개라는 식당도 생겼다.

범수는 벽에 붙여 놓은 지나간 신문들을 보고 있었다. 신성일이나 남궁 원에 대한 기사였다.

"그때는 정말 좋은 시절이었을 거야. 낭만이 있었으니까."

범수의 말에 나는 이맛살을 찌푸렸다.

"좋은 시절이라고?"

"야, 인마 지나고 나면 다 좋은 거야."

"죽은 장준하 선생도 살아오겠군."

내게 언제 좋은 시절이 한 번이라도 있었던가? 없었다. 지금껏 나는,

내 또래도 그랬겠지만, 신산한 삶을 살아왔다. 삶은 지겹고 고통스러운 것이었다. 때때로, 아니 시시때때로 죽음을 생각나게 할 만큼. 하긴 쇼펜하우어는 밥을 먹으면서도 죽음을 말했다고 했으니 나도 그런 염세주의자인가.

"고향에 자주 가?"

"저번에 형수님이 수술해서 내려갔다 왔어. 자궁경부암이래."

그는 자궁경부암에 대해 자세히 설명했다. 자궁이라니, 민망스러웠지만 난 자궁에 대한 이야기를 들어야 했다. 누군가에게 자궁의 물혹에 대해 들은 적도 있으니까.

"그래. 고향도 많이 변했지."

"그럼. 많이 변했지."

다른 사람에게 고향은 그리움의 대상일 수 있었지만 나는 고향을 생각할 때마다 숨이 막혔다. 그곳에는 사생활이라고 할 만한 것이 없었다. 나와 만나는 어른들이 모두 감시의 눈초리를 번뜩이는 교사였다. 그들이 주위에 도사리고 있는 한 나는, 만나는 어른에게 진지 잡쉈는기요, 라고 공손한 인사를 하지 않을 수 없었고, 조기 청소에 빠질 수도 없었다. 학교에 가지 않고 빈둥거릴 수 없었고 누군가를 때려줄 수도 없었다. 그랬다가는 버르장머리 없는 자식 정도가 아니라 부모님까지 싸잡아 욕을 해댔다. 싸가지없는 자식, 후레자식 같으니라고. 그런 점에서 도시는 내가 살기에 알맞은 곳이었다. 술에 취해 사창가를 거닐어도 상관이 없었고, 아파트 문을 닫고 들어앉아 햇빛에 따라 뒹굴어도 좋았다. 누구의 눈도 의식할 필요가 없었다. 난 붕새처럼 자유로운 영혼이었다.

"이 사람아. 지나간 시절은 다 아름다운 거야."

사람들은 다들 아픈 기억도 추억이 된다고 하지만 내게는 그냥 위로로 하는 말로밖에 들리지 않는다. 차라리 남을 의식하지 못하는 나이에는 그나마 좋았다. 지나가는 처녀를 향해 솥 때우세, 냄비 때우세, 라고 놀리거나 야단치는 동네 아저씨에게 고구마, 감자를 먹이며 도망갈 수 있었으니까.

△ 10월 25일

"몇 개월 됐어?"

내 말에 그는 팔을 긁다 말고 소매를 내렸다.

"자꾸 가려워서."

그가 멋쩍게 웃었다. 그는 어느 모로 보나 나보다 좀 여유가 있었다. 난 결혼을 했고, 녀석은 아직 짝을 찾지 못하고 있었다. 게다가 자동차 회사는 월급이 나와 비교가 안 될 정도로 많았다.

"피부병이겠지?"

"체중도 줄어들고 붉은 반점도 있어."

그가 우울한 목소리로 말했다.

"혹시 그때?"

나는 말끝을 흐렸다. 그날 많이 취하지는 않았다. 약간 들뜨기는 했지만 가눌 수 있을 정도였다. 역전에 가자고 말한 것이 누구였는지 기억이 나지 않는다. 내가 먼저 말하지는 않았을 것이다. 나는 누가 보아도 얌전하고 소극적인 반면에 그는 약간 건들거리며 쾌활했다.

"나는 평범한 회사원이지. 아침이면 일어나 출근하고 저녁이면 퇴근하고 그리고 연휴가 되면 즐거워하는 가장이지. 자네가 가장이 되지 못한 것은 누구 탓도 아니야. 우연히 그렇게 되었을 뿐이야. 앞으로 우리 인생에 또 어떤 변화가 있을까. 아마 그렇게 큰 변화는 없을 거야. 나도 한때는 내 인생에 커다란 변화가 있어 상류층으로 올라가면 얼마나 좋을까 생각한 적도 있었어. 그렇지만 이제는 아니야. 위로 올라가는 엘리베이터를 탈 기회가 아무에게나 오는 것은 아니니까. 그러니까 우리는 열심히 일해서 먹고 살고, 좀 부지런하면 집을 살 정도의 돈밖에 벌 수 없는 거지. 내 말은 그러니까, 운이 따르면 좋은 여자를 만나게 될 수도 있다는 거야."

"죽는 것에 대해 생각해 본 적이 있어?"

뜬금없이 죽음에 대해 그가 말했다. 죽음은 그와 어울리지 않는 것이었다. 어울린다면 나와 어울리지. 약간 놀랐지만 드러내지 않고 내가 아는 죽음에 대해 말했다.

"죽음이란 별 게 아니야. 여기서 지금 살고 있으면 죽음도 여기 있는 거야. 죽는 것이 끝장이라고 생각하는 사람도 있지만 그렇지 않아. 죽음은 삶이 늘어지지 않도록 팽팽히 당겨주는 끈에 불과해. 그러니까 사는 동안에만 열심히 살다가 죽으면 되는 거지. 좀 더 일찍 오든 늦게 오든 그게 무슨 상관이야."

"넌 죽음에 대해 많이 생각해 본 것 같다, 응?"

"그래, 죽음을 무서워하고 도망치면 더 따라붙을 것 같아. 그렇지만 죽음은 그런 게 아닐 거야. 병이라는 것도 그래. 무서워하고 도망치면 더 따라붙어 우릴 괴롭히지. 그래서 사람들은 병이든 죽음이든 대적하지 않고 도망치는지 모르지만. 소나기는 우선 피하는 게 상책이라고 하잖아."

이때 그가 몸을 약간 비틀어서 움직였다.

"잠깐 이리로 와 봐."

나는 그의 옆으로 의자를 옮겼다. 그는 내 귀에 대고 말했다.

"아무래도 내게 ㄱ 에이즌가 뭔가에 걸린 것 같아."

"뭐야? 무슨 재수 없는 소리야?"

반사적으로 말했지만 나는 잠시 숨이 멎는 것 같았다. 가슴이 두 방망이질치며 몸이 떨리기 시작했다.

"증세가 어떤데?"

"붉은 반점이 생기고, 몸무게가 계속 줄어들고 있어."

그렇다면 분명 후천성면역결핍증이었다. 내가 의사는 아니었지만 거의 확실했다. 매스컴에서도 그 병의 증세에 대해 이렇게 전했다. 순간 더러운 병에 걸렸다는 생각이 머리를 스치고 지나갔다. 빌어먹을, 나는 너무 많은 것을 알고 있어. 누가 내게 이런 지식을 가르쳐 준 거야? 텔레비전이 어설픈 지식으로 사람 망치는구먼.

"피부병이야, 인마!"

이렇게 말했지만 그의 표정은 달라지지 않았다. 그러자 내 생각도 차츰 바뀌었다. 더러운 자식, 함부로 놀더니만. 그래, 그렇게 까부는 게 아니지. 아, 그래도 사람이 이러면 안 되지. 이 녀석은 하나밖에 없는 내 고향 친구가 아닌가. 나는 그를 비난하기만 해서는 안 되었다. 지금 내 역할은 그를 위로하는 것이었다. 과거에 그가 나를 괴롭혔건 아니건 말이다. 나는 녀석들이 너도나도 가출하겠다고 나서는 바람에 포기했다. 누가 뭐래도 이건 사실이다. 마음이 바뀌기도 했지만 겁이 났다. 범수를 비롯한 아이들은 나를 두고 결국 가출을 실행에 옮겼다. 학교와 집에서는 난리가 나고, 그들이 가출하고 난 뒤 선생님이 가출에 대해 물었을 때 나는 모르는 체했다. 아니, 일부러 아는 체할 필요가 없었다. 녀석들이 돌아오지 않는다면 내가 먼저 가출하자는 말을 꺼냈다는 사실은 아무도 모르게 되는 것이었다.

"재수가 없을라니까 그런 더러운 년에게 걸려서."

실지로 그는 웃옷을 올려 배에 난 수십 개 붉은 반점을 보여주었다. 이런 망할 일이 있나. 이건 지옥에서 보낸 반점이야. 몸을 떨면서 나는 갑작스러운 친구의 불행에 몹시 기분이 좋아졌다. 넌 나쁜 놈이야. 친구의 불행을 보며 쾌감을 느끼다니. 그러다 금방 자책하고 있었다. 그래, 난 인간으로 태어났어. 그러니 이건 내 잘못이 아니야. 한참을 쓰레기 같은 생각 속에 허우적대다 정신을 차렸다. 녀석은 곧 죽겠어. 그렇지만 범수에게 그렇게 말할 수는 없었다. 그는 내 친구이기 이전에 하느님이 선택해서 세상에 보낸 소중한 생명이었다. 문득 사람들이 이 사실을 알까 두려워졌다. 사람들은 그를 가만히 두지 않을 것이다. 광기의 역사에서도 보았지 않았는가. 앙금은 좀 있지만 범수는 내 친구다. 국가나 사회가 한센병 환자에게 저질렀던 것과 비슷한 짓을 범수에게도 하게 놔둘 수 없었다.

"아닐지도 몰라. 의학적인 지식도 없으면서 그렇게 단정하면 어떻게 해."

이 점에서 나는 현명했다. 스스로 생각하기에도 그랬다. 이 말에 그는 약간 기분이 풀어졌다.

"그래, 맞아! 아닐 수도 있어. 너는 진짜 내 친구가 맞아."

그가 악수하기 위해 손을 내밀었다. 꺼림칙했지만 나도 그의 손을 잡았다. 나는 이타적인 사람이라고 하기는 좀 그렇지만, 사람들이 말하는 약고 이기적인 사람은 아니었다.

"확실히 그 병인지 아닌지 검사를 받아 보자구. 신문이나 텔레비전에서 하는 말 그대로 다 믿을 수 없잖아. 아니, 내가 일단 자료를 한 번 찾아볼게."

내 위로 덕분인지 술자리를 마치고 집으로 돌아올 때 범수는 기분이 좋아져 있었다.

△ 10월 26일

일이 끝나자, 나는 중부도서관에 갔다. 에이즈에 관한 자료를 찾아보기 위해서였다. 인터넷이 널리 퍼져 있었지만 나는 여전히 구시대적 습관에 의존하고 있다. 전자책이 퍼지고 있었지만 종이책을 선호하는 것도 같은 맥락에서였다.

늘 그렇지만 도서관에는 정말 있어야 할 책은 없었다. 정작 학교에서는 세상에 대해 아무것도 배울 게 없는 것처럼. 서가를 돌며 책을 찾다가 사서의 도움을 받기도 했지만 적당한 지식을 찾을 수 없었다. 에이즈의 증상과 발병원인에 대해 설명한 책은 있었지만 내가 원하는 최근의 지식은 없었다. 결국 나는 서점에 가서 에이즈에 관한 최신 책들을 몇 권 사 가지고 돌아왔다. 그렇지만 그 병에 대해 아는 것에는 한계가 있었다. 사람들은 이제 막 이 병에 대해 알기 시작했을 따름이었다. 게다가 후진국 병이라 거액을 들여 연구하는 제약회사도 없다는 것이었다.

△ 11월 5일

아파트 단지에 이상한 소문이 퍼져나갔다. 그가 에이즈 환자라는 눈치 챈 주위 사람들이 소문을 퍼트렸다. 그가 슈퍼에 담배를 사러 가거나 식료품을 사러 가면 사람들이 그를 손가락질하며 수군거렸다. 내가 옆에 있는 경우에도 마찬가지였다. 저 사람이 에이즈 환자래, 세상에. 이런 말은 약과였다. 그가 지나가다가 잘못하여 팔을 스치자, 3동에 사는 한 여자는 비명을 지르며 달아났다. 아파트에서의 소문은 회사에도 퍼져나갔다. 물론 내가 퍼트린 것은 아니다. 같은 아파트에 사는 네댓 명의 남자들 중 한 명이 아니면 그를 회사에서 쫓아내기 위해 작당을 한 것이 틀림없었다. 이후 그는 회사에 휴직계를 내고 밤이 아니면 외출을 하지 않았다. 내가 찾아가면 그는 낙심한 얼굴로 나를 맞았다.

"정말 창피하고 부끄러워서 살 수가 없어."

나는 얼마든지 그를 이해할 수 있었다. 옷깃을 스치기만 해도 자신들이 해를 입을 것을 염려하는 사람들의 잘못이라고 할 수는 없었다. 그렇지만 그들은 병에 대해서 잘 모르고 있는 게 확실했다. 에이즈는 한센병이 받은 박해를 받고 있었다. 한센병은 전염이 되는 것이 아니었고, 손가락 같은 관절이 허물어져 내리는 병이 아니었다. 단지 통증을 느끼지 못하는 것이었다. 에이즈도 마찬가지였다. 피부의 접촉이나 음식을 통해 전염되는 것이 아니었다.

"사람들이 정말 너무해."

나는 그의 편이 되어 주었다. 그는 누가 뭐래도 동향 친구였고 어린 시절을 함께 보냈다.

"정말 죽고 싶다. 죽고 싶어. 사창가에 가는 게 아니었는데."

"근데 진짜 에이즈가 맞기는 맞는 거야? 검사도 안 받아봤잖아."

"검사를 받아보나 마나 맞을 텐데, 뭐하러 그 창피를 당하러 가?"

"그래도 한 번 검사를 받아보자. 밑져야 본전이니까."

그 날 저녁 나는 그를 1시간 넘게 설득했다. 그러다가 9시 뉴스가 끝나고 연속극이 시작되기 전에 검사를 받아보자는 승낙을 받아냈다. 사실 그를 위해서 설득한 것이 아니라 나를 위해서 그런 것일지 몰랐다. 여전히 나는 이 도시에 적응하지 못했고 타향 친구들을 온전히 믿지 못했다. 그러니 그런 친구가 내 곁에 살아있어야 했다.

△11월 10일

사거리에 있는 비뇨기과는 사람들이 많았다. 포경수술을 받으려는 어린 학생들도 있었고, 무슨 질환이 있는지 감이 잡히지 않는 아직 어린 처녀들도 있었다. 물론 피부과 진료를 받기 위해 왔을 것이다. 의사는 피부과도 진료하고 있었다. 순번을 기다리는 동안 범수는 몇 번이나 출입문을 들락거렸다.

"제기랄 장기나 확 기증해 버릴까?"

그가 병원 화장실 타일 벽에 붙은 것을 보고 말했다.

"에이즈에 걸린 사람이 장기를 기증한다고?"

"그럼, 난 장기도 기증할 수 없어?"

"모르겠어. 넌 아직 에이즈에 걸린 게 아닐 거야. 그러니까 그런 생각 할 필요 없어."

"그런 소리 하지 마. 난 죽은 목숨이야."

하긴 에이즈 검사는 형식에 지나지 않을 것이다. 그는 분명 에이즈에 걸린 것이 틀림없었다. 그럼에도 불구하고 나는 그렇게 말할 수 없었다. 아니, 아닌 것 같았다. 내가 그의 손을 직접 잡아 보기도 했지 않은가 말이다. 그러나 다시 잡자고 하면 그럴 용기는 없었다. 그때는 왜 그런 용기가 났지? 나는 혹 성자가 아닐까? 역시 넌 망상증 환자가 틀림없어.

"여러 소리 말고 검사나 받아보자고."

환기창 앞에서 그는 담배 연기를 내뿜었다. 연기가 연처럼 곡선을 그리며 빨려 들어가더니 흔적도 없이 카오스 속으로 사라졌다.

"들어가자."

문을 열고 안으로 들어가자, 마침 간호사가 그의 이름을 불렀다.

"김범수 씨, 김범수 씨!"

범수가 진찰실을 향해 걸어갔다.

"잘해, 떨지 말고."

이런 순간에 농담을 하다니. 떨고 있니, 라고 물어보는 탤런트 대사를 하필 이때 흉내 낼 것은 뭘까. 제기랄, 어머니를 패는 아버지를 말리며 자식은 폭력을 내면화한다더니. 세상은 참 복잡해. 이런 것까지 배울 필요가 있는가 말이다.

우울한 눈빛으로 뭔가를 생각하던 범수는 안으로 들어갔다.

그가 나오기를 기다리는 동안 나는 갈색 소파에 앉아 텔레비전을 보고 있었다. 그러다가 문득 내게 죽음이 다가온다면 어떻게 다가올지 궁금해졌다. 나도 한때는 자살을 생각한 적이 있다. 방법은 여러 가지였다. 대들보에 목을 매다는 것, 바다에 몸을 던지는 것, 기차선로에 서서 기차가 지나가기를 기다리는 것. 그런데 죽으려고 했던 것인지는 떠오르지 않았다. 성장기에 있었던 형의 학대, 진학하지 못한 것에 대한 절망이 있었고, 군대 시절에는 구타를 견디지 못해 죽으려고 했다. 그리고 지금은, 여기에 이르자 나는 생각을 멈추었다. 삶이 아무리 좋은 것이라고 꼬드겨도 나는 그것을 순전히 받아들이기 힘들었다. 개똥밭에 굴러도 이승이 좋다고? 천년만년 구르지, 왜? 과연 죽음을 생각하자 그놈이 다시 나타났다. 그래, 산다는 것 속에는 늘 죽음이 있지. 단지 죽음을 피하고 싶을 뿐이지. 저만치 밀어 놓고, 지금도 삶에 대해 니코틴 같은 집착이 느껴지는가. 나는 천천히 고개를 저었다. 친구가 어느 날 갑자기 죽을 지경에 처했는데 내 것을 생각할 겨를이 없어요. 아직 죽을 이유를 발견하지 못했지만 곧 그럴 때가 올지도 모르겠어요. 친구가 죽는다면 견딜 수 없을지도 모르지요. 사자는 미소를 지으며 다시 사라졌다. 그의 뒷모습을 보며 불길한 느낌에 사로잡혔다. 어쩌면 내가 죽음을 거부했기 때문에 사람들이 하나둘 내 주위에서 사라지는 것은 아닐까. 나를 대신해 사라지는 사람들. 그럴 리 없을 거야. 이건 망상이지.

그때 범수가 병원을 한 바퀴 돌아 각종 검사를 마치고 내 옆으로 돌아왔다. 범수의 얼굴을 보았다. 말이 없었지만 얼굴빛은 검고 무거웠다. 화가 난 듯도 했다.

"어때 검사는 끝났어?"

"그래."

그는 말없이 고개를 끄덕였다. 계단을 내려가면서 그는 의사에 대해 불만을 이야기했다.

"저 의사는 정말 기분 나쁜 놈이야. 내가 에이즈 검사를 받으러 왔다니까 별 표정이 없더니 내가 반점을 보여주려고 옷을 올릴 때 슬며시

웃잖아. 정말 기분 나빠서. 내가 옴에 걸려 피부과를 찾았을 때와 다를 바가 없어. 그때 의사는 걷은 옷이 내려가자 동물 대하듯 쇠막대기로 쳐들고 보았지. 사타구니를 볼 때도 그랬어."

"그런 데 신경 쓸 필요 없어."

의사도 사람이었다. 감염을 걱정해야 하는 신체를 가진 인간이었다. 특별히 면역이 강한 사람도 아니고, 그렇지만 그런 병을 자신의 신체로 앓아본 사람은 아니었다. 어쩌면 인간 세상에서 격리되거나, 죽음에 이를지도 모르는 자의 심정을 백번 이해는 해도 자신의 것으로 느낄 수는 없는 사람이었다. 그것을 요구하는 것이 무리였다.

"검사는 언제 나온대?"

"일 주일 뒤에나."

"그래, 그때 되면 자세히 알겠지. 오늘 저녁에 자유부인에서 술이나 한잔하자. 기분도 안 좋은데."

이렇게 말한 후 금방 후회가 되었다. 진짜 에이즈에 걸린 거라면 접촉만으로도 감염되지 않을까. 아니야. 혈액이나 정액이나 그런 것으로 감염된다고 했으니까. 그럴 리 없어. 불안해졌지만 나는 내색을 하지 않았다.

"응."

그는 의외로 순순히 대답했다.

"그럼, 회사에 들어갔다가 여섯 시나 들어올게."

"회사 사람들은 여기 온 거 모르지?"

"그럼, 알면 회사 나오지도 말라고 할 거야."

"아직 확실하지도 않아. 너무 걱정하지 마."

"……"

"집에 와 있어! 내가 데리러 갈 테니까."

"알았어."

그가 버스에 오르는 것을 보고 십으로 돌아왔다. 6시까지라면 시간이 좀 있었다. 집에 돌아오자 나는 작은방으로 들어가 누웠다. 지금 내 앞에서 벌어지는 일이 어떤 것인지 너무 빨리 지나가 버렸다. 정신을 차릴 수 없을 정도로. 잠시 후 나도 모르게 잠이 들었다. 고향의 풍경이 나타나기도 하고, 알 수 없는 곳을 헤매기도 했다. 누군가의 목소리에 이끌려 천천히 걸어갔다. 나를 부르는 사람은 한때 나를 고통스럽게 했던 사람이었다. 그런 그가 왜 나를 부르는지 이해할 수 없었다. 두려움에 천천히 걸음을 옮겼을 때 그가 갑자기 내 앞에 모습을 드러냈다. 야, 자식아! 정신 차려 임마! 그의 목소리에 놀라 얼굴을 보았다. 자리에서 벌떡 일어났다. 누구일까? 아는 사람의 얼굴인 것 같았는데 알 수 없었다.

오후 6시가 가까워지자, 그와의 약속이 현실감 있게 되살아났다. 이건 내 머릿속에만 있는 것이 아니라 현실로 나타나야 할 것이라고.

나는 그가 사는 아파트 4동으로 갔다. 주차장을 가로질러 천천히 걸었다. 혹시 안 온 것은 아니겠지. 아니야. 왔을 거야. 엘리베이터 버튼을 누르자, 곧 문이 열렸다. 엘리베이터의 붉은 숫자가 하나둘 올라가더니 갑자기 이상한 글자들이 나타났다. 숫자도 아니었고, 영자도 아니었다. 계기판이 고장 난 것은 몇 달이 넘었지만 관리실에서는 아직까지 조처를 하지 않고 있었다. 불안해지기 시작했다. 엘리베이터가 금방 내려앉지 않을까 걱정됐다. 사실 임대아파트의 관리실은 주민을 위해서 있는 것이 아니라 회사를 위해 일하는 사람들이었다. 그들은 주민들을 도와주기는커녕 군림하려 들었다.

혼란을 거듭하던 엘리베이터 숫자판이 정상으로 돌아왔다. 13층에서 엘리베이터가 멎었다. 문이 열리자 범수의 집을 향해 걸었다. 오른쪽으로 멀리 나무들과 논이 보였다. 벨을 눌렀다. 딩동딩동. 벨 소리도 구식이었다. 다시 벨을 눌렀다. 이놈이 자는 거 아냐. 몇 번 벨을 눌러도 대답이 없었다.

"범수야, 범수야!"

소리쳐 불렀지만, 슬리퍼 끄는 소리가 들리지 않았다. 무심코 손잡이를 돌렸다. 문은 잠기지 않았다.

"문도 안 잠그고 뭐하나? 범수야! 가자!"

문득 이상한 생각이 들었다. 문을 열어 놓은 것이나 대답이 없는 것이 이상했다. 하긴 그의 집을 찾아올 사람은 많이 없었다. 그는 회사 사람들도 밖에서 만났다. 도둑이 들었나? 도둑이 가져갈 게 있을 리 없었다. 그때 어디선가 신음이 들렸다. 어디지? 안방인가? 작은방인가? 귀를 기울였다. 안방에서 나는 소리였다. 으, 으, 하는 것이 배가 아파 뒹구는 듯한 신음이었다. 들입다 안방으로 달려 들어갔다.

"악!"

나도 모르게 비명을 질렀다. 그는 창틀 전깃줄에 매달려 피를 쏟아내고 있었다. 피가 비 온 후 개울물처럼 흐르고 있었다.

"범수야, 범수야!"

나는 고함을 지르며 창문을 젖혔다. 그가 바닥으로 떨어졌다. 전깃줄에 매달린 채 가슴을 칼로 찌른 것이 분명했다. 서둘러 핸드폰을 꺼냈다.

"거기 119죠. 여기 아파튼데 사람이 죽어가요. 어서 빨리 와주세요."

"어디 임대아파트죠?"

"00 임대아파트 0동 0호요. 사람이 죽어가요."

"몇 동 몇 호요?"

정말 화가 치밀었다. 간신히 대답해 주고 나는 입고 있던 메리야스를 찢어 가슴을 동여맸다.

"조금만 참아. 조금만 참아!"

"으, 너냐?"

"그렇다고 죽어. 왜 죽어? 결과도 안 나왔는데."

"나 같은 놈은 죽는 게 나아. 난 가망이 없어."

그는 나에게 여러 가지 유언을 하려고 했다. 몇 번 숨이 가빠하면서 부모님께 죄송하다고 전해달라고 했다. 내게는 열심히, 행복하게 내 몫까지 잘 살라고 부탁했다.

몇 분도 되지 않아 119구급대원 둘이 집 안으로 들어왔다. 범수의 상태를 확인하고 들 것에 뉘어 서둘러 구급차로 운반했다. 그가 흐릿한 눈으로 나를 쳐다보았다. 나는 그의 손을 잡았다. 병원에 도착하기 전까지 그 손을 꼭 쥐고 있었다. 범수는 아무런 말도 하지 못했다. 숨을 가쁘게 몰아쉴 따름이었다. 그러다가 곧 의식을 잃었다.

그는 오랜 시간 버티지 못했다. 아니 그는 버티고자 하지 않았다. 결국 그는 원하는 길을 갔고 누구도 거기서 그를 끌어내지 못했다. 시골에서 노부모가 올라왔다. 범수의 죽음은 그분들에게 말로 할 수 없는 충격이었다. 어머님은 몇 번이나 정신을 잃었다. 나는 차마 고개를 들 수 없었다. 꼭 내 잘못인 것 같아 죄송스러웠다.

그는 화장되어 강에 뿌려졌다.

△11월 30일

일을 하는 중인데 전화벨이 울렸다.

"예, 00입니다."

"여기 비상 비뇨기과 병원입니다. 김범수 씨 보호자 되시죠?"

"예, 그런데요?"

"본인에게 연락이 되지 않아서요. 김범수 씨가 얼마

전에 HIV 항체 검사를 했는데 음성으로 나왔습니다."

나는 한동안 멍한 상태로 앉아 있다가 울기 시작했다. 범수의 웃는 얼굴이 보였다.

코스모스 하늘하늘

버스를 기다리는데 문자를 알리는 종소리가 울렸다. 그녀였다.

— 이 문자 보면 전화 줘.

무슨 일일까. 버스 정류소 나무 의자에 앉은 아내를 한 번 본 후 자리에서 일어섰다.

"응, 민철아, 나야. 놀라지 마. 너의 집 앞에 와 있어. 네가 알려주었던 아파트."

"그래, 언제 여기까지 왔어? 여기 부산이니까 좀 시간이 걸릴 거야."

"결혼식 참석하고 온 거야. 서두르지 말고 천천히 와. 기다릴 테니까."

"어, 그래. 혼자 왔어?"

"……."

애써 들뜬 것을 가라앉히며, 아내에게 수지가 찾아왔다고 말했다. 표정이 잠시 어두워지더니 불만스럽게 말했다.

"갑자기 왜 찾아온다고 그래?"

"글쎄 말이야."

아내에게 속인 것은 없었지만 내 감정을 말하기는 힘들었다. 그녀에 대해 몇 번 말을 꺼내기는 했다. 한 번은 고구마를 시켜달라고 해서 받은 적이 있었다. 호박 고구마. 내가 먼저 주문을 한 것은 아니었다. 함평에서 나는 고구마 한 박스 주문해 달라고 아내는 먼저 말했었다. 그러니까 이해할 수 없는 것은 없어 보였다. 나는 그녀가 보내준 것이 떠올랐다. 몽블랑 볼펜과 손수 종이로 만든 연필꽂이. 아내는 한참 생각하는 듯했다. 곧 버스가 왔고, 우리는 앞뒤로 앉은 채 몇 마디를 주고받았다. 신발 끈이 풀렸지만 주위 시선 때문에 하는 수 없이 걸을 때처럼 어딘가 모르게 마음이 불편했다.

"집에 가서 옷 갈아입고 나가야겠네."

아내의 말에 숨이 쉬어졌다.

"글쎄 광주서 왔는데 안 나갈 수도 없고."

그녀를 처음 만났을 때가 생각난다. 그녀는 빨간 반팔 티를 입고, 하얀 핸드백을 메고 시골 버스에서 내렸다. 우리는 가볍게 인사를 하고, 마을 초입에 있는 효자문 앞에서 저수지 쪽으로 걸어갔다.

"이 동네 사는구나."

그녀는 우리 마을이 처음인 듯했다.

"응, 저쪽으로 가자."

사람들 눈에 띄지 않는 곳으로 걸음을 바삐 옮겼다. 같은 중학교에 다녔지만 우리는 서로에 대해 몰랐다. 마주치거나 이야기를 나눈 적이 없었다. 60명씩 세 반이었다. 3반은 여자 반, 1반은 남자 반, 2반은 짬뽕 반. 짬뽕반이 아니라 혼합반이라고 선생님들은 외쳤지만, 우리는 이 말에 더 익숙했다. 학년이 바뀌면 새로 반 편성을 했는데 나는 1학년 때

2반, 2학년 때 1반, 3학년 때 2반을 했다. 2반이 두 번이나 그녀를 만날 기회가 있었지만, 그녀는 한 번도 2반이 된 적이 없었다. 3년 내내 3반이었고 나와 같은 반이 될 수 없는 운명이었다.

그녀를 알게 된 것은 중학교를 졸업한 후 처음 여는 동창회 때였다. 동창회가 끝난 후, 나는 교실 밖에서 서성거리고 있다가 빨간 옷을 입은 그녀를 처음 보았다. 그녀는 나처럼 내성적으로 보이지 않았다. 활달해 보였고, 인문계에서 3년의 고등학교 과정을 보낸 나처럼 찌들어 보이지 않았다. 나는 누구보다도 힘든 고등학교 시절을 보냈다. 수십 번이나 자살을 생각할 정도로 우울했다. 현실에서 벗어나 집을 떠나 방랑하고 싶기도 했다. 중학교 시절에도 그런 경향은 있었다. 그러니 삶이 지독히 불안정할밖에. 현실에 발을 딛지 못하고 이리저리 떠돌아다니는 나는 내내 먼 곳을 그렸다. 내가 있어야 할 곳은 여기가 아니라 분명 다른 곳이야. 내 부모님도 다른 분일 거야. 결코 이처럼 차갑고, 메마르고, 위선적인 분들은 아니야. 급기야 가출을 생각할 지경에 이르렀다. 아버지는 매일 술 마시고 고래고래 고함을 지르지요, 어머니는 도둑 누명을 쓴 아들을 창피해 했어요, 형은 내게 공부하라고 하는 시늉을 하면서 학대를 하지요. 제 편은 어디에도 없어요. 가출 모의를 주동했다가 발각되었을 때 선생님은 말했다. 넌 현실을 도피한 거야. 난 선생님께 대꾸할 생각이 없었다. 아무려면 어떤가. 선생님도 비현실적인 나를 조금도 이해하지 못했다.

문행귀. 지금도 그곳을 이 이름으로 부르는지 모르지만 무넘기다. 저수지 물이 넘치면 그곳으로 물이 흘러내렸다. 거기에는 높게 걸린 콘크리트 다리가 있었다. 난간도 없는 좁은 다리였다. 배수로 위에 걸쳐진다리는 건너기에 위태로웠다. 금방 몇 미터 아래 추락할 것처럼 아찔한 곳이었다. 그곳을 마을 사람들은 멀미에 있는 산이나 논밭에 가기 위해 소와 함께 건너기도 했다.

수문을 따라 난 배수로를 따라 둘이 저수시 둑으로 올라갔다. 멀리 구상리가 보이고 그 아래 선산이 있었다. 둑은 대동강처럼 길었다. 백 미터, 이백 미터, 아니 삼백 미터는 되었다. 바람이 불어왔다가 잔잔해졌다. 여름이면 수영 실력이 있는 중학생들이 수영을 하고, 해질 무렵이면 강태공이 낚시를 했다. 저수지 바람을 등지고 나란히 앉았다. 신작로가 이어진 길을 눈으로 따라갔다. 신지내기, 오산, 구지내기, 너더리가 멀리 보였다. 이곳은 젊은 청춘들이라면 누구나 즐겨 오는 곳이었다. 낮이든 밤이든 마찬가지였다. 낮에 우리처럼 둑을 거니는 사람도 있었고, 밤이면 은밀히 만나는 사람도 있었다. 여자아이들에게 밤에는 저수지 둑에 가지 말라고 어른들이 그러는 데는 이유가 있었다.

그녀는 나에 대해 대충 알고 있었다. 다리를 놓아 준 정미에게 들었을 것이다. 내가 대학에 떨어지고, 혼자 재수를 하고 있다거나, 집에서 공무원 시험을 준비한다거나. 그녀는 내게 자세하게 묻지 않았다. 나도 그랬다. 그녀는 고등학교 내내 나보다 더 힘들었을 수도 있었다. 일하면서 공부하는 학교에 다녔으니.

앉아 있는 동안 바람이 몇 번 불었다. 벼들이 일제히 한쪽으로 밀려갔다가 돌아왔다. 시간은 너무 빨리 지나갔다. 나중에 생각해도 오래 앉아 있었다는 생각은 들지 않았다. 그녀는 저수지 둑의 푸른 풀처럼 향기로웠고, 감또개가 떨어질 무렵의 감나무잎처럼 연둣빛이었다. 멀리 먼지와 함께 버스가 오는 것이 보였다. 1시간마다 1대 있는 버스였다. 그녀는 버스를 타기 위해 일어났다.

"어머, 저기 제비꽃이네."

그녀가 가리킨 곳에는 작은 보라색 꽃이 풀 속에 있었다.

"왜 제비꽃이라고 했을까 잉?"

"제비가 올 때쯤 피니까 그럴 거여."

그녀는 버스에 오르며 가볍게 손을 흔들었다. 나도 손을 흔들었다. 그녀는 논밭 사이로 난 신작로를 따라 멀어져갔다.

그다음 그녀를 만난 것은 코스모스 필 무렵이었다. 신작로에는 하얀색이나 분홍 코스모스가 피어 있었다. 중학교 3년 동안 걸었던 길이었다. 등하굣길이면 신작로 위에 점점이 떠 있었던 많은 학생들. 가방을 들고 걷기도 했고, 자전거를 타고 가며 친구들 가방을 싣기도 했다.

오산 다리에서는 잠시 머뭇거렸다. 난간이 없는 다리 아래로 저수지에서 내려온 물이 흘렀고, 가에는 버들강아지나 갈대가 자랐다. 구지내기를 지나자 신작로를 두고, 갠동으로 넘어가는 좁은 길을 택했다. 그 길은 신작로가 생기기 전 갈계를 거쳐 인월장으로 갈 때 걸었던 길이었다. 논 사이로 난 길을 얼마 따라가면 몇 채의 집이 보였다. 일심(一心)이라는 액자가 걸린 집. 그때는 이런 글귀가 좋았나 보았다. 초지일관(初志一貫)이라는 글귀처럼. 곧이어 오른쪽에 구지내기로 가는 갈림길이 나타나고, 곧장 걸어가면 갠동다리였다.

그녀가 사는 집은 갠동을 지나 산을 향해 좀 더 걸어가야 했다. 처음 지나는 마을은 늘 은근한 두려움을 준다. 사람들은 나그네에게 퉁명스럽고, 마을풍경도 낯설다. 그래서 길을 묻는 것이 망설여진다. 마을은 고요했다. 개 짖는 소리, 닭 우는 소리도 들리지 않았다. 마을 길을 끼고 얼마를 걸어가자, 인가가 끊어졌다. 길도 산길이나 한 가지였다. 또 하나의 마을이 나타나자, 하는 수 없이 마을 사람에게 그녀의 집을 물었다. 그녀의 성을 대니 금방 알아챘다.

그녀의 집 앞을 서성거리다 안으로 들어섰다.

"안녕하세요? 수지 좀 만나러 왔습니다."

"잠깐 나갔는데 저기 앉아 좀 기다려, 잉."

그녀의 어머니가 놀라는 것을 눈치채지 못했다. 카세트 레코더가 보이고, 가요를 녹음해 놓은 테이프가 눈에 띄었다. 이용의 잊혀진 계절, 다섯 손가락의 새벽 기차. 남자 글씨체였다. 오빠가 있었나. 여자 친구를 만나러 갔다가 봉변을 당한 친구의 말이 떠올랐다. 걔네 오빠한테 무지 혼났어. 느그들도 조심해. 나도 수지 오빠에게 혼날까 두려워졌다.

오래지 않아 그녀는 아버지와 함께 집으로 들어왔다. 손에 감자 박스를 들고 있었다. 나는 그것을 대신 들어주려다 멈칫했다. 어제 손가락이 아파 행림당에서 침을 맞았던 터였다. 금방 짐을 들어주지 못해 난처했고, 나중에도 후회스러웠다. 나는 소극적이거나 어리석었다. 나는 아버지께 인사를 드렸다.

"안녕하세요?"

그녀는 당황해하는 것 같기도 했지만 아닌 듯도 했다. 전혀 그런 빛을 보이지 않았다. 아버지는 순박해 보이기도 했지만, 양식을 가진 분으로 보였다. 대뜸 다른 농부들처럼 딸을 찾아온 나를 향해 고함을 지르지 않았다. 그분은 인사를 받은 후 수지에게 말했다.

"손님이 왔는데 가서 얘기라도 좀 해야지."

확실한 말을 기억할 수 없지만 아마도 이렇게 말했던 것 같다. 우리는 어떤 이야기들을 했을까. 뭔가 이야기를 하다가 집에 돌아왔던 것 같기도 하고, 둘이서 중학교가 있는 너더리까지 이야기를 나누며 걸어 내려왔던 것 같기도 하다. 아마 후자가 맞을 것이다. 삼십오 년 전의 기억이라 가물거리지만. 잠시 그녀의 아버지에게 인사를 나누고 집을 나선 것은 아마 맞을 것이다. 그러나 그것이 마지막이었다. 그분은 오래지 않아 암으로 돌아가셨다. 한 번 뵌 분이라 기억이 잘 나지 않지만 선해 보였다. 아버지 죽음에 그녀는 세상 어느 것도 받아들일 수 없을 정도로 아파했다.

나는 너를 생각하면 꼭 아버지 돌아가신 때가 생각나. 이상도 하지.

처음 연락을 했을 때부터 그녀는 그런 이야기를 했다. 아마 나는 아버지의 죽음과 연결되어 있어 가까이 할 수 없었던 것인가.

길을 내려오며 어떤 이야기를 했는지 모른다. 탕실에서 갠동까지 내려오는 길에는 마을 어른들이 있어 조심스러웠고, 그다음에는 수줍음에 몇 마디씩 하다가 조금씩 서로 간의 소식을 물었다.

그녀는 아버지 병환으로 고등학교 졸업 후 집에 와 있었다. 그녀는 고등학교 내내 힘들게 일하면서 공부했다. 나는 그 점에 존경심을 품었다. 그 나이에 나는 그렇게 할 수 없었다. 그녀는 내가 대학에 가기 위해 재수를 하는 것으로 생각하고 있었지만 나는 공부를 계속할 생각이 없었다. 미련이 남아 있었지만 국비로 가는 대학이 아닌 바에야 집의 도움을 받을 지경이 아니었다. 부모님을 힘들거나 아프게 하고 싶지도 않았고 우리 집도 그녀의 집과 마찬가지로 가난했다. 어머니는 내가 공무원 시험이라도 보기를 바라고 있었지만 그 역시 여의치 않았다. 시험이 시시하기도 했지만 한참 방황하는 중이라 무엇을 해도 마음에 들지 않았다.

어쩌면 낭인이 되고 싶었는지 모른다. 머리를 기르고 정처 없이 떠도는 방랑자. 밤이면 혼자 모닥불 앞에 앉아 하늘의 별을 보고, 새벽이 되면 다시 길을 떠나는… 방랑자여 방랑자여 기타를 울려라! 그 당시 유행하던 노래도 생각난다.

갠동을 지나 모퉁이를 돌면 산꼭대기에 교회가 있었다. 가파르게 하늘을 향해 오르는 계단 끝에 서 있는 교회. 우리는 잠시 교회 입구에 서 있었다. 그녀나 나나 종교를 믿고 있지는 않았지만. 일요 예배나 결혼식이 있을 때 사람들이 많이 서 있던 곳이었다.

내가 사는 마을에 그녀의 이모가 한 분 있었다. 그녀는 나도 잘 아는 수정이네 엄마였다. 그녀와는 마을 행사가 있을 때 함께 동네일을 거들기도 했고, 마을 회관 앞에서 노래자랑 할 때 같이 박수를 치기도 했다.

"그래서 한 번씩 일대 가는데 정숙이네 집은 알아도 느그 집은 잘 몰랐지."

"정숙이는 우리 당숙네 집. 그러니까 육촌이네."

한참 과거에 젖어 있다가 현실로 돌아왔다. 아내와 나는 1002번 버스에 올랐다. 나는 수지에 대한 생각에 흥분되었다가 아내의 무심한 듯 어두운 표정에 애써 표정을 감추었다. 무어라고 말할까. 아내는 얼마나 내면이 출렁거릴까. 내가 아내의 입장이라면 어떻게 할까. 버스 안은 제법 사람이 있었다. 같이 앉을 자리가 없어 앞뒤로 앉았다.

"집에 가서 옷 갈아입고 가."

그 말에 안심했지만 굳이 그럴 필요는 없었다.

"아니야. 친구 만나러 가는데 이대로 입고 가도 돼."

"그래도 삼십오 년 만에 만나는 건데."

아내는 꽤 억제하고 있는 듯 보였다. 전에 장난처럼 주고받은 말도 떠올랐다. 처음 수지에게 전화가 왔을 때 나는 숨기지 않고 아내에게 말했다.

"수지가 오면 만날까?"

"뭐 만나는 거야, 뭐."

아내는 걱정하는 듯하면서도 심각해 보이지 않았다.

"둘이 모텔에 간다는 것도 아니고."

"그건 그렇지만."

말해 놓고 아내는 큰소리로 웃었다. 결혼한 지 이십 년이 다 되어가기 때문일까.

"오십이 넘으면 남녀 구별도 없어진다는데 뭐."

그러나 막상 수지가 찾아오자 아내는 농담을 하지 못했다.

"돈은 얼마나 있어? 10만 원 줄게 들고 나가."

"그래."

나는 아내에게 고맙다는 말은 하지 못했다. 기쁨을 드러내는 것도 억제했다. 문을 나서려는 순간 수지 모습이 떠올랐다. 지금의 사진을 카톡으로 보았지만 내게는 35년 전의 모습만이 선명했다. 그때의 그녀를 한번 안아본다고 생각만 해도 가슴이 터질 것 같았다. 우리에게 아직 사랑의 감정이 남아 있는 걸까. 아내와 주고받았던 것과 지금 이 감정의 차이는 뭘까.

"어디 있는다고 했어?"

"아파트 정문에 있는 농협."

현관문이 닫히고 엘리베이터 문이 열렸다. 멀미 때처럼 심장이 울렁거렸다. 아래로 내려가기 시작했다. 다시 문이 열리자 나는 과거로 돌아갔다. 수지와 함께 있었던 순간이 떠올랐다. 우리는 중학교 앞까지 걸어 내려갔을 것이다. 오로지 그 길밖에 없었으니. 중학교가 가까워지자, 갑자기 불안해졌다. 누군가에게 들킬 것 같았다. 어디로 가야 할지 망설였다. 초등학교 후문으로 갈 수도 있었고, 너더리 시내를 휘젓고 다닐 수도 있었다. 그때였다. 멀리 삼거리 쪽에서 세 녀석이 걸어오는 것이 보였다. 낯익은 모습이 중학교 동창들이었다. 차츰 가까워지며 식별이 가능해졌다. 별로 친하지 않았을 뿐 아니라 중학교 2학년 때 나를 때렸던 덩치 큰 녀석이 그중에 있었다. 나는 다른 아이들과 달리 힘든 사춘기를 보냈는데, 몇 차례 가출을 하기도 했다. 덩치 큰 녀석과 같은 패거리에 속한 놈과 한바탕 싸우기도 했다. 쉬는 시간에 갑자기 터진 싸움은 수업을 알리는 종이 울리자 바로 끝났다. 의자에 앉아 가쁜 숨을 쉬며 앉아 있던 나는 멍한 상태에서 수학 선생님을 만났다. 어찌 알았을까. 수학 선생님은 내게 다가왔다. 너 지금 뭐하는 거야. 나는 다짜고짜 선생님이 휘두른 슬리퍼에 뺨을 맞았다. 아예 혼이 빠졌네. 빠졌어. 그것이 얼마나 모욕적이었는지 지금도 잊을 수 없다. 선생님은 자꾸 빗나가는 내게 화가 났을지도 모르지만, 나는 학교라는 것이 마음에 들지 않았다. 정해진 길을 제시하고, 강제적으로 따르게 하는 훈육 기관이었을 따름이다. 며칠 후였다. 무엇 때문이었는지 나는 덩치 큰 그놈에게도 대들었다. 죽기로 덤볐지만 상대도 되지 않았다. 흠씬 두들겨 맞았을 따름이었다. 이게 어디서 우리한테 덤벼. 녀석은 자기 패거리에 대한 복수를 하고 있었다. 나는 아무말도 못했다. 그 후 나는 녀석에게 어떻게 복수할지 생각했다. 운동을 해서 이길까. 아니면 공부를 잘해서 좋은 학교를 갈까.

그러나 서로 다른 고등학교에 가면서 만날 기회가 사라지자, 차츰 놈에 대한 복수심은 희미해졌다.

"아니, 저기 동창 애들인데."

내가 손으로 앞을 가리켰다.

"그렇네 잉."

"너는 먼저 초등학교 안으로 들어가. 저쪽 길에서 만나자. 나는 저 놈들을 따돌릴 테니까."

지금 와서 생각하면 그들을 상대할 필요는 없었다. 모른 체 초등학교 안으로 들어갔으면 그만일 터였다. 물론 걱정은 있었다. 그랬더라면 친구들 사이에 우리는 그렇고 그런 사이라는 소문이 퍼졌을 것이다. 지금이야 그런 것이 아무것도 아니지만 그때는 소문의 위력이라는 게 대단했다.

그녀는 초등학교 안으로 들어가고 나는 그대로 삼거리를 향해 걸어갔다. 그들과 맞닥뜨린 것은 서점 앞에서였다. 모두 동창들이었다. 한 명은 우체국장 아들이었지만 공부보다 여자들에 관심이 더 많았다. 또 한 명은 1학년 때 같은 반이었던 키 작은 친구였고, 또 하나가 바로 덩치 큰 녀석이었다.

"어, 재미가 좋은데? 너도 여자 만나는 재주 있냐?"

역시 덩치 큰 그놈이 먼저 시비를 걸었다. 지금 같으면 능글맞게 웃으며 말했을 것이다. 느그는 어째 재미도 없이 남자끼리 뭐하냐, 고 했을 것이다. 그러나 화가 치민 나는 이렇게 대꾸했다.

"그래서?"

키 작은 아이가 나섰다.

"야, 왜 그러냐 잉. 그냥 가잔께!"

우체국장 아들도 그랬다.

"그래."

나도 일부러 싸울 생각은 없었다. 그러나 오래 붙들리고 싶지 않았다.

"내가 너 같은 놈하고 또 상대하면 사람이 아니다."

이렇게 외치고 나는 걸어갔다. 동창에게 이렇게 말할 필요까지야 있을까마는 일부러 더 그런 것 같다. 나중에 나는 수지가 덩치 큰 불량배 녀석을 좋게 말하는 것에 서운함을 느꼈다. 그녀야 나와 녀석의 관계를 알 리 없지만.

방앗간을 지나 라주집을 돌자 큰길이 나왔고, 전방을 지나자 침을 맞았던 행림당이 나왔다. 조심스럽게 걸었지만 아무도 만나지 않았다. 우체국을 지나자 탱자나무 초등학교 울타리가 보였다.

수지는 정문 앞 코스모스 길에서 기다리고 있었다. 그녀는 녀석들과 있었던 일을 묻지 않았다. 나도 그들에 대해 굳이 말하지 않았다. 코스모스 길을 걷는 그녀와의 즐거운 산보를 망칠 수 없었다.

코스모스 길은 대개 학생들이 자신들의 손으로 만들었다. 나도 초등학교 다닐 때 호미를 들고, 돌을 파헤치며 도깨비바늘 같은 코스모스 씨를 심었다. 길 가장자리에는 늘 돌이 많았다. 호미로 겨우 땅을 파고 씨를 뿌리면 가을 무렵이 가까워 오면서 연분홍으로, 하양으로 피어나 바람에 흔들렸다. 진한 코스모스 향을 맡으며 노란 수술과 투명한 꽃받침을 뜯어내고 손가락으로 꽃잎을 튕기는 내기도 했다.

바닥에 모래가 있어 서걱거리는 소리가 났다. 나는 우리들이 출연한 영화의 한 장면을 떠올렸다. 앳된 연인이 넓은 들을 배경으로 걸어가는

장면이었다. 노을이 지거나 저수지에서 피리가 튀어 오르는 배경을 넣어
도 좋았다. 내가 주인공이 된다고 생각하자, 갑자기 즐거워졌다. 게다가
그녀와 함께 걷는 길에 듣는 심장의 불규칙한 두드림이라니. 손을 잡지
는 않았다. 재잘거리기만 했다. 가까이 다가서는 것도 어려워 약간은 거
리를 두었다. 밧지내기를 지나면서 왼편에 눈을 주었다. 넓은 들이 내를
건너 건지산까지 이어지고 있었다.

모퉁이를 돌아서기 전에 그녀가 말했다.

"이제 그만 돌아갈까?"

"응, 그래."

그것이 전환점이 되었지만 그때는 그걸 몰랐다. 돌아가는 길은 올 때
와는 약간 기분이 달랐다. 이미 왔던 길에는 내가 조금 전에 느꼈던 감
정들이 곳곳에 있었다.

"룡 선생님은 어디로 가셨을까?"

그녀의 말에 나는 고개를 갸웃거렸다. 그 선생님은 이 부근이 고향이
었고, 어떤 선생님보다 우리에게 애정을 보여주었다. 아이들도 모두 좋
아했다. 선생님 말대로 그분도 촌놈이었고, 우리들도 촌놈이었다. 그 분
은 우리들에 대해 잘 알았지만 매를 들거나 강요하는 법은 거의 없었다.
곧잘 아이들을 웃게 만들었지만 집에서는 아니었던가 보았다. 듣기에 그
는 집에서는 말이 없었다. 쉬는 날이면 가물치를 낚기 위해 유곡 저수지
로 갔다.

우리는 갠동 삼거리에서 헤어졌다.

"잘 가. 민철아!"

"응, 너도 잘 가고"

멋있는 인사는 결코 아니었다. 서로 감정을 적극적으로 드러내지 못했던 탓일까. 그녀가 탕실을 향해 걸어가는 가는 것을 보고 나는 구지내기로 난 길을 따라 걸었다. 그것이 내가 생각하는 마지막이었다. 이후 나는 그녀에게 전화를 했던 것 같지만 다시 그 길을 걷지 못했다.

"전화해도 되니?"

메시지를 보냈지만 연락이 오지 않았다. 대체 무슨 일일까. 지금 전화하면 안 되는 것일까. 가족들이 모여 있는 시간에 전화하면 안 되는 것일까. 완고하고 보수적인 남편이라면 그럴 수도 있지. 남자 친구와 여자 친구는 좀 다른 상황이다. 일주일 전에 영식이나 태원이와 전화할 때는 이렇게 망설이지 않아도 되었는데. 마음이 쓰이는 것이 힘들어지고 있었다. 좋아, 우리는 뭔가 서로가 맞지 않는 구석이 있었던 거야. 그래서 그때도 잘 될 기회가 있었지만 안 되었던 거지. 저녁 내내 신경이 쓰여 몇 차례 핸드폰을 보았다. 그래, 그 때 내가 너무 덤볐던 거야. 상대는 생각지도 않고, 나는 너무 덤비는 습관이 있는 거야.

다음 날에도 메시지는 없었다. 마음이 풀어지며 그간의 걱정에 나도 모르게 웃음이 나왔다. 그녀로 인해 내 가정이 불안한 처지에 놓일 수도 있다는 상상은 지나친 것이었다. 나는 주문을 걸듯 마음을 다잡았다. 내 인생에 여자는 아내뿐이었다. 그제 저녁에 아내에게 말한 대로, 잠시라도 흔들릴 필요가 없는 것이다. 설렐 필요도 없는 것이고, 작은 걱정들이 뭉쳤다가 흩어지고 난 후 기분이 상쾌해졌다. 나와 그녀는 25년이 넘는 동안 한 번도 소식을 주고받은 적이 없는데 대체 무슨 일이 생길 것인가. 우리는 단지 동창에 지나지 않을 뿐이다.

전화를 해볼까, 하는 생각이 없는 것은 아니었지만 나중으로 미루기로 했다. 가족들이 함께 있는 시간이 틀림없으며, 혹 다시 연락을 하지 않게 되더라도 할 수 없는 것이다.

하루는 빠르게 흘러갔다. 매일 식사를 준비하던 아내를 대신해 음식을 차리고 치웠다. 점심에는 라면을 끓이고 또 설거지했다. DVD를 돌려주고 연체료를 내고, 그다음에는 차 청소를 한 후 집으로 돌아왔다. 쉬는 날일수록 하루는 더 빠르게 흐른다. 결코 같은 시간이라고 할 수 없다.

저녁 식사 때 아내와 술을 마셨다. 그전 같으면 많이 마셨을 터이지만 결핵을 앓은 이후, 아내가 중풍을 맞은 이후 한두 잔으로 끝낸다. 일부러 취하기 위해 많이 마실 필요가 없다. 한두 잔이면 충분히 취하고 몽롱한 기분이 든다. 담배를 끊은 것도 결핵을 앓고 난 이후의 일이다.

저녁을 먹고 난 후 드디어 문자가 왔다.

미안. 이제야 문자를 봤다. 어제부터 일대 언니 집에 휴가차 와 있었다. 전화는 아무 때나 해도 돼.

몇 번을 망설이다가 전화를 걸었다.

"여보세요?"

"그래, 나야, 나 지금 일대 내려와 있어."

"그래, 고향에 아버지 돌아가시고 난 후로 가지 못했어. 그전에는 아예 못 가고."

"나는 자주 와. 참 광주에서 식당을 해. 나는 그 일이 참 좋고 재미있어. 웃기지 내가 식당을 한다니까."

"아니. 씩씩하게 잘 살아주어서 고맙기도 하구. 난 참 소설을 쓰고 있어. 문자로 주소를 보내주면 내 글이 실린 잡지를 보내줄게."

"들었어. 네가 글 쓴다는 이야기. 참 멋지다. 네가 소설을 쓰다니 말이야."

"이번 주말 휴가에 우리 계중 친구들이 모이기로 했는데 시골에 한번 내려와. 잘 데 없으면 언니네 집에 이야기해 놓을 테니까. 형부가 참 좋아. 얼마나 좋은지 몰라."

"그래, 나도 알아. 형 친구지."

"한 번씩 생각이 났어. 너를 생각하면 아버지가 꼭 떠올라. 그때 아버지가 암 치료 후 요양한다고 집에 계셨거든."

"그 때 집에 계셨어?"

"그래, 그 뒤에 곧 돌아가셨지."

내가 있어야 할 곳은 즐거운 나의 집이었지만, 지금은 오래전에 만난 여자 친구를 향해 가고 있었다. 아파트 정문까지는 멀었다. 걸어서 갈까, 아니면 그녀에게 차를 몰고 안으로 들어오라고 할까. 아니야. 멀리서 온 그녀를 다시 불러들인다는 것은 죄송한 일이지. 예의가 아니야. 그녀는 내게 우린 친구지, 라고 말했고, 나도 긍정했다. 우리는 과거에 서로 좋아하거나 만난 적이 있는 사이라기보다는 추억을 공유한 친구일 뿐이야, 그러니까 그녀에게 부담을 줄 수는 없지. 아니 그래서가 아니라 과거에 스쳐 지나간 인연이 있으니 환상을 깨뜨릴 수 없지. 걱정할 필요도 없고, 무슨 일이 일어날까 겁낼 필요도 없어. 둘이 한잔 마시고 밤을 보내는 상상은 하지 않아도 좋아. 이대로 걸어가는 거야. 나는 지금껏 살아온 대로 죽 살아가게 될 거야. 그래, 이런 생각은 좀 옹졸할지도 몰라.

길을 걸어가면서 그녀가 얼마나 변했을지 굳이 그려볼 필요는 없었다.

그녀는 나처럼 나이가 들었고, 카톡에 딸과 함께 찍은 사진도 올려놓았다. 가슴이 뛰는 걸까. 약간 설레기는 했지만, 그때처럼은 아니었다. 무엇이 우리를 변하게 한 것일까.

농협 앞에 나물을 파는 할머니들이 앉아 있었다. 그때 누군가가 돌아섰고, 수지가 나를 향해 기쁘게 걸어왔다. 그녀는 이십 대가 아니었다. 스웨터를 입은 그녀에게 손을 내밀었다.

"어떻게 잘 지냈어?"

내 말에 그녀는 웃으며 말했다.

"넌 하나도 안 변한 거 같아. 주름도 하나도 없고, 그때 그 모습 그대로이네."

이건 내가 들을 말이 아니라 그녀가 내게 들어야 할 말이 아닐까. 그런데 그때 검은 제네시스 문이 열리고 한 사람이 내렸다.

"쟤가 바로 영주야."

"그래, 몰라보겠네."

이렇게 말하며 나는 영주가 함께 온 것에 감사했다. 그녀는 혼자 올 리도 없겠지만, 혼자 왔다고 하면 어떻게 감정을 주체할 수 없었을 것이다.

"가자, 오래 기다렸지?"

"아니."

"밥 먹으러 가자. 배고플 텐데."

"아니야, 우리는 결혼식에서 많이 먹고 왔어. 지금도 배가 터질 것 같아."

내 말에 영주가 대신 대답했다.

"저기 보니 커피숍이 있던데."

"응, 커피나뜨래."

길 건너 김밥 집 옆 건물. 아내와 함께 한 번씩 들어가 커피를 마셨던 곳이었다. 우리는 그곳을 향해 천천히 걸어갔다. 눈이 흐려졌다. 혼자 생각했다. 이 거리에, 세 사람이 새로운 세상 속으로 들어가고 있어. 자리에 앉기 전에 그녀가 커피를 주문했다.

"나는 민트차로."

"그래, 그럼 나도 민트 먹어야지."

"음, 둘이는 같이 시켰으니까, 나만 커피 먹지 뭐."

그녀는 자리에 앉아 그동안 궁금했던 몇 가지를 물어보았다.

"우리는 서로 잘 몰랐어. 학교 다닐 때는. 근데 민철아, 어디서 나를 처음 본 거야. 그게 늘 궁금했어."

"널 처음 본 건 처음 열린 중학교 동창회 때였어. 너를 처음 보았는데 좋아 보였어."

"좋은 사람은 서로를 알아본다니까."

영주의 말에 그녀가 나를 보며 웃었다.

"그래서 정미에게 물었더니 연결을 해준 거야."

"구상리 사는 정미?"

"응."

이제 하나씩 비밀이나 환상이 벗겨질 차례였다.

"네 생각을 하면 힘이 났어. 네가 내 청춘에 추억을 만들어 주었고, 어려울 때 용기를 주었어."

"음, 그래?"

"얘는 네가 뭐가 좋다고 그러는지 몰라. 나는 별로인데 말이야."

영주가 옆에서 빙긋 웃으며 말했다. 영주는 수지의 말처럼 절친이었다. 자세히 영주를 보았다. 중학교 때 모습은 어디에도 없었다. 그녀는 광대뼈도 없고, 피부가 하얀 서울 여자로 바뀌었다. 둘이 어떻게 좋은 친구가 되었을까.

"아버지가 돌아가시고 난 후 참 힘들었어. 인월 버스 정류장에서 딱 한 번 너를 보았는데, 그때는 아무도 만나고 싶지 않았어. 세상이 싫었다고 할까. 그 뒤로 서울로 올라갔고, 다시는 만날 수 없었지."

그녀의 말이 섭섭하기도 했지만 그것은 분위기 탓이었다. 나는 그때 그 시절로 돌아가 있었다. 마치 꿈을 꾸고 있는 듯했다.

작가 후기

인간은 언젠가는 죽는다.

단지 사람들은 그걸 생각하고 싶지 않을 뿐이다. 그래서 몇백 년을 살 것처럼, 천 년을 살 것처럼 욕심을 부린다. 죽기 아니면 살기로 일을 하고 남의 것을 은밀하게 빼앗는다. 부자란 곳곳에 흩어져 있는 부와 재물을 본인 앞으로 끌어당겨 큰 덩어리를 만든 사람이다.

아버지가 돌아가신 후 하신 어머니 말씀이 떠오른다. 평생 나는 안 죽을 줄 알았는데. 언제까지고 젊을 줄 알았는데. 그 말에 저절로 삶의 무상함이란 이런 것이구나 싶다.

요새는 사람들 생각이 많이 달라졌다. 하마터면 열심히 살 뻔했다는 책도 나오고, 워라밸(work-life balance)이라는 용어도 사람들 입에 오르내린다. 모멘토 모리Memento Mori)라는 말도 어쩌다 한 번 귓가를 스치고 지나간다.

나도 이제 오십팔 세를 넘기고 있다.

흐르지 않는 깊은 강물의 내면처럼 소년의 마음이 어느 한 곳에 있어 언제까지나 청춘인 듯싶지만, 거울에 보이는 얼굴은 세파에 맞아 일그러진 중년이다.

좀 더 나이가 들어 감기에 걸리면 나는 아마 힘들어질 것이다. 폐가 약한 나는 쉽게 폐렴에도 걸릴 것이다. 코는 더 골 것이고, 자주 씻지 않아 냄새는 더 날 것이고, 감기에 걸려 기침할 때마다 관우의 의연한 모습을 떠올릴 것이고

그렇지 이건 죽음으로 가는 지름길이 될 것이다.

하루하루를 견디는 것은 누구에게나 같지 않다. 견디기 힘든 고통이 있을 때는 천년처럼 길다가 걱정 없는 하루하루는 우주선보다 빠르게 지나가 버린다. 그렇다고 걱정 없이 편안한 삶만 추구할 것인가? 곧 죽음이 다가와 나를 데려갈 수 있다는 것을 생각하면 더욱 그렇다. 어떻게 우리는 살아야 하는가.

책상 위에 레이먼드 카버의 <대성당>이란 소설이 놓여 있다. 책을 펼치고 읽다만 부분을 찾아 읽다 보니 작가의 고단한 인생이 떠올라 갑자기 서글퍼진다. 어른들 말씀처럼 고생고생하다가 살 만하면 인간은 죽는가 보다.

독한 감기를 앓고 난 이후라 그런지 카버의 소설이 눈물겹다. ♥